日本経済の持続的成長

エビデンスに基づく政策提言

藤田昌久 [編]

東京大学出版会

Sustainable Growth of the Japanese Economy:
Evidence-Based Policy Recommendations
Masahisa FUJITA, Editor
University of Tokyo Press, 2016
ISBN 978-4-13-040273-6

刊行にあたって

　経済産業研究所（略称RIETI）は，内外の研究者等の連携によるシナジー効果を最大限に発揮しながら，学術的かつ実証的な研究を通じて政策研究・提言を行う政策研究機関として2001年4月に設立されました．2015年度は，2011年度から始まった5年間の第三期中期目標期間の最終年度に当たっており，数多くの研究実績を積み上げてまいりました．

　経済産業研究所の研究は，基本的には貿易投資，国際マクロ，地域経済，技術とイノベーション，産業・企業生産性向上，新しい産業政策，人的資本，社会保障・税財政，政策史・政策評価の9つの分野にわたっており，それぞれの分野ごとにしかるべき研究者がプログラム・ディレクターに就任し，複数の研究プロジェクトを統括しております．

　これまでの第三期中期目標期間の成果は，800本を超える論文となり，50回を超えるシンポジウム，さらに年間で80件ほどのセミナー，ワークショップ等に結実しております．また，第三期では，研究に国際的な視点も取り入れて広がりと深みを持たせる観点から，国際研究交流を一層推進しており，研究への海外研究者参加や海外研究機関との共催によるシンポジウム等も増加しております．

　他方，経済産業研究所では，データベースの体系的整備と外部への提供にも引き続き注力してまいりました．日本産業生産性データベース（JIPデータベース）を始めとする都道府県別産業生産性データベース（R-JIP）や中国産業生産性データベース（CIP）といった産業生産性に関するデータベースの整備充実，日本・中国・韓国の産業別名目・実質実効為替レートのデータ整備，さらに「くらしと健康の調査」（JSTAR）の継続などを行っております．

　第三期中期目標期間では，最初の年度に当たる2011年度が始まる直前に東日本大震災が発生し，多くの尊い命が失われ，甚大な被害が生じました．経済産業研究所では，このような大災害が経済社会にもたらす影響を分析すること

刊行にあたって

で効果的な政策対応や今後の教訓の礎とすべく，経済被害，原発事故やエネルギー問題，企業のサプライチェーン寸断の広がりなど，関連する研究を多数立ち上げ，実施したところです．

さらに，第三期期間中では，著しい円高や消費税引き上げ等を含む財政問題なども大きな経済テーマとなりました．当研究所としてもこれらのテーマに積極的に取り組み，産業や地域の空洞化，為替相場変動が産業競争力にもたらした影響，財政健全化に向けた税財政政策のあり方などについて多くの研究成果を挙げました．

少子高齢化が世界的に最も速いペースで進む日本においては，人的資本の一層の活用も重要なテーマです．当研究所では，かねてから女性の活躍や労働市場問題についての研究を進めてまいりましたが，その成果は，アベノミクスの登場とともに，女性が一層活躍できる枠組み作りや労働市場改革などに貢献しております．

本書は，経済産業研究所の第三期中期目標期間の成果をわかりやすく読者の皆様にお伝えするためにまとめたものです．失われた20年を経て，日本経済は復活を遂げ始めております．しかし，そこにはなお多くの課題があり，政策対応も多岐にわたります．本書では，各章別に，研究分野を統括しているプログラム・ディレクターが，それぞれの研究分野での成果とそこから見える日本経済の姿や今後の望ましい方向と政策対応などについて整理しておりますので，これらが読者の皆様の認識を深めるとともに政策形成にさらに寄与するものとなれば幸いです．

経済産業研究所では，2016年4月より新たな第四期中期目標期間に入ります．日本経済と世界経済は変化しており，新たな経済動向や課題の下ではさらなる政策対応が必要となります．その中で，経済産業研究所は，第三期までの蓄積を生かしつつ，さらなる研鑽を重ね，その成果を広くお伝えするとともに新たな政策形成に寄与するために積極的に取り組んでまいります．今後ともご支援，ご鞭撻を賜れば幸甚です．

2016年3月

経済産業研究所理事長　中島厚志

はじめに

　経済産業研究所（RIETI）は，2011年の4月から始まった第三期中期計画期間の5年間において，日本経済を成長軌道に乗せ，その成長を確固たるものにしていくためのグランドデザインを理論的・実証的に研究することを使命としてきた．そのために，(1)世界の成長を取り込む視点，(2)新たな成長分野を切り拓く視点，(3)社会の変化に対応し，持続的成長を支える経済社会制度を創る視点，の3つの重点的な視点を常に踏まえて研究を行ってきた．

　(1)の視点は，近年，急速な成長を遂げてきたアジアの新興国をはじめとする世界の成長を日本の成長に取り込み，日本の科学的技術力を活かした貿易・投資とビジネス展開を促進することの重要性を表している．また，(2)の視点は，わが国の強みと社会状況を活かして，グリーン・イノベーション，ライフ・イノベーションや人工知能・ロボットの開発に代表されるような新しい成長産業を生み出すため，R&D政策のあり方や生産性向上の理論・実証分析の重要性を表している．さらに(3)の視点は，わが国の持続的な成長を支えるためには，経済的・社会的インフラについて，高齢化，環境，財政などの制約を乗り越え，社会の変化に対応した安定的な制度を構築することの重要性を表している．RIETIは，これら3つの視点を念頭におきながら，わが国の今世紀における持続的な発展に向けての研究を，日本の研究者と政策立案者，さらにはアジアや欧米をはじめとする日本以外の研究者との緊密な連携のもとに，9つの分野にわたり総合的に遂行してきた．

　奇しくも，第3期の開始を目の前にして，わが国にとって未曾有の「東日本大震災」が発生した．わが国が，この戦後最大ともいえる危機を乗り越えて新しい日本を創っていくためにも，RIETIは，緊急対応のみならず中長期的な視点から，全力を挙げて研究を進めてきた．

　RIETIにおける研究において重視されてきた上述の3つの視点は，筆者（藤田）の専門とする空間経済学の中心的課題である，多様性の増大を通じて

はじめに

の経済社会の発展という観点からも支持できる．20世紀末以降，情報通信技術や輸送技術の革新のもとに，広い意味での輸送費が大幅に低減し，交易・生産・投資・金融におけるグローバル化ないし脱国境化の時代が来ている．

一方，経済活動の脱国境化とともに，社会の一番基本であり，かつ重要な資源は1人1人の頭脳（＝Brain）であるとされる，いわゆる Brain Power Society が到来し，知の拠点化やネットワーク化が起きている．すでに確立した技術による生産活動は，発展途上国などコストの安いところに分散していき，先進国では密なコミュニケーションを必要とする知識創造活動，広い意味でのイノベーション活動が中心となる．

ただし，同じような頭脳ないし知識を持つ人材が集まっても，大きな相乗効果は生まれない．イノベーション活動において重要なのは，多様性にもとづく相乗効果，つまり「三人寄れば文殊の知恵」である．しかしながら，同じ人達が密なコミュニケーションを長く続けていると，共通知識の肥大化が進み，「三年寄ればただの知恵」に終わる危険性がある．これは，より一般的に，知識創造活動とマスメディアの東京一極集中と共に進んできた，日本の社会全体における共通知識の肥大化とイノベーション力の減退についても言える．

この二律背反を避けるには，あらゆる組織間，都市・地域間，さらには国境を越えた，知の交流と人材の流動化を促進する必要がある．また，社会全体における多様性を促進していくためには，社会の中枢部ないし知識創造活動の中心で現在十分に活躍できていない人々，特に，未来への明るい展望を持てないでいる多くの若者，社会でさらに活躍したい高齢者，自分の潜在的能力を十分に発揮できていない女性への，具体的な施策を通じて，全員参加型の経済社会システムを新たに構築していく必要がある．

以上の視点ないし観点は，地方創生，女性の活躍やイノベーションを重視するアベノミクスの成長戦略とも軌を一にしている．本書では，以上の視点ないし観点を共有しながら，日本経済を成長軌道に乗せていくことを目指して実施されてきた第三期中期計画期間の研究成果が，各分野のプログラムディレクターにより，8章にわたりまとめられている．なお，序章において，RIETI のシニアリサーチアドバイザーの1人である吉川洋教授（東京大学）により，人口減少下における経済成長についての基本的観点がまとめられているとともに，

はじめに

各章の位置づけがなされている．

　本書がRIETIのこれまでの成果に対する皆様の御理解を一層深めるとともに，エビデンスに基づく政策形成を再認識いただく契機となることを願っている．

　　2016年3月

　　　　　　　　　　　　　　　　　　経済産業研究所所長　藤田昌久

目　次

刊行にあたって（中島厚志）　i
はじめに（藤田昌久）　iii

序章　人口減少，イノベーションと経済成長 ―――― 吉川　洋　1

1　長期停滞の原因　1
2　実質 GDP と名目 GDP　3
3　イノベーションの役割　5
4　人口と経済成長　7

第 1 章　グローバル経済における企業と貿易政策 ―――― 若杉　隆平　11

1　はじめに　12
2　企業の国際化と成長　13
3　グローバル企業のイノベーションと貿易・産業政策　19
4　貿易政策の形成と評価　26
5　震災復興と企業　34
6　企業ネットワークと経済発展　38
7　中国企業の国際化と産業政策　41
8　貿易・投資の法制度　44
9　おわりに　50

vii

目　次

第2章　国際マクロから考える日本経済の課題
――――――――――――――――――――伊藤隆敏・清水順子　57

1　はじめに　58
2　アジア地域におけるバスケット通貨の役割　59
3　産業別実質実効為替相場からみたアジアの競争力　63
4　パススルーはなぜ復活したのか　68
5　アベノミクス後の円安はなぜ日本の貿易収支を改善させないのか？　71
6　日本の自動車輸出：輸出価格と小売価格の分析　75
7　為替レートが日本の輸出に与える影響の数量的評価　80
8　まとめ　83

第3章　グローバル化と人口減少下における地域創生の課題
――――――――――――――――――――浜口　伸明　91

1　はじめに　92
2　グローバル化と地域経済　96
3　地域空間構造の頑強な秩序　99
4　地域経済の自立と持続可能性　101
5　企業間ネットワークと地域経済　104
6　国際化するサプライチェーンにおける都市と地域　106
7　地域創生に向けた提言　109
8　おわりに　112

第4章　日本の技術革新力の現状とその強化を目指して
――――――――――――――――――――長岡　貞男　117

1　はじめに　117
2　日本の研究開発の知識源泉：日米欧の発明者から見た特徴　118
3　日本産業のサイエンス活用能力　123
4　研究開発へのインセンティブ設計　136

5　技術スタートアップと技術市場　145
　　　6　標準をプラットフォームとするイノベーション　152
　　　7　世界の知識の活用　157
　　　8　おわりに　167

第5章　生産性・産業構造と日本の成長 ―――― 深尾　京司　173

　　　1　はじめに　174
　　　2　日本はなぜICT革命に出遅れたか　178
　　　3　高齢化・地域間生産性格差と産業構造　182
　　　4　中国の構造改革と日本経済　190
　　　5　おわりに　197

第6章　「新しい産業」政策と新しい「産業政策」―― 大橋　弘　201
　　　　「新しい産業政策」プログラムからの知見

　　　1　はじめに　202
　　　2　「産業政策」の経済学的な位置づけ　203
　　　3　産業政策の変遷　204
　　　4　イノベーションと産業政策　209
　　　5　エネルギー政策：電力システムを中心に　221
　　　6　産業政策としての農政改革　226
　　　7　中小企業政策　229
　　　8　今後の「新しい産業政策」に向けて　233

目次

第7章　雇用制度・人材教育改革に向けて ── 鶴　光太郎　241
人的資本プログラムの研究成果と政策インプリケーション

1　はじめに　241
2　教育改革　243
3　非正規雇用改革と最低賃金改革　247
4　正社員改革　254
5　ワークライフバランスとメンタルヘルス　257
6　女性活躍推進を目指して　261
7　今後の課題：高齢者雇用の視点から　267

第8章　財政赤字・社会保障制度の維持可能性と金融政策の財政コスト ── 深尾　光洋　273

1　はじめに　273
2　財政バランスの現状と課題　275
3　量的緩和の財政コスト　284
4　社会保障制度の概観　289
5　おわりに　292

索　引　297

序章
人口減少,イノベーションと経済成長

吉川　洋

1　長期停滞の原因

　1990年代初頭バブルが崩壊した後,日本経済は長期間停滞を続けてきた. 2001年,世紀の変わり目の頃には「失われた10年」という言葉が定着したが,やがて「失われた20年」という表現も使われるようになった.閉塞感は日本国内における自覚にとどまらず,いまや国際的な共通認識でもある.2015年,ギリシャで財政危機が深まるなかで,EU経済(ユーロ圏)は「日本化」するのではないか,という表現も目にするようになった.

　日本経済はなぜ長期停滞に陥ったのか.その原因は何か.長期停滞から脱出するためには,何がなされるべきであったのか.また,現在何がなされるべきであるのか.こうした問いは,日本経済の明日を考えるうえで最も重要な問いである.

　長期停滞の主因はデフレーションだ,という考え方もある.たとえば,浜田(2013)はこうした立場を代表するものだ.

「一九九八年に新日本銀行法が施行されて以降,次章でも示すように,日本経済は世界各国のなかでほとんど最悪といっていいマクロ経済のパフォーマンスを続けてきた.

　主な原因は,日本銀行の金融政策が,過去一五年あまり,デフレや超円高をもたらすような緊縮政策を続けてきたからだ.

　……

序章　人口減少, イノベーションと経済成長

いま国民生活に多大な苦しみをもたらしているのは, デフレと円高である. デフレは, 円という通貨の財に対する相対価格, 円高は外国通貨に対する相対価格——つまり貨幣的な問題なのである.

したがって, それはもっぱら金融政策で解消できるものであり, また金融政策で対処するのが日本銀行の責務である.」(浜田, 2013, pp. 25-27)

これはまた, 2012年12月に成立した第二次安倍晋三内閣の経済政策「アベノミクス」の基本的な考え方でもある. たとえば, 2013年1月28日, 安倍内閣成立後, 最初に行われた内閣総理大臣所信表明演説では次のように述べられている.

「我が国にとって最大かつ喫緊の課題は, 経済の再生です.

私が何故, 数ある課題のうち経済の再生に最もこだわるのか. それは, 長引くデフレや円高が, 「頑張る人は報われる」という社会の信頼の基盤を根底から揺るがしていると考えるからです.

……

これまでの延長線上にある対応では, デフレや円高から抜け出すことはできません. だからこそ, 私は, これまでとは次元の違う大胆な政策パッケージを提示します. 断固たる決意をもって, 「強い経済」を取り戻していこうではありませんか.」(『第百八十三回国会における安倍内閣総理大臣所信表明演説』, 2013, pp. 4-5)

この所信表明演説に先立ち, 1月22日には「デフレ脱却と持続的な経済成長の実現のための政府・日本銀行の政策連携について」という共同声明も公表されている.

デフレこそが日本経済に長期停滞をもたらした「主犯」であるのか. この問題については, 経済学者・エコノミストの間でも異なる見解があり, 本書の執筆者の中でもコンセンサスは得られないだろう. バブル崩壊後, 土地・株など「資産価格デフレ」が金融システムを揺るがし, 「失われた10年」をもたらした. この点については, Hayashi and Prescott (2002) のような例外はある

にせよ，大方のコンセンサスがある．

しかし，モノやサービスの価格のデフレが，「失われた20年」の主因であるのか．日本経済の抱える根本問題は「マネタリー」なものであるのか．というと，すでに述べたとおり，見解は分かれる．筆者自身は，日本経済の問題は「実物的」(real)なものであり，デフレは「主犯」ではないと考えている．筆者のように日本経済の実物面に力点を置かなくても，マネタリーな問題に加えて実物的な問題も存在するというのであれば，かなりの数の経済学者・エコノミストが賛意を表するのではないだろうか．実際，本書において各章が扱っている問題のうち，半数以上はマネタリー（貨幣的）というよりはむしろリアル（実物的）な問題である．

2 実質GDPと名目GDP

日本経済は長期停滞に陥ったといわれる．図序-1は1994年から過去25年間の実質GDPと名目GDPをみたものである．実質GDPは，2008年リーマン・ショック後の大きな落ち込みはあるものの，1994年の446.8兆円から2014年の526.9兆円へと平均0.8%で曲がりなりにも成長してきた．しかし成長率でみると，1975～94年の3.5%に比べて0.8%と著しく低下している．

もっとも，図序-2にあるように，実質GDPそのものではなく，「労働力人口1人当たりのGDP」の成長率でみると，日本経済のパフォーマンスは必ずしも悪くない，という見方もある．実際，図序-1からも分かるように，過去20年には1997～98年の金融危機，2008～09年のリーマン・ショックという2回のマイナス成長と，2001～07年のように比較的順調に成長をした時期が混在しているのである．この20年間を一括して「失われた20年」と呼ぶことに筆者は賛成できない．こうした問題はあるものの，第5章で詳しく論じられているように，1990年代以降「全要素生産性」(Total Factor Productivity: TFP) の鈍化が日本経済にとって大きな問題であることは，否定できない事実である．

実質GDPの成長と対照的に，名目GDPは，1997年の523.2兆円から2011年の471.6兆円まで14年間で11%も低下した．これこそがデフレの問題だ，

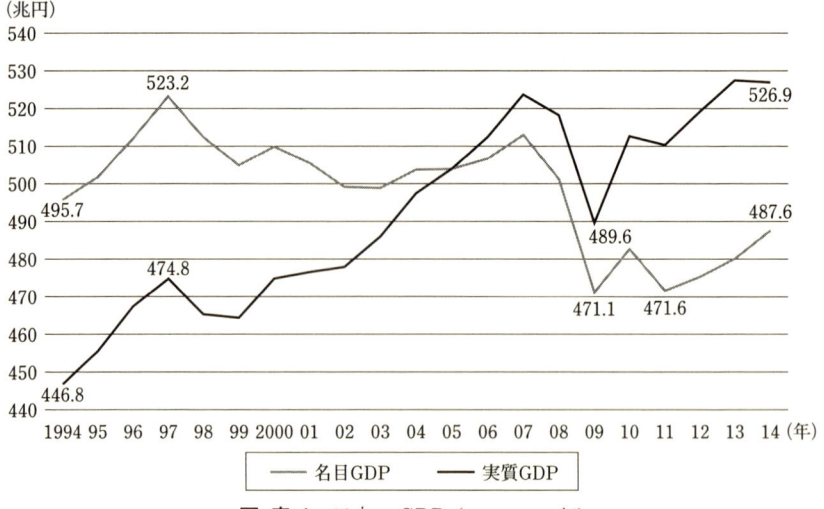

図 序-1 日本の GDP（1994〜2014 年）

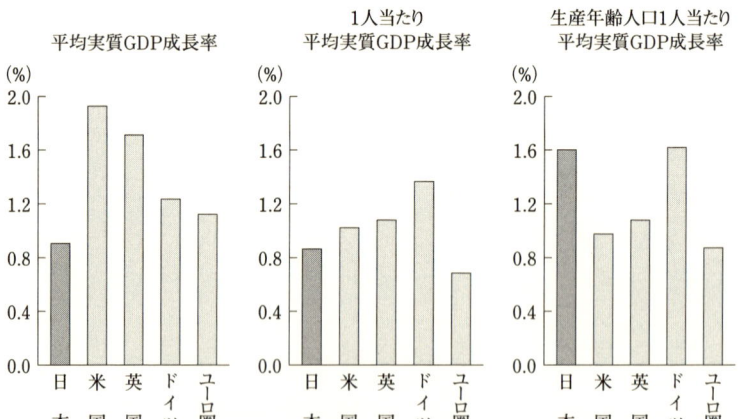

図 序-2 実質 GDP と生産年齢人口 1 人当たり実質 GDP 等の推移（2000〜2013 年）

出典：白川方明「日独産業協会講演」2014 年 10 月 1 日.

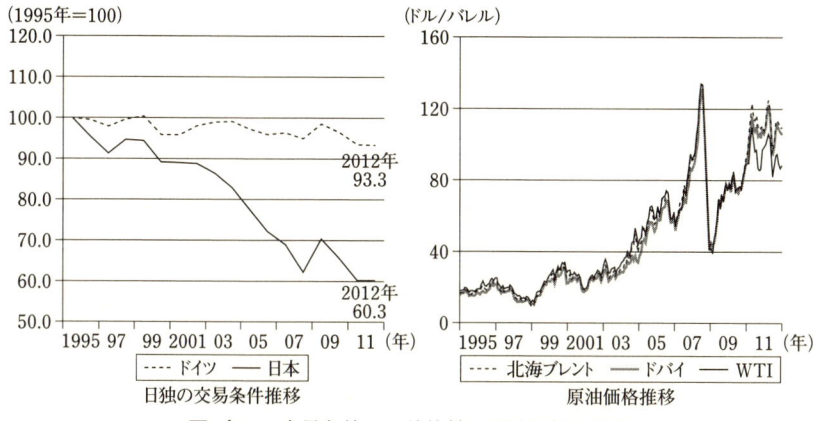

図 序-3 交易条件の日独比較と原油価格の推移
出典：OECD Economic Outlook 2013, IMF Primary Commodity Database.

という指摘もあるが，必ずしもそうとはいいきれない．GDP デフレーターの低下は 100% マネタリーなものではなく，「交易条件」の悪化という「実物的」な要因も反映しているからである（齊藤，2014，5 章）．

実際，2000 年代に入ってから日本にとって重要な輸入品である一次産品価格は急騰した．たとえば，2000 年代前半には 1 バレル 20～30 ドルであった原油価格は，10 年で 120 ドルを超える水準まで上昇した．図 序-3 は，原油価格の推移と日独の交易条件を示したものである．ドイツも日本と同様，資源輸入国だが，交易条件は 1995 年から 2012 年にかけて 7% 程度しか悪化していない．それに対して，日本の交易条件は同じ期間に 40% も悪化している．ドイツは輸入原材料価格の上昇をかなり輸出価格に転嫁したのに対して，日本企業は輸出価格を上げることができなかった．これが 2 国の交易条件に著しい違いを生み出した．

3　イノベーションの役割

なぜこうした違いが生じるのであろうか．重要な理由の 1 つは「ブランド力」の有無である．価格競争とは別次元のブランド力があれば，原材料価格の上昇を製品価格の上昇にスライドすることができる．2012 年前半から 13 年後

序章　人口減少，イノベーションと経済成長

半にかけて，円が 1 ドル 80 円から 100 円まで，1 ユーロ 103 円から 134 円まで減価したとき，銀座のブランド店は軒並み商品の円価格を上げ話題となった．日本で商品を販売する欧米のブランド企業は，ドル／ユーロ高を円価格の上昇により吸収したのである．円高のときには，ドル／ユーロ価格を据え置き，円建ての生産コストを低下させなければならない，と考えてきた日本企業とは対照的である．両者の違いは，すでに述べたように，「ブランド力」の有無である．

なお，安倍政権誕生後の劇的ともいえる円安は，日本の輸出を増加させなかった．日本の輸出は，なぜ増加しなかったのか．第 2 章では，この重要な問題を分析している．

ブランド力と密接な関係にあるのが「プロダクト・イノベーション」である．イノベーションという概念の生みの親であるシュンペーターは，イノベーション――当初，シュンペーター（Schumpeter, 1934）は「新結合」という用語を使っているが――として，具体的に 5 つの範疇を挙げた．

①新しい商品の創出
②新しい生産方式の開発
③新しい市場の開拓
④原材料の新しい供給源の獲得
⑤新しい組織の実現

いずれもまさにイノベーションにほかならないが，先進国の歴史を振り返ると，「新しい商品の創出」すなわち「プロダクト・イノベーション」こそが，資本主義経済を牽引する究極の要因である．なぜなら，既存のモノやサービスに対する需要は必ず飽和する，という単純な事実が先進国の経済成長を抑制する根本的な要因だからだ．実際，ほとんどすべてのモノやサービスの成長は，S 字型の「ロジスティック成長」をし，最終的には成長率の低下とともに天井を迎える．

吉川・安藤（2015）で詳しく説明したとおり，需要の飽和を打破し，新たな成長を生み出す「プロダクト・イノベーション」のインパクトは，TFP では

とらえることができない．このことは，TFPの計測の価値を減ずるものではないが，その一方でTFPでは測りきれないイノベーションが存在する，いいかえれば，TFPはイノベーションの一部分をとらえるものにすぎない，ということも十分に認識する必要がある．

　たとえば，自動車産業では，旧来のガソリン車の売り上げが減少するなかで，ハイブリッド車の増加が全体を牽引してきたことは，よく知られているとおりだ．しかし，ハイブリッド車の登場というメジャーなプロダクト・イノベーションをTFPの計測はうまくとらえることはできない．TFPの計測では付加価値にのみ注目するため，投入の変化からみた製品の変化は見落とされてしまうからである．ハイブリッド車やスマートカーの本質は，部品の電子化（エレクトロニクス化）の進展にある．

　もう1つの例として「高齢者用紙おむつ」も挙げることができる．乳幼児用の紙おむつは少子化の下で生産が頭打ちとなっているが，代わって成長を牽引しているのが，高齢化の下で需要が伸びている高齢者用紙おむつである．こうしたプロダクト・イノベーションのインパクトをTFPはとらえることができない．

4　人口と経済成長

　最後に改めて経済成長と人口の関係を長期的な視点から考えてみることにしたい．急速な人口減少に直面するわが国では，「人口ペシミズム」が優勢である．「右肩下がりの経済」は，今や経営者や政治家が好んで口にする表現だ．たしかに，少子高齢化が日本の財政・社会保障に大きな負荷をもたらしていることは事実である（第8章）．少子化，人口減少は，わが国にとって最大の問題であるといってもよいだろう．

　しかし，先進国の経済成長と人口は決して1対1に機械的に対応するものではない．図 序-4は，明治初年以降の実質GDPと人口の種類を比較したものだが，GDPは人口とほとんど関係ないといってよいような成長をしてきたことが分かる．戦後の高度成長期（1955〜70年）に，日本が実質ベースで年平均10%の経済成長をしたことは誰もが知ることだが，当時の労働力人口の増

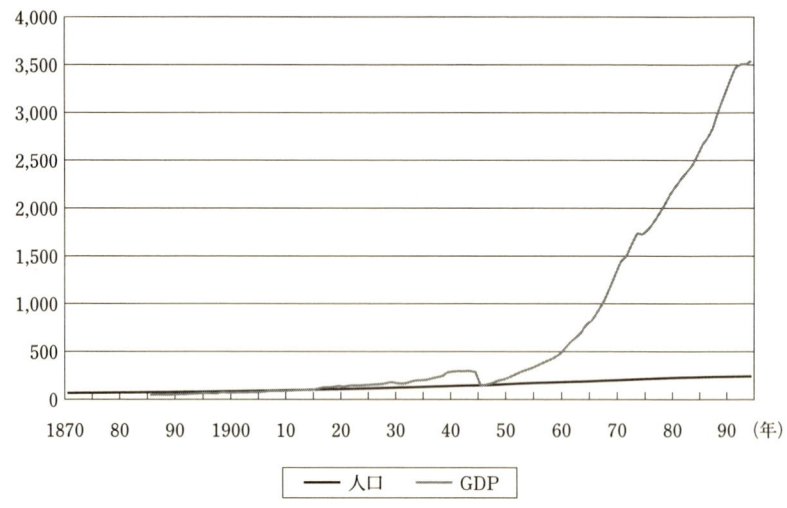

図 序-4　日本の人口と GDP (1870~1994年, 1913年=100)

加率は1%強であったということを知る人は少ない．両者のギャップ 10%－1%＝9% は，「労働生産性」の上昇率だが，それをもたらしたものが「資本装備率」の上昇と，イノベーション（TFPの上昇）にほかならない．

　TFPの伸び率の低下は，本書においても大きなテーマとなっている（第5章）．そのうえで本書では，イノベーションの活性化について，さまざまな側面から分析されている．第4章では「技術」とイノベーションについて分析がなされているし，第6章は，イノベーションの活性化に向けて望まれる「新しい産業政策」について考察したものだ．

　イノベーションの担い手である企業の多くは，いまやグローバルな経済環境の下で企業活動を行っている．したがって，日本企業の行動を理解するためには，貿易，国際投資の新しい動向を知る必要がある（第1章）．また，国内における企業の行動は，地域経済に直接的な影響を与える．人口動態は地域経済に大きな影響を与える．人口減少に伴い「消える市町村」が大きな社会問題となっている現在，企業行動は地域経済とどのようにかかわるのか（第3章）．

　イノベーションを生み出すのは「人」である．したがって，イノベーションにつき考えるためには「人的資本」を忘れるわけにはいかない．過去20年，

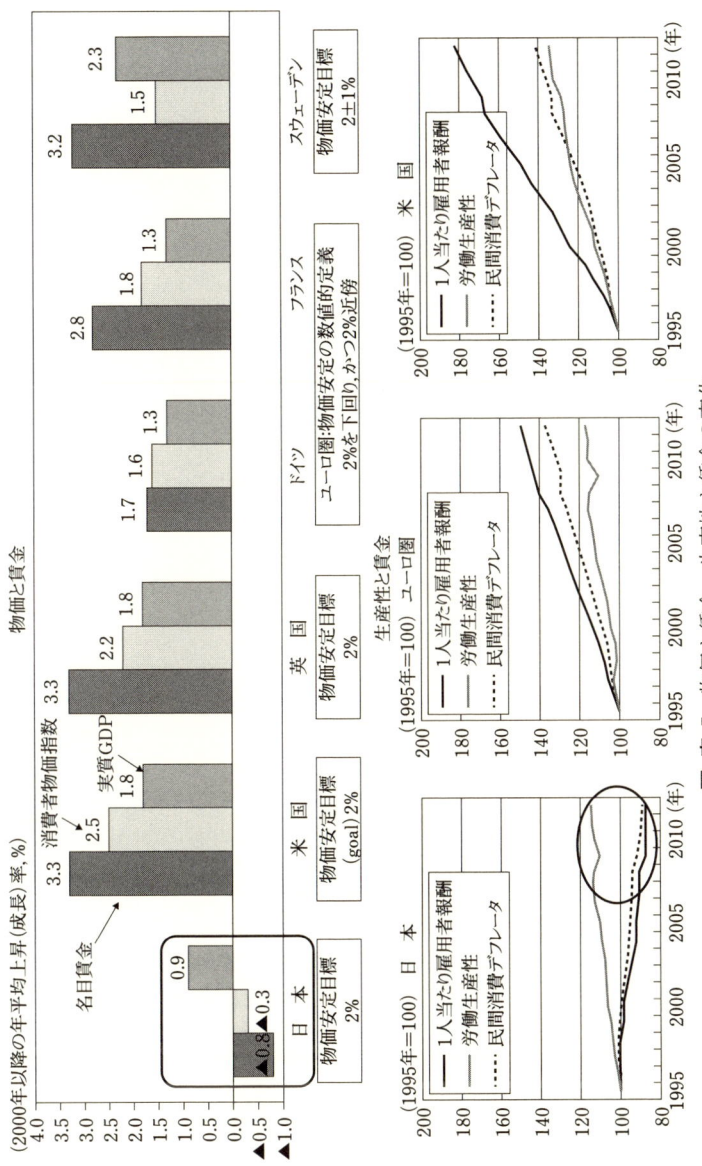

図序-5 物価と賃金、生産性と賃金の変化

序章　人口減少，イノベーションと経済成長

日本の労働市場が大きく変貌したことは，よく知られているとおりだ．かつては6人に1人だった非正規労働者はいまや3人に1人となり，若年者では4割に達するといわれる．この間，労働生産性は曲がりなりにも上昇してきたにもかかわらず，名目賃金が下がるという異常ともいえる事態に陥り，それが日本のデフレを悪化させた（図 序-5）．第7章は，人的資本をキーワードに日本の労働市場が直面する問題を分析したものである．

はじめにも述べたとおり，日本経済が力強い成長軌道を取り戻すためには「デフレ克服」だけでは十分ではない．鍵を握るのはイノベーションである．本書はこの問題をエビデンスに基づきさまざまな角度から分析したものである．

参照文献

Hayashi, F. and E. C. Prescott (2002), "The 1990s in Japan: A Lost Decade," *Review of Economic Dynamics*, 5: 206-235.

Schumpeter, J. A. (1934), *Theory of Economic Development*, Cambridge, MA: Harvard University Press.

齊藤誠 (2014),『父が息子に語るマクロ経済学』勁草書房.

浜田宏一 (2013),『アメリカは日本経済の復活を知っている』講談社.

吉川洋・安藤浩一 (2015),「プロダクト・イノベーションと経済成長 Part Ⅳ：高齢化社会における需要の変化」RIETI Discussion Paper Series 15-J-012.

第1章
グローバル経済における企業と貿易政策

若杉　隆平

要　旨

　世界経済が発展する中で，日本企業は製造業だけでなく非製造業に至るまで，多様に国際化している．企業がどのように国際化し，それが雇用やイノベーションにどんな影響を与えただろうか．貿易政策や知的財産権制度は企業の輸出・投資やイノベーション，消費者利益に複雑な影響を与える．各国の貿易政策や制度の変化は，相互に企業や消費者にどんな影響を与えるだろうか．WTOの貿易自由化交渉が停滞する一方，数多くの経済連携協定が締結された．とりわけ2015年10月に合意されたTPP協定は格段に大きな影響をもたらすだろう．協定の参加国が増え，対象範囲が拡大することは，貿易，投資，賃金，雇用，所得水準にどんな影響を与えるだろうか．貿易自由化が望ましいと思われている反面，現実の自由化には困難を伴うのはなぜだろうか，そうした困難を克服するには何が必要だろうか．研究期間直前に起きた東日本大震災は日本社会に甚大な被害をもたらしたが，被災地は着実に復興への道を歩んでいる．その過程で，何が震災復旧の妨げとなり，また，助けとなっただろうか．企業の繋がりは復興の助けとなっただろうか．企業のネットワークの発展は貿易投資にどんな影響をもたらすだろうか．国際貿易・投資が拡大する中国には特に注目すべきである．中国企業はどのように国際化し，市場改革，国有企業改革，政府の産業政策は，企業の生産性や貿易投資にどんな影響を与えただろうか．さらに，国境を越える貿易・投資の取引にとって，貿易投資に関する法制度は重要である．投資保護や文化財保護に関する法的枠組，独占禁止法などを国際間で矛盾なく運用するには何が必要だろうか．本章では，こうした課題に理論・実証面から取り組んだ研究成果をレビューし，エビデンスと政策処方箋を提供する．

第1章　グローバル経済における企業と貿易政策

1　はじめに

　経済産業研究所（RIETI）の第三期研究プログラムが行われた期間（2011～2015年度）において，貿易・投資は大きく変化した．日本企業はそれまで以上に活発に国際化（輸出や海外生産）しており，その範囲は製造業だけでなく卸売業・サービス業，大都市に立地する企業だけでなく地方に立地する企業，大企業だけでなく中小企業にまで及んでいる．日本企業の国際化はどのように変化しつつあるだろうか．拡大する企業の国際化が，賃金や雇用構造，特に正規と非正規の雇用構造，研究開発のグローバル化にどのような影響を与えているだろうか．また，グローバルな市場での国ごとの政策や制度の違いは貿易，企業の直接投資やイノベーション，消費者利益に複雑な影響を与える．知的財産権の保護が国ごとに異なることはその例であろう．貿易・産業政策を実施する際には，政策や制度の変化が市場や企業に与える複雑な効果をあらかじめ予測しておくことが必要である．

　本研究期間において，WTOにおける貿易自由化交渉が停滞したことを背景に，数多くの自由貿易協定・地域経済連携協定が締結された．日本はその交渉に積極的に参加した．2015年10月，5年半に及ぶ長期交渉を経て環太平洋経済連携協定（TPP）が合意された．カバーする市場規模と合意された内容から見て協定が極めて大きな経済効果を持つことは疑いない．こうした協定への参加国が拡大し，自由化の対象範囲が拡大することは，貿易だけでなく，直接投資，賃金，労働条件，所得水準にどのような利益・不利益をもたらすだろうか，また，一般に貿易自由化が望ましいことに多くの人々が賛同するにもかかわらず，実際の自由化の決定をするとなると，合意形成に大きな困難を伴うのはどうしてだろうか．そうした困難を乗り越えるには，何が求められるだろうか．こうしたことを明らかにしておくことは貿易政策を形成する上で不可欠である．

　2011年3月の東日本大震災が日本の社会や経済に与えたダメージは大きかった．そうした中にあって，被災地は果敢に復興への道を歩んでいる．電力供給，サプライチェーンの寸断など震災復旧の妨げとなった要因，また，その後の復興に助けとなった要因は何だったろうか．人と人とのつながりが重要であ

ったのと同じように，企業間のつながり（ネットワーク）が復興にどのように助けとなっただろうか．震災復興の過程で注目された企業ネットワークの存在に研究の関心が集まっている．ネットワークの存在は企業の貿易投資の発展にどのような影響をもたらしているだろうか．

リーマンショックから立ち直り，世界の貿易・投資は拡大してきたが，中国の貿易・投資の拡大はとりわけ注目すべきである．貿易額で世界第1位，米国に次ぐ経済規模となった中国経済の変化は日本経済に直接的に影響する．中国企業はどのように国際化しつつあるだろうか，WTO加盟後の中国の市場改革，国有企業改革，イノベーションを促そうとする中央・地方政府の産業政策は，中国企業の生産性や貿易投資にどのような影響を与えているだろうか．

いかなる経済取引にもルールが必要であるが，貿易・投資は異なる国と国との間での取引であるため，共通のルールは特に重要である．さらに国際取引で紛争が生じた場合の解決は，一国内よりも遙かに解決しにくく，決着は国際法にゆだねられる．このため，貿易投資に関する国際法は特に重要である．WTOはその中で基盤をなすものであるが，その他にも投資保護や文化財保護に関する法的枠組，さらには独占禁止法の競争ルールがある．各国におけるそれぞれの分野の法的枠組と運用が，WTOの規定と矛盾なく，国際的に調和あるものとするにはどのようなことが求められるだろうか．

筆者が統括した貿易・投資プログラムは，以上のような極めて幅広い課題を対象として，理論・実証・政策分析の側面から取り組み，分析によって明らかになった内容を提示するとともに，政策への処方箋とそのためのエビデンスを提供することを目的として行われた．得られた研究成果のすべてを紹介することは紙幅の制約から不可能であるが，以下では注目すべき研究成果をできる限り数多く紹介したい．

2 企業の国際化と成長

2.1 企業の国際化と多様性

日本企業の国際化（輸出・海外直接投資）は，RIETI第二期中期計画

（2006〜2010 年度）における貿易・直接投資プログラムの主要研究テーマの1つであり，理論分析と企業レベルデータを用いた実証分析を通じて多くの知見が蓄積されてきた[1]．ただし，これまでの研究においては，一定規模以上の製造業企業を対象に分析が行われてきたが，非製造業や中小企業に関する分析は十分ではなく，広範な産業・企業の国際化に関する研究が求められてきた．

　企業の国際化は他の条件が等しければ生産性の差異によって説明されることがよく知られているが，産業間の異質性も無視することはできない．たとえば，宣伝広告費売上高比率や販促費，マーケティングコストが産業間で異なれば，輸出に伴う費用は産業により大きく異なるからである．Akerman et al. (2013) は，日本に輸出するスウェーデン企業の生産性の分布を，広告宣伝集約度や販売促進費集約度の高いセクターと低いセクターとで区分し，これらの集約度の高い産業の生産性分布が低い産業の生産性分布を有意に上回っていることを示した．このことは，企業の輸出には関税などの貿易障壁だけでなく広告宣伝や販売促進費用が重要であることを明らかにしている．海外市場に浸透しにくい産業には多くの宣伝広告や販売促進費を要するため，そのような産業に支援策を講じても企業の輸出には結びつきにくいことを示唆している．

　総合商社をはじめとする卸売企業が貿易の拡大に大きな役割を果たすことが広く認識されているにもかかわらず，これまで卸売企業の輸出行動の分析は十分に行われてこなかった．Tanaka (2013a) は，『企業活動基本調査』の企業レベルデータを用いた分析から，卸売企業は輸出総額の2割以上を占めること，卸売業では，上位1%の輸出企業が輸出の3分の2を占め，輸出企業が非輸出企業よりも生産性が高いこと，海外子会社を持つ輸出企業の方が，1社当たりの輸出額，輸出比率ともに大きいだけでなく，輸出の外延（輸出先数・輸出品目数）が大きく，生産性が高い傾向にあることを明らかにした．海外子会社のネットワークを有し，輸出活動を展開する卸売企業が日本の貿易拡大にとって依然として重要である．

　輸出企業と非輸出企業とは生産性の差異によって区分されることが知られているが，企業が立地する地域によって輸出企業の生産性プレミアムが異なるこ

---

1) 概略は，藤田・若杉 (2011) を参照．

とはないだろうか．Okubo and Tomiura（2013）は，日本企業のミクロデータから地域間格差に関する分析をし，東京や大阪といった大都市圏から離れれば離れるほど輸出企業と非輸出企業との生産性分布に顕著な開きが見られること，東京都や大阪府では輸出企業と非輸出企業の間で生産性分布が非常に似通っており，さらには東京23区内や大阪市内では輸出企業と非輸出企業との間で生産性分布にほとんど差がなくなることを発見した．このことは，物流が整備され情報の多い都市部では生産性の低い企業でも容易に輸出できるが，そうでない地方では生産性が十分に高い企業でしか輸出できないことを物語っている．このことは，都心部におけるインフラや物流網の整備，情報サービスの充実がそこに立地する中小企業やポテンシャルのある臥龍企業の輸出を後押しし，新規参入を促進し，経済を活性化することを意味する．地元市場が小さく，少子化や過疎化が進んでいる地域に立地する企業にとっては海外市場への展開はなおさら重要である．この地域での企業の国際化を支援するために，都市部に劣らぬインフラや物流システムの構築，情報へのアクセスの整備が政策課題となる．

近年，企業の海外直接投資は輸出プラットフォーム，垂直的分業，フラグメンテーション，アウトソーシング，タスクトレード（業務レベルの貿易）などの様々な形態に変容している．以前は，直接投資を水平的と垂直的に区分して捉えた研究がなされていたが，近年の多様な直接投資を捉えるには十分ではない．Baldwin and Okubo（2012）は，直接投資を調達軸（海外子会社が現地調達するか他の国から輸入するか）と販売軸（生産された製品を輸出するか現地販売するか）の2軸によって統合的に理解しようとした．これにより，日本の直接投資は2000代半ばにはネットワークFDI（本国と直接投資先のホスト国間での事業活動ではなく，第三国（近隣諸国）をも含めた直接投資による事業活動），特に，機械産業におけるアジアや欧州でのネットワークFDIが増えていることが明らかになった．こうしたファインディングスは，日本企業の直接投資を2国間の視点でなくアジア地域における生産ネットワークのハブとなることを想定して，それに対応する政策課題を考えることが必要であることを示唆する．

企業が国際化するにつれて海外での事業収益に対する課税がいかにあるべき

かは重要な課題である．日本の法人所得に関する国際課税制度は，2008年度までは全世界所得課税方式を採用していたが，この方式では，日本の多国籍企業が海外で得た利益を国内に還流せずに，国外に蓄積する傾向となることが指摘されてきた．実際，海外現地法人の内部留保の総額は増加の一途をたどっており，2006年時点で約17兆円に達すると推計される．税制により生ずる収益の海外滞留を回避するため，2009年度税制改正において国内法人が海外子会社から受け取る配当金を一定の条件のもとで非課税（益金不算入）とする国外所得免除方式を導入した．長谷川・清田（2015）は，こうした税制の変更が海外子会社の配当送金に与えた影響を分析し，内部留保残高が十分に大きい子会社は，他の子会社よりも税制改正に強く反応し，配当送金（売上高比）を増加させたこと，また，税制改正後の配当送金が投資先国の配当源泉税率に対して感応的になったことを示した．国外所得免除方式の導入に際して移転価格を利用した租税回避行動が増加することが懸念されたが，低税率国への所得移転が拡大し，低税率国の子会社がその他の子会社よりも配当送金を増加させるという傾向は見られなかった．こうしたことから，税制改正は海外に蓄積された多国籍企業の利益還流を促進するという政策目的を達成する上で効果があったと判断される．

2.2 企業の国際化と雇用

企業の国際化が近年の雇用構造の変化，とりわけ非正規雇用者にどのような影響を与えるかは，注目すべき研究課題である．2000年から2007年にかけての非正規従業者は年平均3%程度で増加した．しかし，リーマンショック後，輸出の急激な減少とともに，非正規労働者の解雇が相次ぎ，工業統計（経済産業省）の従業員4人以上の事業所の従業者を基にすると10万人近い非正規従業者が離職している．こうした製造業の非正規雇用者の増加パターンは，輸出の変動パターンと連動していたため，製造業の外需依存の高まりが非正規雇用の拡大を通じて，雇用構造に変化をもたらしたとの意見が述べられてきた．しかし，この点に関しては十分なエビデンスが必要であろう．

Tanaka（2012a）は，企業レベルミクロデータを用いて日本企業の輸出が雇用構造に与えた効果を分析した．分析の結果は，輸出が雇用を増加する効果

は製造業において確認されるが，卸売業においては確認されないこと，特に，製造業の輸出開始後3年間は雇用成長率を4〜6％程度押し上げること，一部の製造業企業に限っては輸出が派遣労働者の比率を高める効果が見られるが，それ以外の製造業・卸売業では輸出が非正規雇用比率を高める効果はほとんどないことを示している．この分析結果からは，輸出が非正規労働者の拡大の主たる要因とは言い切れない．

輸出が非正規雇用拡大の原因でないとすれば，どのような需要変化が非正規雇用を拡大したのだろうか．この検証には，輸出の拡大が需要の不確実性（売上成長率の変動）を拡大することを通じて非正規雇用を拡大するのか否かを明らかにする必要がある．Matsuura（2013）は，日本企業データを用いた実証分析から，輸出シェアの変化と売上総額の変動は非線形の関係を有し，輸出シェアの大きな企業でのみ売上総額の変動（需要の不確実性）の拡大がみられることを明らかにした．また，輸出シェアの拡大が売上総額の変動を拡大させ，それが派遣従業者比率を拡大させるインパクトがどの程度であったかを計測した結果，輸出シェアの拡大で説明される売上変動の変化は実際の変化幅の12％，売上変動の変化で説明される派遣従業者比率の変化は実際の変化幅の0.4％と極めて小さいことが明らかとなった．ここからは，輸出シェアの拡大は，売上総額の変動の拡大を通じて，派遣従業者比率を拡大させるというメカニズムは存在するとしても，そのインパクトは小さいことが読み取れる．非正規雇用比率の増加が企業の国際化によるとするエビデンスは乏しいと言わねばならない．

企業の海外進出は企業内の国際分業を促し，生産性を改善し，成長を促すことから，海外に進出していない企業と比べて海外進出企業が雇用を大きく削減しているとはいえないことが近年の研究で明らかになっている．海外直接投資により生産性改善効果が見込め，「空洞化の懸念」が当てはまらないとするならば，それではどのような海外直接投資に生産性改善効果がみられるのだろうか．こうした海外直接投資と企業パフォーマンスの関係を正確に分析するには，海外直接投資を行う企業の多くが元々成長余力のある企業である可能性があるという同時性バイアスの存在を考慮した上で分析を行わねばならない．Matsuura（2015）は，自動車部品製造業企業の海外直接投資が企業パフォー

マンスに及ぼす影響を，直接投資の外延（企業の海外拠点の開設，あるいは新規の投資国への進出の影響）と，内延（海外拠点における生産規模拡大の影響）に分けて分析した．分析結果から，新規の海外投資や新しい投資国における生産拠点の開設は，国内における売上成長率や雇用成長率，全要素生産性（TFP）変化率を下支えし，改善させること，特に，企業の最初の海外進出時点においてパフォーマンスの改善効果が大きいこと，既存の海外生産拠点の規模の拡大による雇用や生産性への改善効果は明瞭ではないことが明らかにされている．こうした結果は，企業の海外進出を促進する政策により国内の生産活動が縮小することに必ずしもつながらず，むしろ，新規の海外拠点開設に伴って，企業は国内の事業を見直し，その結果として企業パフォーマンスが改善することを示唆する．

製造業企業の海外生産が国内雇用を減らすことを示すエビデンスは示されなかったが，卸売業・サービス業の海外事業展開は雇用にどのような影響をもたらすだろうか．この点についてTanaka（2012b）は，製造業のみならず卸売業・サービス業においても海外展開は，売上高を増加し，国内の雇用成長率を高めていることを確認している．

中小企業の国際化が国内雇用の減少や経済の空洞化に結びついていると懸念されていることから，中小企業の国際化の影響については特に注目を要する．戸堂（2012）は，中小企業庁のデータをもとに分析し，海外直接投資・海外業務委託を行っている中小零細企業の方が，国内にとどまっている企業よりも平均的には雇用を伸ばしており，海外進出による空洞化は生じていないことを指摘する．海外進出することによって，国内工場が閉鎖されるなどして国内雇用が減る可能性はあるものの，他方では，技能集約的な業務，たとえば高付加価値製品の生産，経営管理，製品開発，デザイン，マーケティングに特化し，競争力を増し，そのような業務に対する雇用が増えることで，空洞化が起こっていないと考えられるからである．実際に，雇用量全体は海外進出によっては変化しないが，海外進出することで従業員の大卒比率は格段に増えている．中小企業が国際化することに伴って高度人材に対する需要も増加するので，企業の国際化は人材の高度化とセットで進める必要があることを示唆している．

2.3 企業の国際化と研究開発

　国際化企業と非国際化企業での生産性の違いは，企業の R&D 戦略の違いに起因することはないであろうか．これまで生産性の向上と輸出の関係を R&D 投資と関連づける研究はなされているが，企業の研究開発戦略にまで立ち入った研究はまだ見られない．Ito and Tanaka（2012）は企業の R&D 戦略を(1)内部 R&D，(2)外部 R&D，(3)内部 R&D と外部 R&D の 3 つに区分して，R&D 戦略の違いが輸出の可能性に与える効果を分析した．分析の結果は，非輸出企業と輸出企業ともに R&D 活動に従事している企業ほど生産性が高いことに加え，内部 R&D と外部 R&D 戦略を同時に採用している企業の生産性が最も高いことを明らかにしている．また，外部の R&D リソースを活用したオープン・イノベーション戦略は自社内 R&D 活動と代替的でなく，補完的な関係にあり，両者の組み合わせが企業の国際化を促す上で重要な役割を果たすことを示している．

　海外直接投資先国における現地企業のイノベーションが海外投資子会社のホスト国内での取引・本国との取引・第三国との取引にどのような影響を与えるであろうか．Jinji and Zhang（2013）は，日系海外現地法人のホスト国でのイノベーションが海外現地法人による取引（仕入れ・売り上げ）に与える影響を分析し，現地企業のイノベーションの活発化は，ホスト国がアジアの場合にはホスト国内の取引を拡大するのに対して，ホスト国が米国や欧州の場合にはホスト国と日本との取引関係を拡大する傾向にあることを明らかにした．

3　グローバル企業のイノベーションと貿易・産業政策

3.1　イノベーションと知的財産権の保護

　特許制度をはじめとする知的財産権制度は，発明や新技術の開発に基づく製品の製造・販売に独占権を与えることによって金銭的インセンティブを与え，発明や技術開発を促す効果と特許に登録された技術を広く公開することによって，さらなる発明や技術開発を促進する効果がある．それだけではなく，知的

財産権の保護が企業の国際化に与える影響についても様々な面から検証する必要がある．高い技術を持つ企業が低い技術水準の国に直接投資を行うべきかどうかは，直接投資の結果，投資国企業の中間財価格が低下する利益と現地企業に優れた生産技術がスピルオーバーすることによって生ずる不利益とによって影響される．このようなことを想定して，Ishikawa and Horiuchi（2012）は，生産技術のスピルオーバーや知的財産権の保護が直接投資の誘因にどのように影響するかを理論的に分析した．分析の結果，現地企業の技術吸収能力があまり高くなければ，投資国企業は直接投資によって利益を得ることがあり，吸収能力如何によっては，直接投資がすべての企業と消費者に便益をもたらすこともあり得ることを示した．通常，直接投資は生産技術のスピルオーバーを伴うので，知的財産保護水準が高い方が直接投資の誘因を高めると考えられるが，投資先国での知的財産保護水準が高いと投資先での企業の参入が妨げられるので，投資元企業は直接投資による便益を受けない．また，知的財産保護水準が低いと生産技術の大幅なスピルオーバーを伴うので，投資元企業に不利益をもたらす．こうしたことから，現地の知的財産保護水準が低過ぎても高過ぎても企業は直接投資に誘因を持たない．また，現地の知的財産保護水準があまりにも高すぎると，中間財企業の価格付けによっては現地企業が市場からの退出を余儀なくされるので，直接投資によって投資受入国は不利益を被る．このことは，知的財産保護水準が高ければ高いほど投資受入国に直接投資を呼び込み経済厚生を高め，投資国企業の利益になるというわけではないことを示している．

　企業は，新技術を取り入れるコストを小さくする上では新技術の採用をなるべく遅くしたいと考える一方，新技術による財の販売から得られる利益を大きくする上ではなるべく早く技術を採用したいと考える．企業が新技術を取り入れる最適なタイミングは，グローバルな市場において競争相手企業とどのような条件で競争するかによって影響を受けるであろう．Mukunoki（2013a）は，直接投資の自由化が現地生産企業の新技術を取り入れるタイミングにどのような影響を与えるかを理論的に分析した．分析の結果から，直接投資の自由化は，自社だけでなく競争相手の直接投資も促すため，自社が新技術を取り入れることによる利益を低下させ，自社の新技術の採用が遅れる可能性があるものの，直接投資の自由化が直接投資コストをどの程度低下させるかによって，新技術

の採用のタイミングが異なることを示した．このことから，輸入関税引き下げや対内直接投資の自由化を通じた市場アクセスの改善は，自社と競争相手企業の間で技術ギャップがある時には先進企業の優位性を高め，後進企業の技術採用のインセンティブを低下させてしまうことを示す．後進企業が新技術を採用するインセンティブを高めるには，技術採用後に自由化を行うという段階的アプローチや2国間投資協定，途上国に対する一般特恵関税の適用や自由貿易協定や関税同盟などの特恵的な貿易自由化が効果的な場合のあることを示唆している．

特許などの知的財産権（IPRs）の法的保護は，国によって大きく異なる．技術革新と新商品創出が活発で，所得が高い国は，日用品・雑貨などの消費財を生産する低所得国と比較して，手厚い知的財産権の保護を選好する．しかし，WTOのTRIPS協定が成立した1995年以降は，発展途上国においても特許保護の強化が求められている．この結果，低所得国と中所得国のグループでも特許保護が進んできた．Maskus and Yang（2013）は，こうした特許制度改革が対米国への工業品の輸出に有効であるか否かを検証し，特許権の強化が特許集約的な製品の輸出の増加に対して有意に正の影響を与え，TRIPS前とTRIPS後にサンプルの期間を分けると，特許権と輸出との関係はTRIPS後に急激に高まっていること，発展途上国に関しては特許権の強化が輸出スタンスに与える影響は特許制度改革の導入後に見られることを示した．特許保護の拡充は新技術の採用・開発への投資を促進させ，途上国・先進国の双方の輸出の増加にプラスの影響を及ぼすことが明らかになりつつある．

医薬品の供給は知的財産権の保護と特に密接な関係にあるが，知的財産権の保護を強化することは医薬品の供給に望ましい影響をもたらすであろうか．Takechi（2012）は，日本とアメリカの大規模医薬品企業の世界市場への供給データを用いて知的財産権の強化が医薬品の供給に与える影響を実証分析した．この結果，保護の強化がライセンサーの探索や交渉のコストを上昇させ，また，侵害リスクを高めることで，経済取引を阻害する可能性があるため，知的財産権の保護強化は経済活動にとって必ずしも望ましいとは限らないことを示した．知的財産権の保護を強化する際には，各国間での特許侵害に関わる手続きのハーモナイゼーションを進め，侵害リスクと権利者保護のバランスを取った権利

設定をすることが必要であることを示唆している.

　企業は新たに発明し,開発した技術を秘密にしておくことが可能であるが,類似発明や技術開発の成果が特許出願され,先発明の利用の差し止めが要求されるとき,先発明であることを証明することが必要となる.このため,多くの企業は特許出願をすることによって将来の特許訴訟を回避しようとする.しかし,特許出願に伴う公開は技術の模倣を招くリスクがある.Ichida (2013) は,新技術を模倣する費用とイノベーションを生む費用に着目して,特許政策の変化が発明者のインセンティブや追随者の模倣にいかなる影響を及ぼすのかを理論的に分析した.分析の結果,もし発明内容を非公開のままで特許庁に寄託すれば事後の特許権侵害訴訟から免れるが,非公開であるが故に特許権による市場独占は与えられないという制度が設定されるならば,企業は営業秘密を採用する傾向にあることが明らかになった.ただし,営業秘密となって生まれる新技術が経済厚生を高める反面,特許公開されないため,新技術を基礎に次の新しい発明を生みにくくなる.こうしたことにも留意して,最適な知的財産権の保護制度を見いだすことが必要である.

　特許制度は,発明者に対し一定期間,新技術の独占的使用を認めることにより,R&D投資・リスクに見合う利益を確約し,またそれによって発明の保護及び利用を図ることにより,発明を奨励し,産業の発展に寄与するとされることから,発明者に対して一定期間の独占権を与えることは「必要悪」として捉えられて来た面があるが,近年,特許法の害悪が注目を集めている.特に,不況等で資金繰りのつかなくなった企業や発明家から特許を買い集めるものの,当該技術を使う意図がなく,特許侵害訴訟を起こし賠償金を請求する,あるいは侵害訴訟の脅しを利用して高額なロイヤルティを請求する新しいビジネス——ノンプラクティシング・エンティティ (NPE) ——が生まれ,その弊害が指摘されている.大野 (2013) は,企業が製品に組み込む新技術の範囲が特許侵害訴訟とNPEによってどのように影響されるかを理論面から分析した.分析の結果,特許侵害訴訟の裁判費用が低い場合はヒット商品に対して常に訴訟が起こること,裁判費用が高い場合には,特許侵害訴訟を避けるために企業は製品仕様を引き下げる可能性があり,その結果,消費者余剰が減る可能性があること,NPEが特許侵害訴訟を起こす時期は,製品の導入期でなく,プラ

クティシング・エンティティより遅い時期となる可能性があるため，NPE が特許を保有していることがかえって製品の技術仕様を高め，消費者余剰を大きくする可能性があることを示す．NPE が特許を保有することが一概には有害と言い切れない．

　財市場で競争的な企業であっても，技術面では協調している場合がある．そのような企業間関係を考慮したとき望ましい貿易政策はどうあるべきだろうか．Ishikawa and Okubo（2013）は，内外の企業間で技術ライセンシングを行う場合に関税が事業活動にもたらす影響を取り上げたて分析した．その結果，関税引き下げによって外国企業の最終財生産が減ってしまうと，外国企業が自国企業から購入する部品が減ったり，外国企業が自国企業に支払っているライセンス料が減少したりするので，自国企業の利潤が最終的に減少してしまう可能性のあることを示す．どのような関税が自国にとって望ましいかは，内外の企業がどのような相互依存関係があるかによって左右される．

3.2　グローバル企業と貿易・産業政策

　自由貿易協定の結果，市場には様々な影響が現われる．貿易される財の数あるいは割合（貿易財の外延）にどのような影響をもたらすだろうか．Naito（2012）は，貿易の自由化が時間を通じて輸出と経済成長を促す動態的メカニズムを理論面から明らかにした．2国間で貿易費用が低下すると，第1国の最終財企業は第2国から安く中間財を輸入できるようになり，第1国の成長率が上がる．このことは第1国の資本を相対的に増加させ，第1国の資本財の価格を下げる．その結果，第1国以外の全ての国々は第1国の財を安く輸入できるので，それらの国々の成長率が高まり，貿易自由化が世界の経済成長を促すことになる．また，第1国が第2国から中間財を輸入する際の貿易費用が下がると，第1国は第2国からより多種類の財を輸入することになるが，それに加えて，第1国の成長率が上がり，資本の価格が下がり，第1国以外の全ての国々は第1国からより多種類の財を輸入することになる．こうした輸入の拡大は外延における輸出を拡大することになる．

　発展途上国に対する貿易を拡大するための援助政策（Aid for Trade: AfT）が効果を発揮すれば，援助受入国は供給能力を拡大し，経済成長を実現するこ

とが期待されているが，AfT は援助受入国および供与国の成長率に果たしてどのような影響を与えるだろうか．Naito (2015) は，現実の AfT の多くは輸送インフラに支出されていることに注目し，援助によって貿易の輸送費が低下することが貿易当事国のグローバルな成長率に与える影響を理論的に分析した．分析から，援助額が少ない段階では輸送費を低める効果が輸送費を高める効果を上回り，グローバルな成長率は高まるが，援助を増やすにつれて次第に前者の力は弱まる一方で後者の力が強まり，さらに援助を増加するとグローバルな成長率を低めてしまうことを示した．援助と成長の逆 U 字型仮説は実証研究で支持されているが，このことを理論的に導いたことに他ならない．ただし，被援助国への援助はまだ低いレベル（OECD 諸国全体の援助 GDP 比率は 0.3% 程度）にとどまっている現実を見ると，援助がグローバルな成長率を高める余地はあると言えよう．

　貿易コストの変化が国際貿易に与える影響を取り扱う分析の多くでは，貿易コストを財価格に連動した氷塊型（iceberg-type）貿易コストを想定している．しかし，財価格に依存しない従量型のコストが少なからず存在することも事実である．また，高品質財が遠くの市場に供給される傾向にあることも先行研究において明らかにされている．こうしたことを踏まえ，Takechi (2015) は，従量型のコスト構造を想定し，貿易コストを低下させることが地域間取引を促進することを示した．分析では，従量型のコストが大きいことは輸送コストが製品の品質・価格に依存しない部分が大きいことであり，インフラ整備により輸送システムが効率的となり，従量型コストが低下すれば，高品質財の地域間取引が促され，地域間格差の是正や効率的な生産システムの構築につながることを示した．

　実際に，貿易コスト（輸送コスト）が高いと財や生産要素の移動が妨げられ，地域間での経済活動が阻害され，地域間経済格差が解消されない．Kano et al. (2015) は，財の地域間価格差データに注目し，地域間価格差の要因には，市場におけるマークアップの違いを差し引いても，輸送コストの違いが大きく残ることを明らかにした．この分析は，マークアップの違いを生む非効率な市場を競争的なものにすることに加え，インフラを整備し，輸送コストを低下させることが地域間格差を解消する上で重要であることを示唆する．

耐久財を消費する上では，修理，メンテナンスといったようなさまざまなサービスが必要となる．財を輸出する生産者が輸出先国においてそのようなサービスを提供するために，直接投資によりサービス提供拠点を構築する場合がある．そのような直接投資には，さまざまな費用がかかるが，外資規制や許認可制といった規制もその費用の一部である．Ishikawa et al.（2014）は，アフターサービスを供給する拠点を整備するための直接投資に関して規制を緩和することと財貿易の自由化とがどのような関連をもつのかを理論的に分析した．分析結果は，財貿易の自由化だけでなく，アフターサービス拠点への規制が同時に緩和されなければ，輸入国の消費者や輸出国の生産者が損失を被り，世界全体の経済厚生を下げてしまう可能性があることを明らかにした．GATS のもとでサービス貿易の自由化が進んでいるものの，財貿易の自由化に比べてスピードは遅い．合意された TPP 協定の実現はサービス貿易の自由化を促す大きな一歩となるが，この分析結果は財貿易の自由化を進めると同時にサービス貿易の自由化も積極的に進めていく必要があることを示唆している．

特定の国で安く販売されている商品を購入し，高い正規販売価格がついている国で再販売する並行輸入は，商品の製造者が各国市場で異なる価格を設定する「価格差別行動」を抑制し，製造者の利潤を下げる一方，価格の下落により輸入国の消費者に利益をもたらすと考えられている．ただし，修理や保守などのアフターサービスが重要な耐久消費財の場合，製造者は，並行輸入品の修理を拒否したり，保証を適用せずに高い修理代金を徴収したりすることで，輸入時点では正規品と並行輸入品の品質に差がなくても，修理差別を通じて事後的に品質に差をつけ，並行輸入による価格裁定圧力を弱めることが可能となる．Ishikawa et al.（2015）は，こうした製造者の行動を分析し，並行輸入による輸入国の消費者利益は修理差別がある場合には小さくなること，企業が費用をかけて財の耐久性を上昇させるイノベーション活動を行っている場合，並行輸入は企業のイノベーション活動を抑制し，財の耐久性の低下を招くため，輸入国の消費者が並行輸入により損失を被る可能性があること，貿易自由化が進んでいるほど，財の耐久性を低く抑えて価格裁定圧力を緩和させようとする誘因が企業に生じるため，並行輸入が輸入国の消費者に損失を与える可能性が増すことを明らかにした．こうした分析結果は，修理サービスの差別化を防ぐため

の政策が必要であることを示す．

貿易自由化は効率的な資源配分の実現を通じて経済全体にとっては利益をもたらすが，所得分配に影響を与える（勝ち組と負け組を作り出す）ため，政府が自由化後の負け組を補償するような制度が作られることが必要である．そうした制度はうまく作れるのであろうか．あるいは，補償制度を作る際に政策的なトレードオフがないだろうか．Ichida（2015）は，貿易自由化によって負け組の失われた経済厚生を補償する制度がもつ政策上のトレードオフを理論的に分析し，補償制度が事前に想定されず，貿易自由化が導入された後に補償が行われるケースと，補償制度が事前に想定された上で貿易自由化が行われるケースとでは，個人の持つ能力が多次元・多様である場合には，補償政策が直面するトレードオフの種類が異なることを明らかにした．前者のケースでは，パレート改善を徹底しようとすると過剰な補償金額の拡大につながり，政府の補償制度予算が大幅に赤字になるため補償制度自体が導入されにくくなる．他方，後者のケースでは，補償金額を少なくすることはできるが，充分なセクター間の資源配分が起こらず，生産効率は下がるというトレードオフが発生する．ただし，補償額をコントロールできれば，補償制度自体を導入し易くなる．こうした分析結果は，補償制度を事前にアナウンスせずに貿易を自由化するよりは，事前に補償制度を導入することを国民に知らせた上で貿易の自由化を進めるほうが，政策の自由度をより高め，望ましい結果をもたらすことを示唆している．

4 貿易政策の形成と評価

4.1 自由貿易協定の経済効果

WTO における貿易自由化交渉が停滞するに伴い，特定国・地域において貿易自由化・経済連携を進めようとする動きが高まっている．こうした地域経済連携が経済全体に与えるマクロ的な経済効果を数量的に分析する上で，応用一般均衡（CGE）世界貿易モデルが用いられることが多いが，Kawasaki（2014）は，標準的な世界貿易分析プロジェクト（GTAP）のモデルを改良し，資本蓄積，生産性の向上といった動態的な側面を折り込むことによって，

TPP，RCEP，アジア太平洋自由貿易圏（FTAAP）の各経済連携における関税の撤廃と非関税措置の削減による経済効果を比較分析した．分析は TPP 合意前に行なわれているため，合意内容が忠実に反映されているわけではないが，TPP の実施により日本の GDP は大きな成長（1.6%）が見込まれ，また，APEC 経済全体にとっては，FTAAP による所得の増加は GDP の 4.3% に相当し，TPP（1.2%），RCEP（2.1%）の何れより大きくなること，最も大きな所得の増加をもたらす要因は中国による関税撤廃，非関税措置削減であり，ロシア，米国がそれに続くこと，非関税措置の削減を加えると所得の増加がさらに大きくなること，日本にとっては非関税措置の削減による所得の増加が特に大きいことを示した．ただし，関税撤廃や非関税措置削減の合意水準によっては，TPP と RCEP のいずれの経済効果が大きくなるかは予断を許さない．この結果は，TPP に加えて RCEP を推進し，FTAAP を構築することが大きな経済効果をもたらすことを示している．

　日本は 2000 年代に入り自由貿易協定（FTA）・経済連携協定（EPA）を活発に締結しており，2015 年 10 月の TPP 合意に際しては，大きな役割を担った．市場アクセスの改善だけでなく，多くの国では直接投資に対する厳しい規制や不透明な投資政策など直接投資を阻害するような障害がまだ存在しているため，FTA に含まれる項目の中で，直接投資の自由化・円滑化が重要であることが指摘されている．また，以前は投資を保護する目的で二国間投資協定（BIT）が締結されてきたが，近年では投資自由化を目的とした BIT が締結されるようになった．これに注目して，Urata（2015）は，FTA や BIT の締結・発効が日本企業による直接投資に与える影響を分析した．実証分析の結果，日本企業は直接投資先として FTA および BIT を締結した国々を選択する傾向が強いこと，BIT に関しては投資保護だけではなく投資自由化を含む BIT を締結した国々が選択される傾向が強いことが確認された．こうした傾向は，発展途上国への製造業企業による直接投資において特に顕著である．ただし，FTA に含まれる貿易自由化は投資を抑制する可能性が見られ，直接投資と日本の輸出は代替的となる可能性があることに留意する必要がある．直接投資の拡大・活発化のためには，直接投資を抑制するような規制を削減・撤廃すると共に，透明性が高く安定的な投資市場の設立・維持が必要であり，投資自由化

を含む FTA や BIT の役割は大きい.

　サービス貿易は経済のサービス化の拡大にともなってますます重要となっている. Ishido（2015）は，サービス部門ごとの貿易自由化度指数（ホクマン指数）を用いて，サービス貿易の自由化とサービスを提供する商業拠点設立の投資件数との関係を分析した. この結果，日系企業によるサービス企業の新規事業所設立件数とサービスの自由化との間には正の相関があること，サービス企業の新規事業所設立には集積効果があることを確認した. FTA におけるサービス分野での自由化がサービス企業の新規事業所の設立を促す上で，望ましい効果を有している.

4.2 通商協定の経済的評価

　FTA では，域外国の生産者が域外国に対する関税率（＝域外関税率）の低い国を通じて域外関税率の高い国へ迂回輸出をするのを防ぐために，「優遇関税を適用されるのは域内が原産国であるもののみ」という条件をつけている. 域内で貿易される製品が域内を原産地とするか否かを判定する基準が原産地規則であるが，この規則により，たとえ域外から調達するよりも価格が高かったり，質が劣っていたりしても，FTA の優遇税率を利用して域内で生産された財を調達するインセンティブが高まると，海外直接投資や海外アウトソーシングを通じて効率的な生産ネットワークを構築している企業により大きなダメージを与える可能性がある. Mukunoki（2013b）は，この問題を理論的に取り上げ，原産地規則の要求が厳しくなると，生産コストが比較的高い企業が域内に新規に工場を設立する一方，効率的な生産ネットワークを構築していた企業が競争激化によって現地工場を閉鎖してしまうという直接投資転換効果（FDI Diversion Effect）が発生する可能性があることを明らかにした. これは FTA によって生ずる「貿易転換効果」と類似の効果が直接投資においても発生することを示したものである. この分析結果は，原産地規則を設定する際には，過度に厳しいものとせず，広域にわたって原産地と認定することにより，直接投資転換効果の誘発を回避することが必要であることを示す.

　地域貿易協定には投資自由化によって域内の海外直接投資を促進する効果があるが，地域的な投資コストの削減が多国籍企業の行動に与える影響や，経済

厚生に対する効果は必ずしも明らかではない．Arita and Tanaka（2013）は，日本の多国籍製造業企業のデータを用いて，地域レベルの投資自由化によって複数国の間で投資コストが下がった場合の多国籍企業の経済活動を仮想的にシミュレーションした政策実験を行った．その結果，世界経済を高所得国と低所得国の2つに区分すると，投資自由化により日本と高所得国との間で投資コストが下がる場合には，高所得国の実質賃金は増えるが，低所得国の実質賃金に影響がなく，日本と低所得国との間で投資コストが下がる場合には，低所得国の実質賃金が増えるが，高所得国の実質賃金には影響がないこと，さらに，日本が両国と統合して投資コストを下げる場合には，高所得国と低所得国のどちらも実質賃金が増えることを明らかにしている．投資協定交渉では，交渉が進めやすい少数国間での地域貿易協定が数多く締結されてきたが，より高い経済効果を目指すためには地域貿易協定の広域化が重要であることを示唆している．

　自由貿易協定では，貿易自由化だけでなく様々な分野での自由化が取り上げられているが，Komoriya（2014）は，自然人（法人でない）の移動の自由化が貿易の自由化を補完する役割を果たすか否かを理論的に分析した．この結果，貿易自由化とともに商用目的の自然人の移動が円滑化すると，自国と外国の経済厚生がともに増加するだけでなく，自国企業の利潤も増加することが示され，単独では実現不可能な貿易自由化も，自然人の移動の円滑化を伴うことで実現可能となることが明らかにされた．

　近年，二国間あるいは複数国間での通商協定において，「労働条項」——協定加盟各国に一定の労働基準の維持・遵守を求める，あるいは輸出促進のために労働基準を"不当に"抑制している国に対する貿易上の制裁措置を認める条項——の導入を図るケースが増えている．こうした通商協定に「労働条項」を含むことが加盟国の国内労働基準・労働条件の維持や改善に有効か，「労働条項」を含む通商協定は（条項を含まない通商協定に比べて）貿易促進効果に負の影響を与えないかの検討が必要とされている．Kamata（2014）は，労働条項を含む通商協定の締結が国内労働基準・条件に及ぼす影響，貿易相手国との貿易の拡大に及ぼす影響を分析した．分析の結果は，労働条項を含む通商協定を締結する相手国との貿易が増加するほど，中所得国においては実質賃金が高くなる傾向が見られるが，労働時間，労働災害発生率に関するILO基本8条

約の批准に関しては影響が見られないこと，労働条項を含む通商協定の締結国の一方が高所得国，他方が中所得国である場合を除けば，協定締結が相手国との貿易促進効果を低下させるとは言えないことを示した．

1997年に成立した情報技術協定（the Information Technology Agreement，以下 ITA）は，コンピュータや通信機器などの情報技術関連製品の関税撤廃を目的として成立した WTO 協定の1つであり，停滞している多角的貿易交渉の中で，ウルグアイ・ラウンド以後の希有な成功例として評価されている．しかし，WTO 協定の一部である ITA は MFN 原則を適用しており，参加せずともゼロ関税の恩恵を受けられるという「ただ乗り（フリーライド）」が懸念されるため，このような外部性は WTO 加盟国の貿易自由化の意欲を挫くおそれがあり，仕組みとして難しいのではないかとも考えられる．Sato（2014）は，ITA の貿易拡大効果と MFN へのただ乗りの有無とその程度を実証分析した．分析の結果では，ITA の輸入拡大効果（貿易創造効果）は必ずしも明らかではなく，貿易創造効果が観察される場合でも，MFN へのただ乗りは観察されなかったことが示されている．ITA の貿易拡大に果たした役割は限定的であった可能性がある．

4.3 貿易政策への国民的支持

世界的な貿易自由化交渉が困難に直面する中で，人口減少・少子高齢化が進む我が国にとって貿易政策の選択は国の将来を左右する重要な問題となっている．自由貿易への支持は経済学者の間ではほぼコンセンサスとなっているにもかかわらず，現実には輸入制限などの保護主義的措置が多くの国々で講じられている．輸入競合産業の抵抗が一因とも考えられるが，成長産業が自由貿易を求める動きと考え合わせると，自由貿易からの逸脱が何故かくも広範に見られるかは自明のことではない．こうした問題意識に立って RIETI が 2011年に行った日本国民の国際経済政策に関する選好に関する「1万人アンケート調査」をもとにして，冨浦他（2013）は，貿易政策がどのように国民に支持されているかを明らかにした．この結果から，貿易政策の選好には多様な個人特性が関係しており，業種別では農林水産業に従事する者で輸入自由化の選好が顕著に弱いこと，職種別では管理的職種，学歴別では大卒者が，輸入自由化への選好

が強いこと，所得や年齢が上がるほど，輸入自由化への選好は強まる傾向にあること，海外旅行や外国人の友人などを通じた外国との交流がある個人の方が輸入自由化への選好が総じて強いこと，男性は女性よりも輸入自由化に賛成する傾向が強いことが示された．また，業種や職種だけでは個々人の貿易政策への支持を説明しつくすことはできず，貿易自由化への支持を拡大させる方策を考えるに当たっては，多様な個人特性の影響を幅広く視野に入れる必要があることを示した．また，行動経済学的な要素も政策の選好に一部関係しており，リスク回避度の強い個人ほど輸入自由化に反対する傾向が強いことを明らかにしている．こうした結果は，自由貿易への支持の拡大には，所得補償などの直接的な経済インセンティブだけでは十分でなく，より幅広い取り組みが必要であることを示す．

　個々人の貿易政策に対する支持は，その人の職業や業種などの労働市場的特性では説明し尽くせないことが確認されたが，Tomiura et al. (2013) は，貿易自由化に賛成しないことが，現状維持につながる「保有効果」(endowment effect，既に持っているものを売る時の希望売却価格が同じものを持っていない時の希望購入価格を上回る現象) によるものか否かを1万人アンケート調査結果によるデータをもとにして計量分析した．これによると，保有効果に強く影響されている個人ほど輸入自由化に反対する傾向があることが明らかにされた．この保有効果で捉えられた現状維持バイアスが輸入自由化への反対につながるという発見は，所得補償や保険の仕組みの導入・拡充だけでは自由貿易への政治的支持が高まらないことを示唆している．たとえば，高学歴層ほど保有効果に左右されにくいという傾向が確認されることから，個々人の理解を促進する教育の役割も無視できない．また，65歳を超えた高齢者(引退者)に輸入自由化を支持する傾向があることは，生産者・労働者としてよりも消費者として政策支持を判断することと解釈される．こうした発見は，高齢化する日本社会において貿易自由化を促進する上での新たな知見を提供する．

　貿易自由化に反対する意見の大部分は農業関係者によるものと解釈される傾向にあるが，農業の経済全体を占める割合が対GDP比で約1%，就業者数でも全体の3%余りに過ぎないことを考慮すると，必ずしも農業従事者だけが反対しているわけではない．むしろ，農業の衰退が地域経済の衰退につながるこ

とを懸念して貿易自由化に反対しているとも考えられる．Ito et al. (2014) は，「1 万人アンケート調査」データに基づき地域特性が貿易政策の選好に与える影響を実証的に分析し，農業就業者比率が高い地域（市区町村）に住む個人は，自分が農業に従事していなくとも保護貿易政策を支持する傾向にあること，この傾向は転居の意向がある人には観察されないこと，失業率が高い地域に住む個人は保護貿易政策を支持する確率が高いことを明らかした．この結果は，農業のウエイトが高い地域では，農業自由化により製造業や商業・サービス業も間接的な影響を受ける可能性があり，農業の比重が相対的に大きい地域の個人が産業連関的な影響を考慮して貿易政策の選好を決定するのに対して，貿易自由化によって地域経済が影響を受けても，転居が可能な個人はその影響を回避できることを反映しているものと思われる．貿易自由化への国民のコンセンサスを形成するためには，産業間の労働流動化だけでは十分でなく，地域の経済状況へ配慮した政策も同時に検討する必要があることを示唆する．

　貿易自由化のメリットについては繰り返し強調されているにもかかわらず，外国が門戸を閉ざしたままで自国のみが一方的に輸入を自由化する政策には国内で抵抗が強い．他方，外国からバランスのとれた譲歩が得られることを条件として自国も輸入自由化を進める相互主義・互恵主義 (reciprocity) は，GATT/WTO の基本的な原則にも取り入れられ，現実の貿易自由化交渉に強い影響を与えている．Tomiura et al. (2014) は，自国が一方的に輸入を自由化しても支持する個人と貿易自由化は相互的・互恵的であることを求める個人とにどのような差異があるかを「1 万人アンケート調査」データをもとに分析した．この結果からは，輸入自由化には賛成ではなく，自国の一方的自由化には賛成しないとする選択と農業への従事とは統計的に強い関係があること，輸入自由化には賛成ではなく，外国から互恵的譲歩があっても評価しない絶対的な保護主義者は，農業従事とは特に有意な関係がないこと，さらに，農業以外の業種や管理的職種に就業している人々では，輸入自由化に賛成であり，輸入自由化が一方的でも支持する傾向にあることが明らかにされた．こうした政策への評価は，現実の貿易自由化交渉において我が国が一方的に輸入を自由化したと受け取られる結果は農業従事者から強く反発を受ける一方で，外国から十分な譲歩が得られれば輸入自由化への反対が和らぐ可能性を示唆しており，貿

易自由化への支持を拡大する上で相互主義・互恵主義を考慮することが重要であることを示している．

　貿易の自由化に伴って生ずる経済的・非経済的な不利益は，自由化を政治的に困難にしている根幹的な理由の1つである．こうした有権者の経済的不利益に対処するための手段としては，米国の貿易調整支援（Trade Adjustment Assistance：TAA）プログラムがあげられる．久野（2015）は，日本の有権者2742名分のサーベイ・データを用いて，日本ではいかなる条件の下でTAA型の救済制度に対して支持を表明するのかを分析した．分析では，TAAの救済機能（経済的支援）を意識させた回答者（対照群）と，救済機能に加えて政治的機能（貿易自由化の前進）も意識させた回答者（処理群）との間で，TAAに対する支持や警戒心がどのように変化するのかを取り上げた．その結果，対照群，処理群，いずれの場合も回答者の6割以上が貿易自由化に起因する失業者に対して金銭補償型または職業訓練型の救済措置を支持すること，救済機能を意識させた対照群の場合，貿易自由化から損害を被ることを懸念する「自称敗者」ほど金銭補償型のTAAを支持する傾向がみられること，TAAの政治的機能を意識させた処理群の場合，貿易自由化の自称敗者「以外」の人々によるTAAの支持確率が高まる一方，自称敗者は，政治的機能を意識させると（対照群の自称敗者との比較で）TAAに対して若干の「拒絶反応」を示すこと，救済の「手段」に関しては，金銭補償をともなわない職業訓練の提供に限定したTAAについては，救済機能の潜在的な受益者であるはずの自称敗者の支持確率が低く，政治的機能を意識させた処理群固有に影響のないことが明らかになった．こうした結果は，政治的機能を意識させると，貿易自由化の「自称勝者」によるTAAへの支持が高まるが，あくまでも「TAAの提供により貿易自由化が実現するならば」という条件付きの支持であり，補償メカニズムの導入後も自由化が不十分である場合，政治的機能に期待した有権者によるTAAへの支持はかえって失われる可能性があることを示唆する．

5 震災復興と企業

5.1 震災復旧とサプライチェーン

　2011年3月の東日本大震災は被災地のみならず，日本経済に多大な影響を与えた．震災がもたらした被災企業への損傷，被災からの回復のスピード，日本全体の生産活動に与える影響を観察すると，基礎素材型産業と加工組立型産業との間では違いが見られる．沿岸に立地する基礎素材産業は津波により大きな打撃を受けたにもかかわらず，V字型に生産が回復し，日本経済全体への影響は大きくなかった．一方，輸送機械，電子部品・デバイス工業では津波による打撃が比較的小さかったが，被災からの回復は長期化し，経済全体への影響は大きかった．被災企業の復旧に障害となった要因を明らかにすることは，自然災害がもたらす産業への被災を最小化し，迅速な復旧を実現する上で重要な課題である．若杉・田中（2013）は，被災した製造事業所を対象に，2011年12月にRIETIが実施した「東日本大震災による企業の被災に関するアンケート調査」に基づき企業の復旧過程を分析した．この結果，電力・工業用水・輸送手段等のインフラの寸断が事業を中断する要因となったが，津波による影響を受けることのなかった企業であっても取引先とのサプライチェーンの寸断によって事業の中断が長期化したことを明らかにした．サプライチェーンの寸断が被災の影響を拡散させたという事実は，産業，特に加工組立産業が自然災害から受ける被害を最小化する上で「サプライチェーンの複線化」が重要であることを示唆している．

　東日本大震災ではサプライチェーンを通じて非常に大きな間接的被害を与えたことが問題となったが，実際に震災直後の混乱の中，サプライチェーン復旧のために企業はどのようにして新規取引先を開拓したのであろうか．また，その際に開拓された新規取引先は以前の取引先と比べてどのような特徴を持つのであろうか．中島・戸堂（2013）は，「東日本大震災による企業の被災に関するアンケート調査」を用いた分析から，震災直後の非常時においては，十分な情報がなく，サーチコストが平時より高かったことから，新規開拓された企業への満足度は既存の取引先と比べて低かったこと，企業の立地要因は新規企業

との取引先選択に影響をもたらさないこと，企業の競争優位性が取引先選択について重要な役割を果たすこと，さらには，新規取引者に関する情報を十分に収集できていない仲介者が介在した場合，新規取引先に関する評価が下がることを示した．こうした結果は，サプライチェーン復旧のために新規取引先を開拓する上では，十分に企業情報を持っていない仲介者ではサーチコストを下げることができず，適切な相手とのマッチに至らないことを示している．適切なマッチングを実現するには，十分に企業情報を収集することができる組織が仲介者となることがいかに重要であるかが分かる．

サプライチェーンの寸断が震災の影響を拡散した面がある一方，サプライチェーンを通じたネットワークによる支えが被災企業の復興を支援する効果を有することも指摘されている．Todo et al. (2013) は，サプライチェーン・ネットワークが企業の経済的強靭性にどのような影響を与えるかについて東日本大震災の被災地企業のデータを用いて分析した．分析の結果は，被災地域内に取引先が多くなればなるほど，仕入先からの部材の供給が途絶している期間は長くなり，被災地企業の操業の再開が遅くなる傾向にあるが，中期的には売上高の回復が早まること，被災地域外に取引先が多くなればなるほど，復旧に対する支援を受ける可能性が高まり，被災地企業の操業の再開は早まり，売上高の回復が早くなる傾向にあること，取引先企業数が多くなればなるほど，震災後の仕入先からの部材供給の途絶によって取引先を変更しなければならない時，より適切な取引先を見出すことが容易になることを明らかにしている．注目すべきなのは，サプライチェーン・ネットワークを深化することにより，取引先から被災企業が支援を受けたり，企業ネットワークを利用して被災した取引企業を代替したりすることが企業の経済的強靭性を強化することであろう．被災地域内のネットワークは中期的な売上の復旧に有効で，被災地域外とのネットワークはより短期的な生産の再開に有効であることから，両方のネットワークを兼ね備えることによって企業は強靭な事業組織を構築することができる．今後予想される東海地震，東南海地震，南海地震などの大災害に備えるには，地域内のみで完結したサプライチェーン・ネットワークではなく，他の地域ともつながった多様な複線型のネットワークを構築していくことが必要であることを示唆する．

東日本大震災によって，サプライチェーンが寸断されたことにより震災の影響が拡散し，短期的には操業再開に困難を来した企業があったが，その後，企業は寸断したサプライチェーンの再構築に取りかかっている．Matous and Todo（2014）は，東京商工リサーチによる企業取引データを用いて，震災の前後で企業がどのように既存の相手との取引を解消し，新しい相手との取引を開始したかを実証分析した．分析結果は，地理的に近い企業との取引を新しく開始し，遠方の企業との取引は止めてしまう傾向にあり，企業同士の地理的な近接性が新たな取引ネットワークの形成に大きく影響していること，企業が新たな顧客企業として選ぶのは，すでに自社が顧客となっている企業や，別の企業を介して間接的につながっている企業，また，すでに多くの企業とつながっている企業を取引先として選ぶ傾向があることを明らかにしている．前者と後者は独立しているように見えるが，地理的な要因が企業ネットワークを形成する要因であるとともに，いったんネットワークの集積が形成されてしまえば，既存の取引ネットワークを基に新たなネットワークが形成されるので，新規参入企業や集積外の企業が既存の取引ネットワークに入り込むことは比較的難しいことを示している．取引ネットワークへの参入は重要であるが，必ずしも容易ではないため，参入を支援するための政策が必要である．

5.2 電力供給と生産性

東日本大震災が及ぼす影響のうちで最も懸念されたものの1つは電力供給構造の変化が日本企業の競争力に及ぼす影響であろう．佐藤（2012）は，電力供給能力が製造業の生産と貿易にどのような影響を与えるかを計測し，電力供給の低下が，電気機器，輸送機器，一般機器産業の日本の比較優位を弱めるものの，電力供給に関する生産弾力性はそれぞれの産業の生産性に関する生産弾力性の3分の1以下であり，その影響は短期的には必ずしも大きくないことを示した．ただし，資本や労働といった生産要素の賦存量の変化と同様，電力供給の変化は長期には本格的な影響を与える可能性があることに留意しなければならない．震災後に各産業において生産性が継続的に改善されれば，電力供給制約の負の影響が顕在化しないまま推移する可能性のあることを示唆している．

東日本大震災以来，原子力から火力への電力代替が進んだ結果，日本では総

発電量が減少し電力価格が上昇している．Sato（2013）は，日本の産業レベルの長期データを用いて，電力供給制約が技術革新の方向にどのような影響を与えるかを計測した．計測の結果は，これまで日本で起こった技術変化は多くの産業で資本使用的・労働節約的であったこと，また，紙製品，ゴム・プラスチック，窯業，金属，金属製品，卸小売，運輸の各部門で（電力以外の）エネルギー節約的な技術変化が見られたこと，電力節約的な技術変化を有意に示す産業がなかったことを指摘している．こうした結果は，まだ電力節約的な技術変化の余地が残されていると解釈することもできる．東日本大震災以降，産業活動においても節電の取り組みが進んだが，それが費用構造や技術変化にどのような影響があったかについては今後の分析によらなければならない．

5.3 復興と企業成長の経験

東日本大震災から経済復興のために，被災地ではグループ補助金による企業の再建支援など数多くの政策が実施されてきた．災害によってむしろ被災した国・企業・事業所の成長が促進されるという「創造的破壊仮説」を唱える研究もあるが，復興によって地域や企業の成長を促進したとしても，被災した地域や事業所は問題を抱えるかも知れない．大規模災害の被災地の企業・事業所をどのように再建していくべきかに関する知見は多くない．その中で阪神・淡路大震災からの復興を検証することが1つの手がかりとなる．Tanaka（2013b）は，『工業統計』のデータを用いて，阪神・淡路大震災で被災した神戸市の事業所を全国の事業所と比較することを通じて，災害復興が事業所の成長に及ぼす影響を解明した．分析の結果，震災復興の過程で，神戸市の事業所では資本成長率を9.4%高めた一方，雇用成長率を7.4%低下させ，付加価値成長率を10.6%低下させたことを示した．阪神・淡路大震災による創造的破壊効果が，資本の増加として現れる一方，雇用は減少し，付加価値の生産も減少した．震災後の復興では資本労働比率に歪みが生じ，その結果，事業所の生産性が低迷したものと解釈される．復興の過程では，建物や機械など物的資本の再建が比較的容易な一方で，人的資源の確保は困難である．資本に偏った復興は，資本労働比率の歪みを通じて，生産性の低下をもたらす可能性があることに留意しなければならない．

6 企業ネットワークと経済発展

6.1 企業ネットワークの形成

　サプライチェーンは取引を通じて新しい技術や知識を取り入れる重要な経路となる．トヨタがそのサプライヤーと技術や情報を交換していることはよく知られているが，どのようなサプライチェーン・ネットワークにおいて活発に技術が伝わるのであろうか．Todo et al.（2015）は，東京商工リサーチデータから抽出した製造業企業約4万社を対象に実証分析した結果，同じ都道府県内のサプライヤーの数が増えても企業業績は高まらないが，都道府県外のサプライヤーや顧客企業が増えると企業業績が高まること，ある企業の取引先同士が互いに取引をしている場合には，取引先同士が互いに取引のない場合に比べて，企業の業績が悪いことを明らかにした．このことは，地域内で閉鎖的なネットワークを形成するだけでは経済は停滞してしまい，遠方の「よそ者」とつながることでこそ，新たな知識を取り入れて経済が成長することを示している．「よそ者」には海外企業も含まれよう．企業の海外進出支援，外資企業の誘致などは企業の生産性を高める役割を有する．

　日本の自動車産業におけるメーカーと部品供給企業とが長期継続的取引関係を通じて高価格ながら高品質な部品を安定的に供給するシステムを構築してきたことは知られている．一方，世界市場では部品の共通化（モジュール化）が活発化しており，また，中越地震や東日本大震災時に，特定の企業に部品供給を依存するサプライチェーンが部品供給の途絶により復旧の障害となったことから，系列関係を再検討する必要が指摘されている．Matous and Todo（2015）は，東京商工リサーチのデータを利用して，自動車産業におけるネットワークの構造と企業の業績がどのように関連するかを分析した．分析の結果から，2000年代においては1次サプライヤーを通さず2次サプライヤーと直接取引するような取引関係の変化が起きていること，1次サプライヤーが増えれば増えるほど顧客企業の労働者1人当たり売上高が増え，生産性が高くなること，1次サプライヤーの1人当たり売上高が大きく，利益が高いほど顧客企業の1人当たり売上高が減る傾向にあることを明らかにした．系列関係におけ

る変化は，メーカーだけでなくサプライヤーにも変化をもたらすことになる．系列関係に依存して高い利益を得てきたサプライヤー企業は，系列関係の希薄化に伴い，より広域で多業種での新たな取引相手を模索することが求められている．

　生産工程間の国際分業が著しく進んでいる近年，半製品，部品などの中間投入財（以下では中間財）の貿易の重要性が増している．日本の製造業においては，1990年代以降，東アジア地域を中心に生産ネットワークの国際展開を積極的に進めてきた結果，日本が比較優位を持つと思われる産業（輸送機械，電気機器など）においても，比較優位を持たないと思われる産業（繊維製品など）においても，輸入中間財の利用度が上昇する傾向にある．低廉な中間財や高品質の中間財を輸入することは，製造費用の削減，最終製品の品質向上をもたらす．中間財生産における国際分業（特化）が進むことにより，同一産業内で輸入企業と非輸入企業間で生産要素が再配分され，産業の効率性が高まるであろう．自らの海外生産拠点を持たない企業であっても外国企業から中間財を輸入することで企業パフォーマンスを改善することができるだろう．佐藤他（2015）は，輸入取引のもたらす企業パフォーマンスへの影響について企業レベルデータを用いて分析した．その結果から，企業の生産性と輸入財志向とは非線形の関係にあり，生産性の高い企業は海外から中間財を輸入する傾向にあるが，生産性が極めて高い企業では輸入中間財への志向が低くなる傾向があること，輸出比率，外資比率が高く，多国籍化する企業は中間財を輸入する可能性が高いこと，外部の企業からの中間財輸入は利益率を高める一方，自社の海外子会社からの中間財輸入は必ずしも利益率を上げないことを示した．中堅・中小企業は必ずしも中間財輸入に馴染みがないかも知れないが，中間財輸入の開始は利益率や生産性を改善し，輸出など他の国際化にも道を開く可能性があり，海外取引に関する情報が伝わるといった外部経済が働く可能性もある．中堅・中小企業に対して，中間財輸入に関する情報提供，人材育成のための政策的支援を行うことは重要と考えられる．

6.2　企業ネットワークと地域経済

　企業間ネットワークが経済活動に与える影響は先進国のみならず発展途上国

経済においても観察される．最貧国では農村地域における中規模都市部の成長をいかに実現するかが課題となっているが，この地域での産業集積は機能していないのが現実である．Ishiwata et al.（2014）は，エチオピアの農村部の中規模都市に立地する縫製企業を対象として，企業間のネットワークが最貧国の農村部都市における企業規模や技術水準の高まりに与える影響を実証的に明らかにした．分析結果は，研究ビジネス・ネットワークを持つ企業ほど技術レベルが高く，売上高も大きいが，技術レベルが高いからと言って売上高が大きいわけではないことを明らかにした．ここからは，農村地域の市場では必ずしも高品質の製品が求められるわけではないので，高い技術によって高品質の製品を供給しても売れないため，企業が技術レベルを高めるインセンティブに乏しいことが窺える．企業が高い技術を取得し売上高を増加し，成長する上では，高品質を求める大都市の消費者との結びつきが重要である．この分析は，東日本大震災の被災地内外に多様なサプライチェーン・ネットワークをもつ企業が，震災後の復旧が比較的早かったことと通ずるところがある．

　企業のネットワークは，取引に関わるものだけでなく，人的ネットワークを通じて政治との関わりをもつ場合も少なくない．一般に，企業と政治とのつながりは市場による効率的な資源配分を歪め，経済の成長を阻害すると考えられるが，政治との結びつきが緊密な企業では銀行からの貸し付けを受けやすく，資本収益率も高いとの指摘もある．市場の未発達な国では企業と政治とのつながりが市場機能を補完していないとも限らない．Fu et al.（2015）は，政治との結びつきが賄賂を生み，効率的資源配分が損なわれていることが指摘されるインドネシアを対象として分析した結果，経営者が政治家と個人的な関係をもつ中小零細企業は政府系銀行から十分な額の融資を受けやすい傾向があるが，そうした企業の生産性が低いことを明らかにした．また，Shimamoto and Todo（2015）は，インドネシアにおける企業と政治とのつながりが企業のグローバル経済への志向に与える影響を分析し，政府から許認可を得やすい企業は海外との取引が少なく，外国人に対する経営者の信頼感が低い傾向にあること，さらに，海外との取引が少なく，外国人に対する信頼感が低い経営者は，自由貿易協定や外資企業に対して積極的でない傾向にあることを明らかにした．利権を伴う企業と政治とのつながりが国内企業の保護主義を強め，保護主義的

政策が実行されることでますます利権が増大し，企業と政治とのつながりをさらに強めるという悪循環は，ネットワークの負の側面と言える．

7　中国企業の国際化と産業政策

7.1　中国企業の国際化

　世界第1位の貿易国であり世界第2位の経済規模となった中国は，日本の貿易・投資に密接不可分な存在であり，中国企業や市場の特徴を知ることは貿易.投資政策を考える上で極めて重要である．企業の国際化に関する標準的な理論と実証分析は，生産性の高い企業が輸出し，さらに生産性の高い企業が直接投資をすることを示すが，こうしたことは中国企業においても同様に見られる現象であろうか．OECD諸国と異なり中国市場には多くの国有企業や外資系企業が存在するが，こうしことが中国企業の国際化にどのような影響を与えるだろうか．Wakasugi and Zhang（2012）は，中国企業のミクロデータを用いた分析によって，2000年前半までは生産性において，国有企業は民営企業より低く，外資系企業が最も高いこと，輸出企業に限ると，民間企業，国有企業の生産性は外資系企業よりも高いこと，海外直接投資を行う国有企業，民間企業の生産性が高いこと，輸出経験は企業の直接投資の決定にプラスの効果を有し，その効果は民間企業，国有企業において大きいことを明らかにした．このような分析結果は，中国市場における民営企業，国有企業，外資系企業では市場参入の条件に差異があることを示すものである．国有企業は生産性が低くても国内市場への参入が可能であるが，外資系企業では生産性が高くなければ参入が出来ないこと，逆に，海外市場とのネットワークや知識経験を有する外資系企業であれば生産性が低くても外国市場への輸出や直接投資が可能であるが，国有企業では高い生産性を持たない限り外国市場への参入が困難である．こうしたことから，市場参入の条件が企業の所有形態によって異なることが分かる．

　WTO加盟後の中国にとって，市場経済化は重要な政策課題である．2000年以降，中国の輸出は顕著に増加してきたが，この時期は，中国がWTOに加盟し，輸出入関税の削減，貿易権規制や外資企業への規制の緩和といった貿易投

資の自由化とともに，外国市場への中国企業の市場アクセスが改善した時期である．また，中国は WTO 議定書に沿って国有企業改革を求められた．こうした WTO 加盟による中国経済の自由化・開放化が中国企業の生産性向上にもたらした影響を明らかにした研究はすでに見られるが，輸出への影響を明らかにした研究は多くない．Wakasugi and Zhang（2015）は，中国の電気機械産業，エレクトロニクス産業，情報通信機器産業に属する企業に関するパネルデータを用いて，WTO 加盟が中国企業の生産性と輸出に与える影響を明らかにした．分析の結果，WTO 加盟の前後にかかわらず，また所有形態を問わず，生産性の高い企業が輸出する傾向にあること，WTO 加盟後には，民営企業や国有企業では生産性が輸出選択に与える効果をより強める傾向が見られること，さらに輸出性向において，民営企業では上昇する一方，国有企業では低下するという非対称な効果が見られることを明らかにした．WTO 加盟後の義務の履行を通じて中国市場の開放は着実に進展してきた．WTO への加盟によって，中国では輸出を行う際の制度的障壁が減り，生産性の上昇に沿って企業が輸出を選択しやすい環境となり，また，加盟前には国有企業にのみ与えられてきた優遇条件と民営企業に与えられてきた制限的条件がともに削減されたことが一定の効果を有したことを示している．

　企業の国際化を促す要因の 1 つに産業集積の効果が上げられる．日本の輸出企業の生産性が大都市圏に立地する企業の方が地方に立地する企業よりも低いことが示されているが，中国企業に関してはどのようなことが言えるであろうか．Ito et al.（2013）は，企業の集積が企業の輸出を促すか否かを中国の企業レベルデータを利用して検証した．検証の結果，輸出企業が集積するほどそこに立地する企業の輸出参入を促すこと，非外資輸出企業が集積するほど企業の輸出参入を促すこと，しかし，外資輸出企業の集積は外資の輸出参入を促すが，非外資企業の輸出参入を促さないことが明らかになった．中国では改革開放以降，沿岸地域を経済特区に指定し，インフラの整備や優遇措置によって積極的な外資導入を進めた経緯がある．その結果，環渤海経済圏や長江デルタ，珠江デルタといった地域に産業集積が形成され，経済発展を促進する要因となった．その後，重慶・成都・西安といった西部デルタ地域にも経済特区が指定され，内陸部にも投資が活発に行われるようになり，沿岸部に限らず産業集積が拡大

する傾向が見られる．こうした産業集積の形成は，知識の波及効果を生み，輸出に関わる固定費用を引き下げ，国内企業の国際化を後押しする効果を有したものと考えられる．

7.2 中国企業のイノベーションと産業政策

企業のイノベーションを捉える指標は多様である．中国企業データには新製品の導入と生産高が明らかにされており，このユニークなデータは，プロダクト・イノベーションを表す指標ととらえることができる．Zhang（2014）は，中国製造業企業レベルのデータを用いて，産業集積が企業のプロダクト・イノベーションに与える効果を計測した．計測の結果から，地域が特定の産業に特化することは新製品を生み出す上で効果はないが，規模の拡大や産業の多様性を高めることが新製品導入の確率を高めること，市場競争は生産性の高い外資企業の新製品の生産を促す一方，生産性の低い非外資企業にはプラスの効果を及ぼさないことを示した．1995年以降，中国の中央政府・地方政府は60を超える都市と100を超える経済特区を指定してきたが，その多くは産業の多様性を確保したものとなっている．こうした政策は，同一産業の集積よりも異業種の集積知識がスピルオーバー，アウトソーシングや取引，中間財の調達を活発化し，新製品開発を促進することと整合的であるように思われる．

中国の経済発展は沿岸部から始まり内陸部へと波及している．こうした波及の過程では，労働集約的産業が沿海部から内陸に移転していることから「国内版雁行形態」であるとの指摘がある．確かに労働集約的産業において沿海部のシェアの低下傾向が鮮明であるが，「沿海から内陸へ」という一方向で2010年代の中国産業の立地変化を理解して良いものであろうか．Ito（2014）は，中国の産業データを用いた分析により，沿海部では資本集約的産業の成長が高まる傾向がある一方で，中部地域では労働集約的産業の成長が高まるというメカニズムが存在していること，中国の産業集積地では，規模の大きな集積が，さらに成長を遂げるという規模効果が存在することを確認した．ただし，河南省鄭州市，広西省南寧市，四川省成都市，そして重慶市といった内陸都市の輸出額が近年急増しているが，この変化をもたらした重要なファクターは，Foxconnを筆頭とするEMSの中国内陸への進出である．中国国内の産業立

地は，国内の雁行形態型変化ではなく，アジアにおける生産ネットワークと一体になって変化していることに注目しなければならない．

　中国企業は，外国からの技術習得による段階から，自らの研究開発投資によるイノベーションの実現の段階に入っていることが指摘される．実際に中国の研究開発支出総額は急増しており，2009 年に日本を超える規模となっている．こうした企業の研究開発活動に対して，中央政府・地方政府は様々な支援を行ってきたが，その効果がどのようなものかは必ずしも明らかではなかった．Ito et al. (2014) は，企業レベルデータを中央・地方政府の各レベル・各種政策カテゴリーと組み合わせることにより，政府による研究開発支援の効果を分析した．分析の結果，政府による支援は企業の知的財産権出願数，新製品数，工程改善数を増加させるが，中央政府よりもローカル政府によって実施されている政策の方が政策の効果が明快に現れており，税制や金融上の優遇よりも企業のイノベーション活動自体を直接的にサポートする政策が効果的であることを示した．また，中国政府が実施してきた科学技術・イノベーション政策は，そのすべてが効率的に機能しているとは言えず，政策内容や施策を実施する政府のレベルの違いを踏まえた検証が必要であることを分析は示している．

8　貿易・投資の法制度

8.1　国際投資の法的保護

　国際的貿易・投資ルールは，法的枠組によって担保されるため，その枠組と運用は極めて重要な意味を持つ．特に，日本企業による海外直接投資が法的にどのように保護されているかを明らかにすることは喫緊の課題である．保護の方策は，第 1 に国際投資協定（BIT，EPA，FTA，TPP）を締結して投資保護と投資自由化を促進することであり，第 2 に，各種協定において外国投資家が投資受入国を相手に訴える投資仲裁手続（ISDS: investor-State dispute settlement）条項を設け，これを根拠として投資家（投資企業）自身が投資受入国を相手取って投資協定仲裁に事件を付託することである．近年，世界中で投資保護の動きが強まっており，それに伴って「国際投資法」が急速に変化し

ている．

　投資家が海外投資を開始・継続する際に，投資受入国が特定措置の履行を要求（たとえば，ローカルコンテント使用要求，輸出制限要求，技術移転要求など）する場合があるが，こうした要求は国境を越えた貿易・投資活動を阻害・歪曲させるため，国際投資協定はこれを禁止する条項（PR 禁止条項）を設けている．玉田（2012）は，PR 禁止条項を取り上げ，規定方式が，北米型（具体的な禁止要求内容を網羅的に列挙する方式）と欧州型（PR 禁止を公正衡平待遇条項に組み込んで抽象的・一般的に禁止する方式）に分かれること，米国型を採用する日本では禁止のレベルが低いことを指摘し，PR 禁止条項の解釈・適用が争われた投資仲裁例に基づき，その争点を整理している．

　ISDS は FTA/EPA において広くも採用され，TPP においても盛り込まれているが，投資家および投資財産がどこまで保護されるのかが 1 つの争点となっている．玉田（2013）は，投資仲裁における精神的損害賠償（moral damages）を取り上げ，精神的損害賠償は，通常は賠償算定の際の因果関係において処理されることになるが，投資家（特に自然人）の身体そのものや精神的安寧の保護を目指すのであれば，投資協定でこれを保護対象とすることを明示するのが望ましい旨を指摘する．投資家側から見た場合，投資仲裁においては，精神的損害賠償の請求は賠償額の加算要因となり得るもので，因果関係の立証を十分に行えば，有効な主張根拠となり得るものであり，精神的損害賠償の根拠としてホスト国の主観的要素（故意・過失）を主張するのが有効であること，投資受入国側から見た場合，投資仲裁において精神的損害賠償が請求されたとしても，これに対する防御方法は幾つも想定され，仮に精神的損害が認められた場合であっても，賠償額が巨額なものとなる可能性は低いことなどを指摘している．

　外国投資を保護することが国際投資保護協定の主要な役割であるが，そうした外国投資の保護が自国の（あるいは相手国の）外交政策上の手段としての対抗措置（外国人の受入国は，当該外国人の本国とのあいだで抱えた紛争の有利な解決をはかるために，当該外国人の資産・財産を凍結し，場合によっては収奪するなどの措置に訴えること）の利用可能性に対する制約を認めるか否か，あるいはどのような制約であれば許容しうるものであるのかは検討すべき課題

である．国際投資保護協定はこの点について規定を置いていないため，国際投資仲裁では異なる判断が下されている．岩月（2013）は，こうした現状を踏まえ，対抗措置の利用可能性に関して法的に不確定な状態が自国の外交的立場に問題を生じさせることがないよう，国際投資協定において明示する必要があることを指摘する．

日本が締結してきた国際投資協定には「一般的例外規定」と呼ばれるものが含まれており，それらはGATTやGATSの一般的例外規定をモデルとしている．これに対して諸外国では，「一般的例外規定」を国際投資協定上の義務全体に係る例外という意味で用いることが多い．森・小寺（2014）は，日本が「一般的例外規定」をGATT/GATS型一般的例外規定を意味するものとして用い続けるのが妥当か否かを再検討し，もしGATT/GATS型一般的例外規定を残す場合には，それによって違反を正当化しようとする投資協定上の義務の規定内容について十分に精査することが必要なことを指摘する．

投資家が投資受入国たる外国で損害を被った場合に申し立てる投資仲裁においては，当該損害が投資受入国の国際義務違反によることが認定されれば，専ら金銭賠償の支払命令によって紛争が処理されてきた．しかし，場合によっては国家予算を逼迫するような莫大な損害賠償が請求される例が増えるにつれて，投資仲裁が高額な賠償を国家に命ずることが，とりわけ経済的困難にある国家の政策策定に対して萎縮効果をもたらすため，その正当性について疑問が呈され，近年においては，賠償に代えて措置の取消等の非金銭的な救済手段が選ばれるべきではないかという考え方が示されている．他方で，国際投資仲裁が国内措置の取消や無効を宣言したり，特定の国内措置を命ずることは国家主権への干渉に当たるので許容されないと主張されたりすることも多い．西村・小寺（2014）は，こうした投資仲裁を通した非金銭的救済の可能性をどのように評価すればよいかを検討し，国家予算に影響するような多額な金銭賠償が課される例があることに鑑みれば，国内措置の是正によって違法性を払拭する選択を残すことに合理性がある一方，原状回復によって生ずる損失が生ずる利益に比して著しく均衡を欠く場合には，原状回復に代えて金銭賠償が適切であることを指摘する．また，日本が締結する二国間投資協定や経済連携協定では，非金銭的救済の可能性を維持しつつ，必要があれば金銭賠償によって代替する権利

を国家に留保するという救済規定を設けることが望ましいとの指摘を行う．

8.2 文化メディア産業の貿易と法的枠組

　グローバル化による貿易・投資の拡大，インターネットを通じた国際的な大容量情報通信網の発達は，文化コンテンツ産品（映画等の AV ソフト，音楽ソフト，書籍・雑誌・新聞等の文字媒体）の国際取引を拡大したが，一方では各国のローカルな文化が脅かされる危機感が指摘され，ユネスコでは文化の多様性を保護する法的枠組みとして「文化多様性条約」を採択した．しかし，文化多様性条約に基づく輸入コンテンツ産品への差別的な取り扱いは，WTO の最恵国待遇原則および内国民待遇原則と必ずしも調和しないことが懸念される．川瀬（2013）は，こうした WTO 協定における文化多様性概念に関し，WTO 協定には文化多様性保護・促進の政策目標を取り込む例外規定が備わっていないし，文化多様性条約にも WTO をはじめ通商条約レジームとの調整を定める規定がないことを指摘する．その上で，コンテンツ産品の国産・特定国の優遇は WTO 協定と整合的でないこと，WTO 協定適合的な政策オプションとしては補助金が有効であること，文化多様性条約が WTO 協定との適用関係において優位に立ったり，WTO 協定の規律を修正したりすることはないこと，文化多様性条約は自由な文化交流や自国・外国の文化に対する公平なアクセスの重要性も重視していることを考慮すれば，文化多様性条約の批准を躊躇う必要はないことを指摘する．さらに，WTO 協定と整合的な国内コンテンツ産業に対する公的支援策は，輸入コンテンツを差別的に制限するものであってはならず，補助金・税制によることが望ましい旨を述べる．

　音響・映像（AV）産品などの文化的財に対する輸入数量制限や自国の文化的財の発展を促進するための助成がどこまで正当化されるかが議論されているが，文化的財のデジタル化およびオンライン上で「データ」として流通・取引されるという環境の下では，議論は根本的な転換を迫られている．東條（2013）は，文化的財のデジタル化に伴う文化多様性規制の変容可能性を取り上げ，「データ」として流通・取引されるデジタル文化的財への自由なアクセスに対して深刻な阻害要因となるのは，インターネット政策およびネットフィルタリング規制であることを指摘する．ネットフィルタリング規制は，公共政

策的な目的（例：公序良俗，宗教・政治，刑事法，安全保障，知的財産保護）に基づき，多くの国で実施されているが，このような規制は，競争政策規制に優先適用される場合がほとんどであり，このためデジタル文化的財へのユーザーのアクセスが大きな制約を受けることになる．このため，オンライン上で流通・取引されるデジタル文化的財にかかる「文化と貿易」および文化多様性の問題は国境を越えるデータの流通・取引に対する規制のあり方という問題と重複していることを指摘する．

　文化遺産を保護する政府の権限が，国際投資保護システムによって侵食されることはないだろうか．伊藤（2013）は，これまで投資保護ルールが文化面での政府規制に関してどのように適用され，いかなる結論が出されているのかを検討し，投資保護条約が定める投資保護ルールは，あくまでも，政府規制が不合理ないし恣意的な形で実施された場合に，不当な損害を被った企業等を救済するためのものであり，文化財を保護する政府の規制が正当な公益の実現を目的としており，合理的な手段を用いて実施されている以上は，たとえそれが外国投資に損失を与えたとしても，条約違反にはならないことを指摘する．

　文化メディアは，途上国のみならず先進国にとってもセンシティブな分野であるため，貿易・投資の自由化が進展していない．このため，WTOやFTAのサービス自由化交渉において，特定の産業分野に関連するサービス分野を一括りの「クラスター」と位置付け，その自由化を目指す「クラスター・アプローチ」という手法がWTOにおいても提案されている．国松（2013）は，このクラスター・アプローチを取り上げ，クラスター・アプローチには，既存の国際約束を損なわずに関連するサービスを自由化できること，特定のビジネス・モデルに関連する規制が明らかになり政策立案が容易になること，技術革新や民営化，規制緩和等による産業活動の実態的な変化を折り込むことができることなどの利点があることから，文化メディア分野の貿易協定交渉や，二国間FTA・複数国とのFTA（AJCEP，TPP等）におけるサービス交渉や見直し等の作業において，一括して関連セクターの自由化を目指すクラスター・アプローチの利用が検討に値することを指摘する．

　ユネスコが2005年に採択した「文化多様性条約」が実際に文化的財の貿易にとって障害となっているか否かはエビデンスによって明らかにされるべきで

あろう．神事・田中（2013）は，文化多様性条約の批准状況と各国の文化的財の輸出および輸入との関係を実証分析し，その結果から文化多様性条約を批准すると「文化コア財」の輸出額が増加する傾向がみられ，文化コア財の輸入に関しても文化多様性条約の批准との間に統計的に有意な正の相関がみられることを明らかにした．この分析結果は，文化多様性条約が文化的財の貿易を阻害するという懸念は必ずしも現実のものではないことを示している．

8.3 国有企業と法的枠組

国有企業の存在や経済活動への国の関与を強めることは，グローバル企業に対して差別的取り扱いを生み，市場に歪みをもたらすことが懸念される．TPPにおいては特にこの点に留意された．また，「世界の市場」として存在感を高めている中国での独禁法運用は世界市場全体での競争を大きく左右しかねない．2008年8月1日に施行された中国独占禁止法が施行6周年を迎えた2014年8月，中国発展改革委員会は日本の自動車部品製造業者8社およびベアリング製造業者4社による2つの価格カルテル事件に対する処分を公表したが，これに関して，中国独禁法の運用が「外資たたき」「外資狙い撃ち」ではないかとする報道がなされた．また，米国商工会議所は2014年9月，中国独禁法に関する報告書を公表し，同法が競争政策でなく「中国の産業政策の道具」として用いられていることへの懸念を表明した．川島（2015a）は，「外資たたき」や「産業政策の道具」といった批判が妥当するのかどうかについて，法執行を分担する商務部（企業結合規制），国家発展改革委員会（価格独占行為規制），国家工商行政管理総局（非価格独占行為規制）の執行を検証した．この結果から，商務部による企業結合規制については，企業結合届出全体の9割が外・外取引又は外・中取引である実態に照らして考えると，直ちに内外差別的審査が行われていると結論づけることはできないが，重視する技術が関係する市場，資源供給，食糧供給など外国依存度の高い市場，国有企業間の結合案件においては，競争法・競争政策の観点から問題点があることを指摘する．また，国家発展改革委員会による価格独占行為規制については，処分対象のうち外資企業は10％にすぎず，処分企業の中には国有企業が少なからず含まれていること，また，国家工商行政管理総局による非価格独占行為規制には外国

第1章 グローバル経済における企業と貿易政策

企業に対する処分は見られないことから「外資たたき」とは言えないが,「外資たたき」というイメージが形成された原因に,中国政府が規制事例のすべてを公表せずに,比較的規模の大きな事例を選択的に公表したため,結果として外資企業に対する処分が露出することになったことを指摘している.

　TPP交渉においては「国有企業に対する規律」が大きな争点となり,国有企業などに対する優遇措置がもたらす競争歪曲を除去するための規律(競争中立性規律)がTPP協定に盛り込まれることになった.この規律ではオーストラリアが先進国である.川島(2015b)は,オーストラリアが同規律を導入するに至った経緯,同規律の内容,具体的事例を検証し,TPP協定における「国有企業に対する規律」の導入に際して考慮すべき要素,国内実施のあるべき姿,国際経済法における「競争中立性規律」の必要性と発展可能性を論じている.オーストラリアにおける競争中立性規律の導入の背景には,政府事業と民間企業が同一市場において競争する場面が増え,前者に対する優遇措置が競争歪曲をもたらしているとの危機意識があったこと,競争中立性規律には,国有企業に対する優遇措置がその価格設定に反映されないことを確保する事前規律や苦情処理手続を含む実施・監督体制が設計されていること,コミュニティ・サービスまたはユニバーサル・サービス義務などの他の公共利益への配慮が払われていることを明らかにするとともに,TPPにおける国有企業規律はWTO補助金協定と規律の客体や性格が異なるとしても,それを補完するものであることを指摘している.

9 おわりに

　貿易投資プログラムでは,2011年度から2015年度までの間に14の研究プロジェクトを設定し,プログラムディレクター(筆者)の総括の下にプロジェクトリーダー(石川城太,浦田秀次郎,川瀬剛志,佐藤仁志,神事直人,冨浦英一,戸堂康之,中富道雄,間宮勇,若杉隆平,そして,数多くの業績を残しつつ研究なかばにして他界された故小寺彰氏の各ファカルティフェロー)がとりまとめ役になって,研究が行われてきた.現在までにとりまとめられた研究成果は110論文(ディスカッションペーパー93論文,ポリシーディスカッシ

ョンペーパー 17 論文) に上る．このほかにも，環境とエネルギーと貿易・投資に関する研究が行われており，ベトナムのエアコン市場を取り上げ，エネルギー効率投資に関する消費者評価を計測した研究（松本・小俣, 2015)，米国と中国の間の太陽電池貿易紛争の事例を取り上げ，再生可能エネルギー補助金と相殺関税に関する経済分析（蓬田, 2015）などがある．さらに，紙幅の制約からここでは紹介できなかったが，政策志向の強い研究成果は，ポリシーディスカッションペーパーとしてまとめられ，公表されている．ここで紹介した研究成果は，金融的側面を除けば 2010 年代前半における国際貿易や投資に関して注目すべき論点を幅広くカバーしている．研究成果には，国際コンファレンスやワークショップにおいて報告されたものや国際学術誌に掲載されたものが少なくない．また，合意された TPP 協定を実施する際に政策当局にとってのリファレンスとなる内容や産業界が注目する内容も含まれていると考えている．

多数の研究成果がまとめられてきたが，現在，貿易投資を巡る世界の環境はさらに大きく変化しつつある．残されている課題や引き継がれるべき課題が少なからずある上に，新たに分析すべき課題も見られる．次の中期計画期間の課題として位置づけ，さらなる研究を深めることが必要である．

参照文献

Akerman, Anders, Rikard Forslid, and Toshihiro Okubo (2013), "Why is Exporting Hard in Some Sectors?" RIETI Discussion Paper Series 13-E-015.

Arita, Shawn and Kiyoyasu Tanaka (2013), "Regional Investment Liberalization and FDI," RIETI Discussion Paper Series 13-E-088.

Baldwin, Richard and Toshihiro Okubo (2012), "Networked FDI: Sales and Sourcing Patterns of Japanese Foreign Affiliates," RIETI Discussion Paper Series 12-E-027.

Fu, Jiangtao, Daichi Shimamoto, and Yasuyuki Todo (2015), "Can Firms with Political Connections Borrow More Than Those Without? Evidence from Firm-Level Data for Indonesia," RIETI Discussion Paper Series 15-E-087.

Ichida, Toshihiro (2013), "Imitation versus Innovation Costs: Patent Policies under Common Patent Length," RIETI Discussion Paper Series 13-E-054.

Ichida, Toshihiro (2015), "Trade-offs in Compensating Transfers for a Multiple-skill Model of Occupational Choice," RIETI Discussion Paper Series 15-E-083.

Ishido, Hikari (2015), "Trade in Services and Japan's Bilateral FTAs: Empirics on Their Impacts," RIETI Discussion Paper Series 15-E-012.

第 1 章　グローバル経済における企業と貿易政策

Ishikawa, Jota and Eiji Horiuchi (2012), "Strategic Foreign Direct Investment in Vertically Related Markets," RIETI Discussion Paper Series 12-E-014.
Ishikawa, Jota, Hodaka Morita, and Hiroshi Mukunoki (2014), "Trade Liberalization and Aftermarket Services for Imports," RIETI Discussion Paper Series 14-E-065.
Ishikawa, Jota, Hodaka Morita, and Hiroshi Mukunoki (2015), "Parallel Imports and Repair Services," RIETI Discussion Paper Series 15-E-060.
Ishikawa, Jota and Toshihiro Okubo (2013), "Trade and Industrial Policy Subtleties with International Licensing," RIETI Discussion Paper Series 13-E-050.
Ishiwata, Ayako, Petr Matous, and Yasuyuki Todo (2014), "Effects of Business Networks on Firm Growth in a Cluster of Microenterprises: Evidence from Rural Ethiopia," RIETI Discussion Paper Series 14-E-014.
Ito, Asei (2014), "Industrial Agglomeration and Dispersion in China: Spatial Reformation of the 'Workshop of the World'," RIETI Discussion Paper Series 14-E-068.
Ito, Asei, Zhuoran Li, and Min Wang (2014), "What Types of Science and Technology Policies Stimulate Innovation? Evidence from Chinese Firm-Level Data," RIETI Discussion Paper Series 14-E-056.
Ito, Banri and Ayumu Tanaka (2013), "Open Innovation, Productivity, and Export: Evidence from Japanese Firms," RIETI Discussion Paper Series 13-E-006.
Ito, Banri, Hiroshi Mukunoki, Eiichi Tomiura, and Ryuhei Wakasugi (2015), "Trade Policy Preferences and Cross-Regional Differences: Evidence from Individual-Level Data of Japan," RIETI Discussion Paper Series 15-E-003.
Ito, Banri, Zhaoyuan Xu, and Naomitsu Yashiro (2013), "Does Agglomeration Promote the Internationalization of Chinese Firms?" RIETI Discussion Paper Series 13-E-081.
Jinji, Naoto and Xingyuan Zhang (2013), "Innovation in the Host Country and the Structure of Foreign Direct Investment: Evidence from Japanese Multinationals," RIETI Discussion Paper Series 13-E-060.
Kamata, Isao (2014), "Regional Trade Agreements with Labor Clauses: Effects on Labor Standards and Trade," RIETI Discussion Paper Series 14-E-012.
Kano, Kazuko, Takashi Kano, and Kazutaka Takechi (2015), "The Price of Distance: Pricing to Market, Producer Heterogeneity, and Geographic Barriers," RIETI Discussion Paper Series 15-E-017.
Kawasaki, Kenichi (2014), "The Relative Significance of EPAs in Asia-Pacific," RIETI Discussion Paper Series 14-E-009.
Komoriya, Yoshimasa (2014), "How the Movement of Natural Persons

参照文献

Agreement Could Fuel FTAs," RIETI Discussion Paper Series 14-E-041.

Maskus, Keith E. and Lei Yang (2013), "The Impacts of Post-TRIPS Patent Reforms on the Structure of Exports," RIETI Discussion Paper Series 13-E-030.

Matous, Petr and Yasuyuki Todo (2014), "The Effects of Endogenous Interdependencies on Trade Network Formation across Space among Major Japanese Firms," RIETI Discussion Paper Series 14-E-020.

Matous, Petr and Yasuyuki Todo (2015), "'Dissolve the Keiretsu, or Die': A Longitudinal Study of Disintermediation in the Japanese Automobile Manufacturing Supply Networks," RIETI Discussion Paper Series 15-E-039.

Matsumoto, Shigeru and Yukiko Omata (2015), "Consumer Valuations of Energy Efficiency Investments: The Case of Vietnam's Air Conditioner Market," RIETI Discussion Paper Series 15-E-063.

Matsuura, Toshiyuki (2013), "Why Did Manufacturing Firms Increase the Number of Non-regular Workers in the 2000s? Does international trade matter?" RIETI Discussion Paper Series 13-E-036.

Matsuura, Toshiyuki (2015), "Impact of Extensive and Intensive Margins of FDI on Corporate Domestic Performance: Evidence from Japanese Automobile Parts Suppliers," RIETI Discussion Paper Series 15-E-032.

Mukunoki, Hiroshi (2013a), "Market Access and Technology Adoption in the Presence of FDI," RIETI Discussion Paper Series 13-E-040.

Mukunoki, Hiroshi (2013b), "On the Welfare Effect of FTAs in the Presence of FDIs and Rules of Origin," RIETI Discussion Paper Series 13-E-053.

Naito, Takumi (2012), "An Eaton-Kortum Model of Trade and Growth," RIETI Discussion Paper Series 12-E-055.

Naito, Takumi (2015), "Aid for Trade and Global Growth," RIETI Discussion Paper Series 15-E-025.

Okubo, Toshihiro and Eiichi Tomiura (2013), "Regional Variations in Productivity Premium of Exporters: Evidence from Plant-Level Data," RIETI Discussion Paper Series 13-E-005.

Sato, Hitoshi (2013), "On Biased Technical Change: Was Technological Change in Japan Electricity-Saving?" RIETI Discussion Paper Series 13-E-077.

Sato, Hitoshi (2014), "Does MFN Free Riding Plague the Information Technology Agreement?" RIETI Discussion Paper Series 14-E-003.

Shimamoto, Daichi and Yasuyuki Todo (2015), "Economic and Political Networks and Firm Openness: Evidence from Indonesia," RIETI Discussion Paper Series 15-E-084.

Takechi, Kazutaka (2012), "Negative Effects of Intellectual Property Protection: The Unusual Suspects?" RIETI Discussion Paper Series 12-E-057.

第1章　グローバル経済における企業と貿易政策

Takechi, Kazutaka (2015), "The Quality of Distance: Quality Sorting, Alchian-Allen Effect, and Geography," RIETI Discussion Paper Series 15-E-018.
Tanaka, Ayumu (2012a), "The Causal Effects of Exporting on Japanese Workers: A Firm-Level Analysis," RIETI Discussion Paper Series 12-E-017.
Tanaka, Ayumu (2012b), "The Effects of FDI on Domestic Employment and Workforce Composition," RIETI Discussion Paper Series 12-E-069.
Tanaka, Ayumu (2013a), "Firm Productivity and Exports in the Wholesale Sector: Evidence from Japan," RIETI Discussion Paper Series 13-E-007.
Tanaka, Ayumu (2013b), "The Impacts of Natural Disasters on Plants' Growth: Evidence from the Great Hanshin-Awaji (Kobe) Earthquake," RIETI Discussion Paper Series 13-E-051.
Todo, Yasuyuki, Kentaro Nakajima, and Petr Matous (2013), "How Do Supply Chain Networks Affect the Resilience of Firms to Natural Disasters? Evidence from the Great East Japan Earthquake," RIETI Discussion Paper Series 13-E-028.
Todo, Yasuyuki, Petr Matous and Hiroyasu Inoue (2015), "The Strength of Long Ties and the Weakness of Strong Ties: Knowledge Diffusion through Supply Chain Networks," RIETI Discussion Paper Series 15-E-034.
Tomiura, Eiichi, Banri Ito, Hiroshi Mukunoki, and Ryuhei Wakasugi (2013), "Endowment Effect and Trade Policy Preferences: Evidence from a Survey on Individuals," RIETI Discussion Paper Series 13-E-009.
Tomiura, Eiichi, Banri Ito, Hiroshi Mukunoki, and Ryuhei Wakasugi (2014), "Reciprocal Versus Unilateral Trade Liberalization: Comparing Individual Characteristics of Supporter." RIETI Discussion Paper Series 14-E-067.
Urata, Shujiro (2015), "Impacts of FTAs and BITs on the Locational Choice of Foreign Direct Investment: The Case of Japanese Firms," RIETI Discussion Paper Series 15-E-066.
Wakasugi, Ryuhei and Hongyong Zhang (2012), "Effects of Ownership on Exports and FDI: Evidence from Chinese Firms," RIETI Discussion Paper Series 12-E-058.
Wakasugi, Ryuhei and Hongyong Zhang (2015), "Impacts of the World Trade Organization on Chinese Exports," RIETI Discussion Paper Series 15-E-021.
Zhang, Hongyong (2014), "How Does Agglomeration Promote the Product Innovation of Chinese Firms?" RIETI Discussion Paper Series 14-E-022.

伊藤一頼（2013），「文化政策と投資保護：公益規制による財産権侵害の投資協定における位置づけ」RIETI Discussion Paper Series 13-J-025.
岩月直樹（2014），「国籍国に対する対抗措置としての正当性と投資家への対抗可能性」RIETI Discussion Paper Series 14-J-008.

参照文献

大野由夏 (2013),「特許侵害訴訟, 技術選択, ノンプラクティシング・エンティティー」RIETI Discussion Paper Series 13-J-050.

川島富士雄 (2015a),「中国独占禁止法の運用動向:『外資たたき』及び『産業政策の道具』批判について」RIETI Discussion Paper Series 15-J-042.

川島富士雄 (2015b),「オーストラリアにおける競争中立性規律:TPP 国有企業規律交渉への示唆」RIETI Discussion Paper Series 15-J-026.

川瀬剛志 (2013),「WTO 協定における文化多様性概念:コンテンツ産品の待遇および文化多様性条約との関係を中心に」RIETI Discussion Paper Series 13-J-056.

国松麻季 (2013),「文化メディアの越境流通促進のためのサービス貿易自由化」RIETI Discussion Paper Series 13-J-065.

久野新 (2015),「貿易自由化実現のための補償措置は支持されるのか?:調査実験による実証分析」RIETI Discussion Paper Series 15-J-002.

佐藤仁志 (2012),「電力供給と産業構造」RIETI Discussion Paper Series 12-J-007.

佐藤仁志・張紅咏・若杉隆平 (2015),「輸入中間財の投入と企業パフォーマンス:日本の製造業企業の実証分析」RIETI Discussion Paper Series 15-J-015.

神事直人・田中鮎夢 (2013),「文化的財の国際貿易に関する実証的分析」RIETI Discussion Paper Series 13-J-059.

玉田大 (2012),「国際投資協定上のパフォーマンス要求禁止条項の法構造」RIETI Policy Discussion Paper Series 12-P-012.

玉田大 (2014),「投資仲裁における精神的損害賠償」RIETI Discussion Paper Series 14-J-013

東條吉純 (2013),「文化的財のデジタル化に伴う文化多様性規制の変容可能性:ボトルネック事業者に対する競争政策規制」RIETI Discussion Paper Series 13-J-055.

戸堂康之 (2012),「日本の中小企業の海外生産委託」RIETI Discussion Paper Series 12-J-004.

冨浦英一・伊藤萬里・椋寛・若杉隆平・桑波田浩之 (2013)「貿易政策に関する選好と個人特性:1 万人の調査結果」RIETI Discussion Paper Series 13-J-049.

中島賢太郎・戸堂康之 (2013)「企業間取引関係のパフォーマンス決定要因:東日本大震災におけるサプライチェーン寸断の例より」RIETI Discussion Paper Series 13-J-024.

西村弓・小寺彰 (2014),「投資協定仲裁における非金銭的救済」RIETI Discussion Paper Series 14-J-006.

長谷川誠・清田耕造 (2015),「国外所得免除方式の導入が海外現地法人の配当送金に与えた影響:2009-2011 年の政策効果の分析」RIETI Discussion Paper Series 15-J-008.

藤田昌久・若杉隆平 (2011),『グローバル化と国際経済戦略』日本評論社.

森肇志・小寺彰 (2014),「国際投資協定における『一般的例外規定』について」RIETI Discussion Paper Series 14-J-007.

蓬田守弘（2015），「再生可能エネルギー補助金と相殺関税の経済分析：米中太陽電池貿易紛争の事例を中心に」RIETI Discussion Paper Series 15-J-033.

若杉隆平・田中鮎夢（2013），「震災からの復旧期間の決定要因：東北製造業の実証分析」RIETI Discussion Paper Series 13-J-002.

第2章
国際マクロから考える日本経済の課題

伊藤隆敏・清水順子

要　旨

　国際マクロの様々な視点から日本経済の課題について実証分析を行った結果，以下を確認した．第1に，今後予想される米国FRBの金利引上げは東アジア通貨のミスアライメントを加速する恐れがあり，東アジア諸国は域内為替相場のサーベイランスを行うとともに，域内外の資本フローの動向に注視する必要がある．第2に，本プロジェクトが主導して経済産業研究所（RIETI）のホームページで公表している産業別実質実効為替レートは，特定の産業の輸出価格競争力を国際比較することを可能とし，今後マクロ経済分析における重要なデータとして活用されることが期待される．第3に，為替レートや輸入原材料価格から日本の国内価格へのパススルーは2000年代から再び上昇している．このパススルー「復権」はアベノミクス下の円安で同政策の初期の成功をもたらす重要な前提条件となりうるが，一方で原油価格変動などの外的要因の影響力が強まるため，国内物価の操作可能性はむしろ低下する恐れがある．第4に，アベノミクス後の円安で日本の貿易収支，特に輸出数量が改善されていない．理由として，東日本大震災の福島原発事故による化石燃料の輸入急増，長引くJカーブ効果，ドル建て輸出の偏重と，円安にもかかわらず輸出価格が改定されていないことが指摘される．さらに，自動車産業で現地通貨建ての輸出価格が硬直化している理由は，本社が現地小売企業を含む輸出流通構造全体を通じた価格戦略を採用していることが確認された．為替要因だけでは，日本からの輸出数量，貿易収支のさらなる改善は遅く，日本が真に成長するためには，円安局面でも円高局面でも常に価格設定力があり，かつグローバルな競争力を持つ企業，産業の育成が必要であろう．

第 2 章　国際マクロから考える日本経済の課題

1　はじめに

　日本にとっての課題は，グローバル化が進展するなかで，日本産業の強みを生かし，成長戦略を実現していくことである．特に，GDP 成長の維持，雇用の維持，勤労世代の所得の上昇といったマクロ経済目標を達成するためには，伝統的な輸出産業が日本に立地したまま輸出競争力を持ち続けることが必要不可欠な条件となる．あるいは，新たな輸出産業が日本に誕生する必要がある．輸出企業にとっては，海外（特にアジア）に生産拠点を新設しつつも，製品開発・企画機能は日本に残し，グローバルなサプライチェーンを展開して，バランスのとれた維持可能な成長をいかに実現するかが重要である．

　「パススルー」とは，輸出企業（例えば日本企業）が，輸出国通貨対輸入国通貨の名目為替レート（名目ドル円レート）が変動したときに，輸入国市場（米国）での現地通貨建て（ドル）小売価格をどのくらい変化させるのかという係数である．パススルーは，輸出入や資本フローを考慮に入れる国際マクロ経済学（Open Macroeconomics）の重要概念であり，かつ日本経済，日本企業の競争力についての課題のなかで，長年議論されてきたいくつかの重要なテーマの 1 つである．例えば，パススルーは，経常収支における J カーブ効果，貿易通貨としての円の国際化，などに深く関わっている．これまでは集計された統計（マクロ統計）を使ってパススルーの変化を記述することが多かったが，これでは十分な分析ができないという研究の制約があった．

　われわれのグループの研究では，ミクロ（個別企業）レベルの貿易取引におけるインボイス通貨選択や価格設定行動，為替リスク管理に関わる意思決定のメカニズムを，アジア，米国，欧州において高度にグローバル化した生産販売構造を構築している日本企業（本社および海外生産・販売子会社）に対して，企業レベルの詳細な聞き取り調査，現地調査，質問票による調査を実施することによって解明してきた．

　また，国際マクロ要因のなかでも最も重要な価格指標の 1 つである為替相場については，アジアのなかで通貨の相対的強弱を測る指標として，アジア通貨単位（AMU），AMU 乖離指標を開発した．加えて，産業別に競争力の動向を見極める産業別実質実効為替相場などの新たな評価基準を提示した．これらの

指標をマクロ経済分析に応用することにより，域内為替相場（アジア通貨同士のクロス・レート）の安定性をめざす東アジアにおける新たな通貨体制についての政策インプリケーションを得ることを目標としてきた．

以上が，本章で取り扱う国際マクロの研究における中心的なテーマである．上記研究プロジェクトの研究成果として，本章では以下の6つの視点から国際マクロ経済の課題を設定する．第1に，東アジア通貨のミスアライメントに焦点を当てて，アジア通貨で構成された通貨バスケットである AMU と AMU 乖離指標を利用した分析を行う．第2に，新たに経済産業研究所（RIETI）独自のデータベースとして公表されている産業別実質実効為替レートの有用性について論じる．第3に，1980年代中盤に大幅に低下したといわれるパススルー率について，2000年代以降データを用いて，為替レートや輸入原材料価格から日本の国内価格へのパススルーを検証する．第4に，アベノミクス後の円安で貿易収支が改善されない理由について検討する．第5に，細分化貿易データをさらに特定の国際港において捉えることで，輸出企業を特定化し，日本の自動車輸出の価格設定行動を分析する．第6に，世界的な需要ショックや原油価格を考慮に入れた構造 VAR モデルで，為替レートが日本の輸出や産出量に与える影響を分析する．

2 アジア地域におけるバスケット通貨の役割

2.1 バスケット通貨単位としての AMU と AMU 乖離指標

1997年に，東アジア諸国経済はアジア通貨危機を経験した．事実上のドルペッグ為替相場制度とバランスシート上の通貨と期間のダブル・ミスマッチが通貨危機を引き起こし，深刻化した．アジア通貨危機の教訓から，域内為替相場の動向を注視し，東アジア諸国通貨のミスアライメントを防止するため，東アジア諸国の通貨当局は域内為替相場のサーベイランスを行う必要がある．

域内為替相場のサーベイランスのための指標として，共通の通貨バスケットから構成される地域通貨単位を参照しながら域内為替相場の動きを監視することが望まれる．その指標の1つとして ASEAN＋3 各国の通貨を用いて作られ

た米ドル・ユーロ建ての共通通貨バスケット単位 AMU (Asian Monetary Unit) および AMU 乖離指標 (AMU Deviation Indicators) が RIETI のウェブサイト (http://www.rieti.go.jp/users/amu/index.html) において公表されている.

AMU と AMU 乖離指標のデータが 10 年以上の蓄積となってきたことから, ベンチマーク為替相場の構造的変化を考慮に入れる必要が出てきた. そこで, 新たにベンチマーク為替相場の決定要因として購買力平価を想定して, 購買力平価に基づく AMU 乖離指標を計算した (Ogawa and Wang, 2013a). また, 購買力平価を計算する際, データの制約から, 非貿易財価格を含む消費者物価指数を用いざるをえないため, Balassa-Samuelson 効果を伴う可能性がある. さらに, 東アジア諸国の貿易財部門における高い生産性を配慮し, 購買力平価に基づく AMU 乖離指標に加えて,「Balassa-Samuelson 効果を考慮に入れた修正 AMU 乖離指標」(以下,「修正 AMU 乖離指標」と呼ぶ) を提示した.

この「修正 AMU 乖離指標」を用いた実証分析によれば, 相対的にインフレ率の高い国の通貨は, 従来の名目 AMU 乖離指標に比べて,「修正 AMU 乖離指標」は過大評価となる傾向があり, 相対的にインフレ率の低い国の通貨は, 従来の名目 AMU 乖離指標に比べて,「修正 AMU 乖離指標」は過小評価となる傾向がある. さらに, 各国通貨の「修正 AMU 乖離指標」の動きに焦点を当てると, 2000 年代の半ばから, 各国通貨の「修正 AMU 乖離指標」の乖離幅は拡大する傾向にあった. 例えば, インフレ率の高いインドネシアでは, ルピアにおける過大評価は長い間に続いていることがわかる. 特に, 2005 年の後半から, リーマン・ショックの直前まで, その過大評価は 50% にも達していた. 一方, デフレ気味の日本においては, 円における「修正 AMU 乖離指標」が 2002 年あたりから過小評価の状況が続き, リーマン・ショックの直後に 30% の過小評価にも達していた. 東アジア諸国通貨が最も過大評価となっていた通貨と最も過小評価となっていた通貨との間で 70% 以上の乖離が示されている. このような東アジア諸国通貨間のミスアライメントは, マクロ経済変数の安定化を図ろうとするために縮小されるべきである.

2.2 世界金融危機前後の東アジア通貨ミスアライメント

東アジア諸国通貨間のミスアライメントを引き起こした事象として，世界金融危機が想定される．東アジア諸国通貨が世界金融危機によってどのような影響を受けたかを分析するために，β 収斂アプローチと σ 収斂アプローチを利用して，東アジア諸国通貨の変動の関係を考察した（Ogawa and Wang, 2013b）．β 収斂の概念では，各国通貨がそれらの平均値へ回帰しているのであれば，それらは収斂していると解釈する．一方，σ 収斂の概念では，東アジア諸国通貨の横断的分散が時間を通じて減少するという条件において σ 収斂が起こるとみなす．本実証分析において AMU 乖離指標として使用したデータは，上述した「修正 AMU 乖離指標」である．分析期間については，全分析期間（2000 年 1 月～2010 年 1 月）の他，いくつかのイベント（人民元改革，リーマン・ショックなど）と AMU 乖離指標の加重標準偏差の動向に基づいて，7 つの分析期間に分割して，それらの 7 つの分析期間について，東アジア諸国通貨間の収斂を分析した．

β 収斂と σ 収斂の分析結果は以下の通りであった．分割した 7 つの分析期間については，すべての東アジア諸国通貨が常に収斂しているという結果は得られなかった．しかしながら，時系列上相対的には，2005 年半ば以前においては β 収斂と σ 収斂の両方が統計的に有意であった通貨の組合せが見いだされた．例えば，2000 年 1 月～2004 年 6 月の分析期間では，502 組の通貨間の組合せの内，β 収斂において 154 組が統計的に有意であり，σ 収斂において 69 組が統計的に有意であり，β 収斂と σ 収斂の両方において 32 組が統計的に有意であった．一方，2005 年後半以降，それ以前の分析期間において β 収斂と σ 収斂の両方が採択された組合せが棄却されている．その理由としては，2005 年以降，円キャリートレードのような活発な国際資本フローがいくつかの東アジア諸国，特に日本と韓国との間で発生したことが挙げられよう．

2.3 FRB 金利引上げが東アジア諸国通貨に及ぼす影響

世界金融危機以降，米国連邦準備制度理事会（FRB）が政策金利をゼロ金利に設定するともに量的金融緩和政策を進めてきた．その後，米国経済が景気

回復に向かうにつれて，2014年10月に量的金融緩和政策を終えた．さらに，FRBは，政策金利をゼロ金利から引上げるタイミングを計っている．FRBによる金利引上げによって東アジア諸国の金利や為替相場にどのような影響を及ぼすかについて考察した（Ogawa and Wang, 2014; 2015; 小川・王，2015）．具体的には，過去のデータに基づいて，米国の金利の変更が，東アジア諸国の金利，為替相場，資本フローにどのような影響をもたらすのかを分析し，さらに，それに基づいて，FRBの金利引上げの効果を予測する．

その実証分析の手法としては，当該の経済変数の間の因果関係を実証的に分析することのできるVARモデル分析による推定を行った．東アジア諸国の金利，米国の金利のほかに，東アジア諸国通貨に対する米ドルの為替相場，東アジア諸国通貨に対するAMU, AMU乖離指標，さらに国際収支表における金融収支内の証券投資およびその他投資といったデータを変数として用いた．分析の対象は，日本，中国，韓国，香港，タイ，シンガポール，インドネシア，マレーシア，フィリピン，ベトナムの10の国と地域である．また，東アジア全体の影響を見るために，これら10の国と地域の加重平均値を東アジア全体の変数として扱った．分析期間については，日次データと月次データを利用する分析にでは，分析期間は2000年初めから2013年末までの期間である．一方，四半期データを利用する分析では，分析期間は，一部のデータ制約のある国を除いて，2000年第1四半期から2013年第3四半期である．

実証分析の結果は，以下のとおりである．第1に，米国の金利変動は，多くの東アジア諸国（インドネシア・マレーシア・中国を除く）の金利との間に，期待される関係が存在することが確認できる．特に，資本取引規制や為替管理がない日本，韓国，香港およびシンガポールの金利は，米国の金利との間で，正の相関関係がある．また，米国とユーロ圏との加重金利と東アジア諸国通貨の加重金利との間でも，正の相関関係がみられる．

次に，米国と東アジア諸国との金利差は，資本取引規制や為替管理がない国・地域（インドネシアとフィリピンを除く）の通貨の為替相場との間で，正の相関関係がある．米国とユーロ圏との加重平均金利と東アジア諸国の加重平均金利との差は，アジア通貨の加重平均値AMUの対ドル・ユーロの加重平均値の為替相場と負の相関関係がある．さらに，日米金利差は，その他の東ア

ジア諸国通貨のすべてについて，当該通貨の AMU に対する為替相場および名目 AMU 乖離指標と期待される相関関係が確認できた．

これらの実証分析の結果を踏まえれば，今後，FRB が政策金利を引上げると，東アジア諸国の金利に対して上昇圧力がかかる一方，東アジア諸国から資本が流出するとともに，東アジア諸国通貨が減価することが予想される．

3 産業別実質実効為替相場からみたアジアの競争力

3.1 産業別実質実効為替レートとは何か

実質実効為替レート (Real Effective Exchange Rate: REER) は，輸出競争力を測る指標として国際金融・国際経済学の分野で広く用いられている．Bank for International Settlements (BIS) や International Monetary Fund (IMF) などの国際機関が実質実効為替レートのデータを公表しており，同データが実証分析で使用されてきた．ただし，これら国際機関が公表する実質実効為替レートは産業全体の平均値である．通常，輸出競争力は産業によって異なるが，従来の研究では産業全体の平均値としての実質実効為替レートを使用せざるをえなかった．

実質実効為替レートとは，それぞれの貿易相手国通貨に対する自国通貨の実質為替レートの加重平均によって求められる．産業別の実質実効為替レートを計算するためには，数多くの貿易相手国の物価データを産業別に収集しなければならない．この産業別の物価データ収集を全ての貿易相手国に対して行うのは困難であるため，実質実効為替レートを産業別にデータベース化する取り組みは，これまで行われてこなかった．

実質実効為替レートのデータを初めて産業別に公表したのは RIETI の国際マクロ研究グループである．2012 年 5 月に円の産業別実質実効為替レート (Industry-specific REER: I-REER) を公表し，2013 年 4 月からは中国人民元と韓国ウォンの産業別実質実効為替レートの公表も開始した．そして，2015 年 3 月よりアジアの 6 カ国（台湾，シンガポール，マレーシア，インドネシア，フィリピン，タイ）を加えた，合計 9 カ国の産業別実質実効為替レートの公表

を開始した．なお，当初は日次データのみを公表していたが，2015年3月より月次データの公表も開始した[1]．

3.2　産業レベルの輸出価格競争力指標：日本とアジア諸国の比較

産業別実質実効為替レートの最大の利点は，輸出価格競争力を産業別に分析することができる点にある．RIETI のウェブサイトには，アジア9カ国それぞれの輸出額ベースで上位5番目までの産業の実質実効為替レート，そして全産業の実質実効為替レートの平均値が掲載されている[2]．アジア諸国では実質実効為替レートが産業ごとに大きく異なる動きを見せている．つまり，アジア各国の輸出価格競争力に産業間で大きな違いがあることは明瞭である．

しかし，産業別実質実効為替レートの最も有効な活用方法の1つは，特定の産業（例えば電気・電子産業）の輸出価格競争力の国際比較である．例えば，日本の大手電機メーカーは 2000 年代後半から業績が悪化したのに対して，競合相手である韓国の電機メーカーが急速に世界シェアを高めていった．また，日本の自動車メーカーは 2008 年9月のリーマン・ショックによる急激な円高の影響を受けて，輸出価格競争力を大きく低下させた．他方で，同じ時期にウォンの大幅な減価を経験した韓国企業は自動車輸出を拡大させたが，2012 年末からの急激な円安によって，韓国企業は日本に対する相対的な価格競争力を完全に失っている．Sato et al. (2013) は，この電気機械産業と自動車産業における日本と韓国の輸出価格競争力の比較分析を行っている．また，その分析結果の一部は本章第6節で議論されている．

このように産業別実質実効為替レートは当該産業の輸出価格競争力を測る有益な指標として利用することができる．とりわけ特定の産業の輸出価格競争力の国際比較を行う際に，産業別実質実効為替レートを用いた分析は有益であり，本データベースが実証研究において幅広く用いられることが期待される．

---

1) 産業別実質実効為替レートの公表と共に，同データの解説と実証分析への応用例をまとめた論文が公表されている．Sato et al. (2012; 2013; 2015) を参照．
2) RIETI のウェブサイト (http://www.rieti.go.jp/users/eeri/index.html) を参照．日本を含むアジア9カ国すべてのデータがダウンロード可能である．

3.3 産業全体の輸出価格競争力指標：BIS 実質実効為替レートとの比較

産業別実質実効為替レートにはもう1つの利点がある．すなわち，当該国の輸出競争力を測る上で，産業別実質実効為替レートの全産業の平均値（Avg-I-REER）は，BIS の実質実効為替レート（BIS-REER）と比較してもより適切な指標となりうることである．まず，図 2-1 をみてみよう．図 2-1 の黒色の実線は Avg-I-REER を，灰色の実線は BIS-REER を示している．9 カ国中の 5 カ国で 2 つの実質実効為替レートが大きく異なる動きをみせている．とりわけシンガポールとフィリピンで Avg-I-REER と BIS-REER の動きが顕著に異なっている．このように 2 つの実質実効為替レートが大きく異なる動きを示す理由として，①データ構築に用いる物価データの違い，②各産業の加重平均を計算する際のウェイトの違い，の 2 つが影響していると考えられる．図 2-1 の Avg-I-REER は産業別の生産者物価指数と輸出額ベースの産業ウェイトを用いて加重平均をとっているのに対して，BIS-REER は消費者物価指数と輸出＋輸入のデータに基づいて実効レートを計算している．輸出価格競争力を分析する上では，消費者物価指数よりも生産者物価指数を用いて実質化する方が適切であると考えられる．さらに，生産者物価指数も産業別の物価指数を用いて，それらを輸出額ベースの産業ウェイトを用いて加重平均をとった Avg-I-REER の方が適切だと考えられる．この実質実効為替レートを計算する際のデータ使用の問題については，Sato et al.（2015）で詳細に論じている．

BIS-REER ではなく Avg-I-REER を実質実効為替レートとして用いることの有用性をさらに確認するために，Sato et al.（2015）は，アジア 9 カ国の Avg-I-REER と BIS-REER のそれぞれが実質輸出に及ぼす影響を分析している．2001 年から 2013 年までの月次データを用いて，パネル分析による推定を行った結果，Avg-I-REER の増価は実質輸出の水準に有意に負の影響を及ぼす，すなわち自国通貨の増価が当該国の輸出品の価格競争力を低下させて輸出量を減らすという関係を表すことに成功している．これに対して，BIS-REER の増価は実質輸出の水準に正の影響を及ぼすことが確認された．

以上の分析結果は，産業別実質実効為替レートの全産業の平均値のデータが，従来の研究で広く用いられている BIS の実質実効為替レートよりも，輸出価

図 2-1　アジア 9 カ国の実質実効為替レート

注：2001 年 1 月から 2014 年 4 月までのデータ（2005 年 1 月＝100）。Avg-I は産業別実質実効為替レートの全産業ェアに基づく加重平均値，BIS は BIS の実質実効為替レート，CPI は消費者物価指数を示す。
出典：Sato et al. (2015) の Figure 5. 産業別実質実効為替レートは RIETI のウェブサイト（http://www.rieti.トは BIS のウェブサイト（https://www.bis.org/statistics/eer/index.htm?m=6%7C187）。

中 国

マレーシア

フィリピン

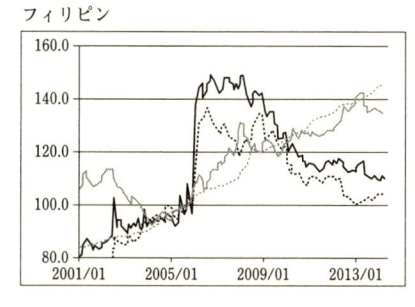

および物価指数の比較
の平均値．IPPI-Exp は産業別生産者物価指数の輸出シ

go.jp/users/eeri/index.html）．BIS の実質実効為替レー

格競争力を測る指標としてより適切であることを示唆している．経済産業研究所が公表する産業別実質実効為替レートが産業別の分析のみならず，一国レベルの輸出価格競争力の分析においても広く用いられることが期待される．

4　パススルーはなぜ復活したのか

　本節では分析対象を（日本から見た）輸入側に移し，為替レート・海外商品価格といった外的コスト要因の変動がどのように日本の輸入物価・国内物価に転嫁（パススルー）されてきたかを再検討する．2012年暮れの衆議院選で大胆な金融緩和の公約を掲げた自由民主党の勝利が確実視された頃から，急激な円安・ドル高が発生した．2012年中には一時は1ドル=76円台であったものが，安倍晋三政権（第2次）成立直後の翌年1月には90円台に乗り，本章執筆時（2015年7月）には123～124円台となっている．このような為替変動の少なくとも一部は政策変化，より正確には変化への期待によるものであることは多くの研究者が論じるところである．例えばFukuda（2015）は外国為替市場（および株式市場）の取引時間ごとのデータを検証することにより，政策アナウンスメントに呼応した外国人投資家の行動変化が上記の急激な円安をもたらした可能性を示唆している．Kano and Morita（2015）は，いわゆるソロス・チャートでは上記の急激な円安は説明しきれないことを明らかにし，将来の政策に関する市場参加者の期待がこの時期にドラスティックに変化した可能性を指摘している．したがって，安倍内閣の政策，いわゆる「アベノミクス」や日銀が2013年2月に採用したインフレ目標政策，同4月の「質的・量的緩和政策」を正しく評価するためには，このような円安が国内物価にもたらした効果を知ることが不可欠である．

　ここでは「パススルー率」という用語を，為替レートが1%円安方向に振れたときに輸入物価や国内物価が何%上昇するかということとして定義する．このパススルー率が1980年代から2000年代初頭にかけて日本のみならず多くの国で低下したことは，多くの先行研究により指摘されている．日本に焦点を当てた研究としては，Otani et al.（2003; 2006）が為替レートから輸入物価へのパススルーの低下が広範な財に関して発生したことを示している．塩路・

Vu・竹内（2007），塩路・内野（2009; 2010），Shioji and Uchino（2011）も異なる手法やデータを用いて輸入物価へのパススルーの低下傾向を確認している．国内物価に分析対象を拡張した塩路・内野（2009），塩路（2011），Shioji（2012）はいずれも，同変数へのパススルー率も同様に低下傾向にあったことを見出している．

　これらの一連の流れに対し，ごく近年になって国内物価へのパススルーが一転して回復傾向にあることを指摘したのがShioji（2014）および塩路（2015）である．同論文の第1の特徴は時変パラメーター VAR と呼ばれる，比較的新しい手法を用いたことである．この手法は経済変数同士（この場合には為替レートと物価）の関係が時間とともに変化しうることを考慮に入れた推定方法である．研究者にとって，そのような構造の変化がサンプル期間内に生じていることが推測されるものの，何回，どのタイミングで，どのくらいの期間をかけて変化したかがはっきりわからない場合に適した手法であるといえる．第2の特徴は，サンプル期間を延長して 2012 年までとしたことである．これら2つの特徴を組み合わせることによって初めて，ごく近年に発生したパススルー率の新たな動きを捕捉することが可能になったといえる．

　Shioji（2014）の推定結果によれば，1980 年ころには，為替レート（名目実効レート）が 1% 円安方向に振れたとき，これは 6 カ月後までに国内の財価格[3]を 0.09% 程度上昇させる効果を持っていた．言い換えれば，この意味での「パススルー率」は 0.09 だった．この率が 2000 年ころには 0.07 に落ちていた．このことはパススルーの低下というこれまでの研究結果と整合的である．ところが，2012 年 10 月，つまり安倍政権誕生直前にはこれが 0.24 に跳ね上がっていた．以上は同論文に掲載されている多くの結果のなかでも最も極端なケースであるが，いったん低下したパススルーが 2000 年代中に回復したという傾向は確実に見られている．特に 2007 年ころ，1 次産品・資源価格が世界的に高騰した時期に回復傾向が顕著になったとみられる．

　このような構造変化がいわば「アベノミクス前夜」に生じていたことは重要である．同政策の下で国内物価は 2013 年初頭から 2014 年春にかけて順調な上

---

[3]　日本銀行「企業物価指数 2010 年基準，需要段階別・用途別指数，国内需要財指数，国内需要財／最終財／消費財」．

昇基調に乗った．日銀が重視する消費者物価指数・生鮮食品を除く総合の前年同月比は 2013 年 3 月には −0.5% に落ち込んでいたものが，2014 年 3 月には 1.3% にまで上昇していた．この変化幅 1.8% のうち，およそ 1% 程度は為替レートの貢献と見ることができる[4]．しかしこれもその前提条件としてパススルーが回復していればこそであり，同政策の初期の成功（物価面での）はタイミングの幸運に恵まれたためにもたらされたといえるのである．

　Shioji（2015）は，パススルー回復が日本の経済政策当局者にもたらした便益は，以上のような直接的なインフレ率の押し上げ効果にとどまらないと述べている．経済政策運営において民間の予想インフレ率への働きかけは常に重要な意味を持っているが，現在の日本のような事実上のゼロ金利下では中央銀行が足元の金利を下げることによって民間需要を刺激することができないため，その重要性はさらに増すことになる．問題は民間のインフレ予想がどのように形成されているかである．家計への各種アンケート調査結果は，家計が日常的に頻繁に購入する財・サービス（食品やガソリンなど）の価格動向が予想形成に大きく影響することを明らかにしている．Shioji（2015）の分析結果によればパススルーの回復傾向はその種の国内価格において特に著しい．したがって，アベノミクス下の円安は計測された実際のインフレ率だけでなく，家計の予想インフレ率を押し上げることを通じても，持続的なインフレ基調の定着に寄与してきたとみられるのである．

　さて，このようなパススルーの回復はどのような原因で生じたのだろうか．Shioji（2014）はその有力候補として，日本の生産コスト構造の変化を挙げている．同論文では産業連関表を用いた分析によって，日本の消費財支出額に占める輸入消費財と輸入原材料・中間財の合計シェアが 1980 年は 20% 程度あったものが 1995 年には半分の約 10% にまで落ち込んでいたことを示している．しかしこのシェアは 2000 年代を通して回復を続け，2007 年には再び 20% 近くまで上昇していた．このように日本の生産・消費における輸入品の重要性が高まったことが，その輸入財価格を押し上げる円安のインパクトを高めたとみ

---

[4]　それ以外の物価押し上げ要因としては，株高が資産効果を通じて消費需要を刺激した効果のほか，2014 年 4 月の消費税率引き上げ前の駆け込み需要が消費を活発化していた面もあったのではないかと推測される．

られるのである[5]．

　なお，この問題に関する現時点での最新研究は Hara et al.（2015）である．同論文では Shioji（2014）が指摘したパススルーの回復傾向を確認したうえで，その要因分解を行っている．その特徴は国際産業連関表を用いることにより，日本国内だけでなく，海外との取引をも視野に入れたコスト構造の変容を分析している点である．それによると，Shioji（2014）が主張するような生産コスト構造の変化は確かにある程度はパススルーの回復に貢献しているものの，より重要なのは国内生産者の価格設定行動の変化である．

　本節ではここまで，パススルー回復が政策担当者にとってもたらすプラスの側面を強調してきた．すなわち，政府・中央銀行は為替レートに影響を与えることを通じて，国内のインフレ率やインフレ予想形成に影響に働きかけることができる．しかしこれは諸刃の剣であることも同時に認識される必要がある．パススルーが大きいということは，政策担当者が必ずしもコントロールできない，海外要因の国内への影響が高まるということでもある．その好例が 2014 年後半に生じた世界的な原油価格の急落である．パススルー回復の下で為替レートのみならず国際的商品市況の影響も高まっていたことを背景に，それまで日本銀行の目標である 2% に向けて順調に上昇していた物価上昇率は再び低下してしまった．これが国内経済にとって悪いことかどうかは検討の余地があるが，国内物価の操作可能性を低めるという点において，パススルー回復は困難な問題を政策当局に突きつけているのである．

5　アベノミクス後の円安はなぜ日本の貿易収支を改善させないのか？

　2012 年末に発足した安倍政権以降，それまでの歴史的な円高が是正され，為替相場は 2015 年 7 月現在 1 ドル 120 円台という比較的円安の水準で安定的に推移している．しかし，日本の貿易赤字は依然として改善されない．2013

---

[5]　残された疑問はなぜそのようなコスト構造の変化が起きたかだが，1 つの可能性としては輸入原材料価格が相対的に上昇したことが挙げられる．そのようなときに国内産原材料への代替が充分に進まなければ，輸入原材料のコストシェアは自然に上昇することになる．しかし，この仮説の検証は将来の研究を俟たなければならない．

年初めには，円安による輸入価格上昇によって当初は貿易赤字が増大するとしても，輸出価格低下を通じて輸出数量が徐々に増加し，徐々に貿易収支も改善するというJカーブ効果が働くことが期待されていた．しかし，いまだに輸出の明らかな増加基調が見えないことから，根本的な問題は為替レートではなく，日本製品の国際競争力が低下していることにあるのではないかと危惧されている．以下では，このような見解に対して，現在の日本企業の国際的な事業展開と価格戦略のもとで，円安が必ずしも貿易収支の改善につながらないことを示すとともに，産業別実質実効為替相場を用いて，アベノミクス下の円安で日本の主要産業が輸出競争力を回復したという事実を提示したい．

5.1 海外生産移転による貿易構造の変化

昨今の貿易赤字拡大の主因の1つは，鉱物性燃料の輸入増大にある．東日本大震災後の輸入数量の増加に加えて，2012年末からの円安が原油などの資源価格の低下傾向を打消し，円換算した輸入額を増大させている．確かに，2014年中の財務省貿易統計によると鉱物性燃料の輸入総額に占める割合は32.2%と品目別では一番高い．しかし，東日本大震災前の2010年をベンチマークとして2014年の輸入額を業種別で比較すると，鉱物性燃料の59.1%に対して，一般機械が39.9%，電気機器が42.3%，輸送用機器が81.6%であり，実は工業製品輸入の増加が貿易赤字拡大のもう1つの大きな要因となっていることがわかる．さらに詳細な品目データをみると，電気機器に属する半導体等電子部品の輸入額の伸び率は34.4%，輸送用機器に属する自動車部品の輸入額の伸び率は66.5%と製造業関連の部品輸入が増大している．

こうした工業製品や中間財輸入の増大は，世界各地に展開する日本企業の生産ネットワークのなかで，適材適所で製造された安価な工業製品や部品を輸入し，さらに付加価値を高めた最終製品として国内で販売もしくは再輸出するという効率的な企業活動の結果としてもたらされたものである．日本企業がアジアとの国際分業を一層強化した今日では，工業製品の輸出増は同時に海外拠点からの部品輸入の増加も伴うことになり，円安による貿易収支改善効果が起こりにくい構造になっている．清水・佐藤（2014）が行った為替相場が貿易収支に与える影響についての実証分析においても，2000年代は日本の貿易収支に

有意にプラスの影響を及ぼしているのは世界景気の動向であり，為替相場が与える影響は有意ではなくなっていることを確認している．

5.2 Jカーブ効果はなぜ見られないのか？

円安になると日本製品の相手国通貨建て輸出価格が安くなり，その結果徐々に輸出数量が増えて貿易収支が改善するというのがJカーブ効果である．しかし，そもそも円安になると企業は輸出価格を下げるという行動をとるのだろうか？ 伊藤他（2010），Ito et al.（2012）では，RIETIで行った日本の輸出企業に対する貿易建値通貨選択と為替リスク管理に関するアンケート調査結果の詳細が分析されているが，大企業ほど米ドル建てで取引する傾向が強く，為替相場が変動しても直ちに価格改定は行わない傾向，すなわち輸出先での販売価格を安定化する行動（PTM行動）をとっていることを確認している．

この日本企業の輸出価格設定行動は，日本銀行の輸出物価統計からも裏付けられる．同統計によると，契約通貨ベースの日本の製造業全体の輸出物価（2010=100）は2000年1月から2014年末まで，100近辺でほぼ横ばいである．すなわち，為替相場の変動にかかわらず契約通貨建て（主にドル建て）の日本の輸出物価はほとんど一定であり，為替相場変動のリスクはむしろ日本企業が負ってきたことになる．リーマン・ショック以降2012年後半まで続いた円高局面で，円ベースの輸出価格低下に耐えて輸出を続けてきた日本企業は，2012年末から現在まで続く円安局面では，価格を据え置いて為替差益を享受する戦略をとっていると考えられる．上述のアンケート調査結果によれば，輸出価格の改定は為替変動よりもむしろ製品のモデルチェンジなどに合わせて実施している場合が多く，円安が始まった2013年以降も日本企業の積極的な製品開発による新型車種投入の際に販売価格を上げていたという事実もある．Jカーブ効果で想定される「円安→輸出価格低下」という考え方はもはや当てはまらなくなっているのだ．

5.3 産業別実質実効為替相場でみる日本の競争力

円安が日本経済にどのような影響を与えているかを見るためには，全体としての貿易収支の動向よりも，むしろ輸出競争力がどの程度回復しているかを産

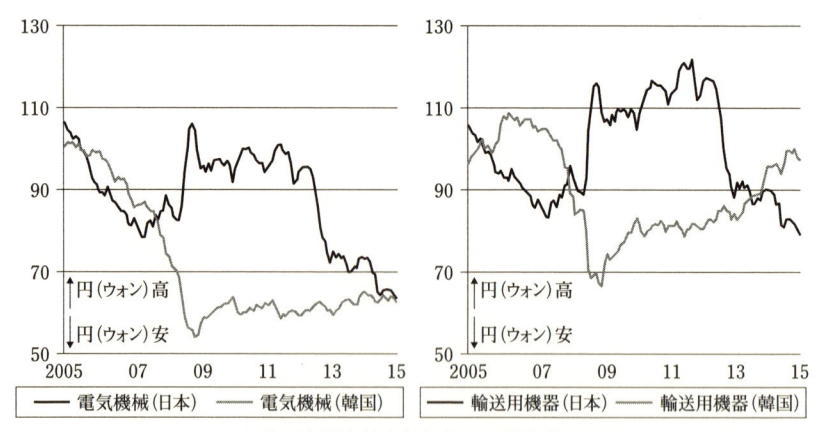

図 2-2 産業別実質実効為替相場の日韓比較 (2005=100)
出典：経済産業研究所．

業別に判断することが重要だ．輸出価格競争力を測る指標として，第3節で登場した産業別の実質実効為替レートのデータを用いて，日韓比較をしてみよう．

図 2-2 は日本と韓国の輸送用機器と電気機械の 2005 年 1 月から 2015 年 5 月までの月次の産業別実質実効為替相場（2005 年 1 月＝100）を示している[6]．これによると，2008 年 9 月からの急激な円高によって日本の輸出産業はコスト面での競争力を失ったことがわかる．同時期に大幅なウォン安に転じた韓国と比較するとその違いは明瞭である．さらに 2010 年後半から 2012 年末まで 1 ドル 80 円前後の円高が続いたが，その間も輸送用機器の実質実効為替相場は，ほぼ横ばいであった．これは日本企業が生産コストを削減し，競争力維持の努力を続けていたことを反映している．そして 2012 年末からの急激な円安によって，日本の輸送用機器産業のコスト競争力は一気に改善し，2014 年 1 月以降は韓国を上回る競争力を示している．電気機械産業ではリーマン・ショック後に日本と韓国のコスト競争力の差は大きく開いてしまった．しかし，2012 年末からの円安は日本の電気機械産業のコスト競争力を一気に高めており，

---

[6] 生産者物価指数を用いて作成した実質実効為替相場は，いわば日本と韓国のコスト面での輸出競争力を表しており，例えば円高（ウォン高）を示すグラフの上昇は日本（韓国）の輸出競争力の低下を，円安（ウォン安）を示すグラフの低下は輸出競争力の改善を示す．

2015年に入ってからは韓国との競争力の差はほぼ解消されている.

　日本企業はたゆまぬコスト削減と新製品開発の努力を続けているが，この日韓の比較が示すように，名目為替相場の動きは企業努力で対処できないほど輸出競争力を変化させてしまう．昨年末からの円安は貿易収支の改善に直ちに結びついていないが，日本の主要産業がコスト面での輸出競争力を改善させているのは明瞭である．今後，政府と日銀は行き過ぎた為替相場の乱高下を防ぐ政策対応によって，企業努力を後押しすることが重要だろう．

6　日本の自動車輸出：輸出価格と小売価格の分析

　為替パススルー[7]を計測する研究において貿易データを用いることが多い．国際的基準である HS 分類では6桁分類が用いられているが，日本の場合はさらに細分化された 7,000 製品以上の9桁分類が公表されている．しかし，この細分化された製品内であっても複数の輸出企業の製品が含まれていることが，個々の輸出企業の価格設定戦略を分析する障壁になっている．本研究においては，その細分化された製品を出荷された特定の国際港[8]において捉えることで，輸出企業を限定できることに着目した．さらに，詳細なモデル別の小売価格と比較することで，メーカー出荷時点での輸出価格とディーラー販売時点での小売価格を含む国際流通構造における価格設定に関する知見を得ることができた．

　為替パススルーの研究の流れの1つとして，ミクロ的な基盤の実証研究があり，製品レベルにおける為替パススルーの推定が積極的に行われている．メーカー別のビール（Hellerstein, 2008）やワイン（Chen and Juvenal, 2014）の研究もあるが，製造業における重要性を反映して自動車の分析は特に多い

---

[7]　第4節では為替レートの変化が輸入価格に与える影響として定義されていたが，本節では為替レートの変化が輸出価格に与える影響として定義することに留意したい．具体的には，10％ の円安の際に，日本の輸出価格が現地価格において 10％ 安くなれば「完全なパススルー」と呼び，パススルー弾性値は1となる．一方，現地価格が低下しても 10％ 未満であれば「不完全なパススルー」と呼び，パススルー弾性値は1未満となる．極端な場合であれば，円安になっても現地価格が固定されているような状態ではパススルー弾性値はゼロとなる．

[8]　税関局は 160 以上の空港・港，並びに関税支局別に貿易データを公表している．ここでは簡易的にこれらを国際港と呼んでいる．

(Goldberg and Verboven, 2001; Hellerstein and Villas-Boas, 2010 等). 近年の研究成果からは, 同一輸出企業であっても, 異なるモデルであれば為替パススルーに違いが生じることが理論的にも実証的に指摘されている (Chatterjee et al., 2013). 本節の研究テーマは, この近年のミクロ的な為替パススルーの実証研究に新たな見識を加えようとする試みである.

6.1 港別貿易データを用いた輸出価格分析

本節による新しい貢献の1つは, 自動車メーカーの生産拠点に近い貿易港の輸出データを利用することで, 自動車モデル別の輸出価格を明らかにしようとするものである. 日本の公的な貿易データでは, ガソリン車はエンジンサイズによって6区分 (500 cc 未満, 550〜1000 cc, 1000〜1500 cc, 1500〜2000 cc, 2000〜3000 cc, 3000 cc 超), ディーゼル車は3区分 (1500〜2000 cc, 2000〜2500 cc, 2500 cc 超) に分けられている. しかし, 日本国内の自動車生産拠点と呼ばれる地域の多くには, 複数の自動車メーカーが併存していたり (福岡県), 同エンジンサイズ内に複数のモデルを生産していたりするため (愛知県), 公的な貿易データからモデル別の輸出を識別することは容易ではない. しかし, マツダの生産拠点に関しては, 広島県の宇品工場の輸出は広島港から, 山口県の防府工場の輸出は三田尻中関港を利用していることが明らかで, 他自動車メーカーの輸出が混在していないことを加味して, 複数のエンジンサイズにおいてモデルの特定化が可能となった. 例えば, 三田尻中関港の 1500〜2000 cc のカテゴリーは「アクセラ」のエンジンサイズの小さいモデルのみを含み, 同港の 2000〜3000 cc のカテゴリーは「アクセラ」のエンジンサイズの大きいモデルのみを含む.

分析した期間が 1988 年第1四半期から 2013 年第4四半期と長期間に渡るため, 前期・中期・後期と3期間に分割して, さらに各港・各エンジンサイズについて, 為替パススルーの計測を行った. 3つの主要な結果が得られた. (1)全体的な傾向として, 前期 (1988 年第1四半期〜 1997 年第4四半期) においては為替パススルーが高く, 為替レートの変化が輸出価格に 100% 反映される「完全なパススルー」を示すものであった. しかし, 中期, 後期と為替パススルーは低下傾向を示していた. (2)同時期においては, エンジンサイズが大きい

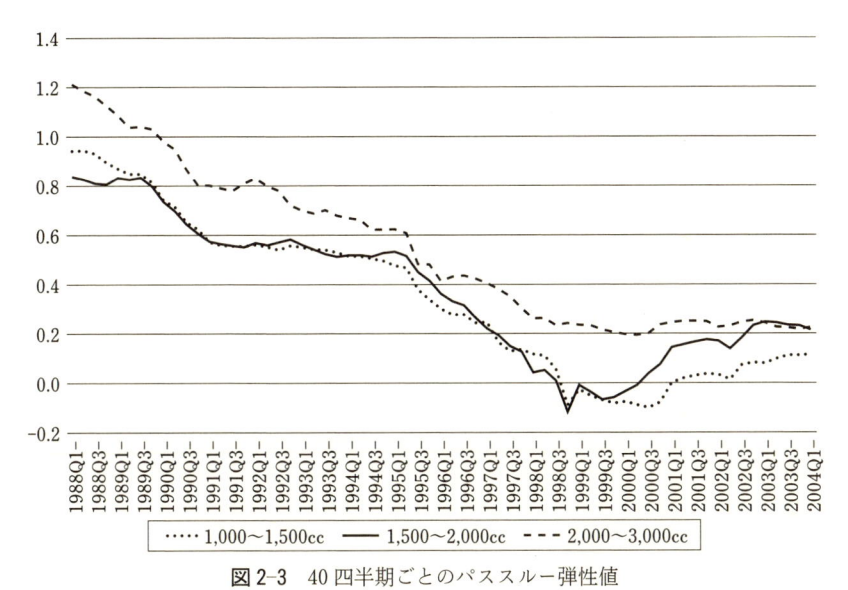

図 2-3　40 四半期ごとのパススルー弾性値

凡例: ･････ 1,000～1,500cc　─── 1,500～2,000cc　─ ─ ─ 2,000～3,000cc

注：10年間のパススルー弾性値の推定値．開始時期を四半期ずつずらして推計を行っている．広島港と三田尻中関港からの主要 20 カ国向けの輸出．

車種ほど為替パススルーが高い傾向が観察される．エンジンサイズの大きさが品質の高さを反映しているのであれば，先行研究（Chen and Juvenal, 2014）とも整合的であるが，品質の計測にはヘドニック分析が必要となり，本プロジェクトの課題として現在取り組んでいる．(3)同じエンジンサイズであっても，港によって為替パススルーが統計的に有意に異なる場合が確認された．これは，同企業が輸出する同じカテゴリーの製品であっても，異なる輸出価格戦略を取りうる可能性があることを示唆している．これは自動車という製品がエンジンサイズだけで分類できるものではなく，用途（セダンやスポーツタイプ）による違いが反映していると考えられる．ただし，異なる港からの輸出であっても為替パススルーが同じ場合も確認されているので，一般化されるものではないことに注意すべきである．

　上記の主要な結果の第 1 点をもう少し詳しく見てみよう．図 2-3 は主要 20 カ国を対象とした輸出価格における，マツダのエンジンサイズ別のパススルー弾性値をプロットしたものである．各プロットは横軸に記載されている四半期

を開始時点として 10 年間（40 四半期）分のデータによる推定されたパススルー弾性値を示している．パススルー弾性値は，まだ自動車の輸出自主規制が実施されていた時期を含む 1980 年代後半においては，非常に高い値を示しているが，1990 年代を通して減少し続け，プロットの 2000 年（すなわち 2000 年から 2009 年の 10 年間）前後には，特に 2000 cc 以下のエンジンサイズの輸出価格のパススルーについてはほぼゼロに近い値を示している．すなわち，グローバル金融危機以降の円高期間においては，現地通貨建て輸出価格には円高上昇コストは反映されず，この期間におけるメーカー側の負担が大きかったことを示している．一方，2012 年末から大幅に円安が進んでいる直近の 2013 年のデータを含む期間（すなわち 2004 年から 2013 年の 10 年間）では，パススルー弾性値の若干の上昇傾向が観測されているものの，その程度は 10～20% 程度にとどまり，円安による現地通貨建て輸出価格の低下も観測されていない．

この実証結果は以下の重要な政策的含意を有している．すなわち，2012 年末以降の円安期においても日本貿易収支の改善が進まないことが指摘されているが，ミクロ的な構造要因として，現地通貨建てにおける輸出価格の硬直化がその一因である可能性を示唆している．

6.2 日米間小売価格分析

本節によるもう 1 つの貢献は，日本と米国における小売価格に関する分析を行ったことである．自動車は，輸出に際して多くの場合，メーカーから海外現地法人を経由してディーラーにより販売されている．このディーラーによる流通構造は，海外現地法人が存在しないことを除き，日本国内においても同様である．すなわち，メーカーの生産コストは共通であるため，米国消費者価格と日本国内消費者価格を比較することで，両国の流通マージンが為替レートに対してどのように変化するかを推察することが可能となる．この分析に関しては，貿易データではなく，両国において公表されている希望小売価格をモデル単位で検証している．Yoshida and Sasaki（2015）では，マツダの「アクセラ」（米国名 Mazda3）の米日小売価格差（米国小売価格 / 日本小売価格の自然対数）を円・ドルレートに対してプロットしたものを分析している（図 2-4）．アクセラ内に複数のグレードがあるため，最高価格グレードと最低価格グレー

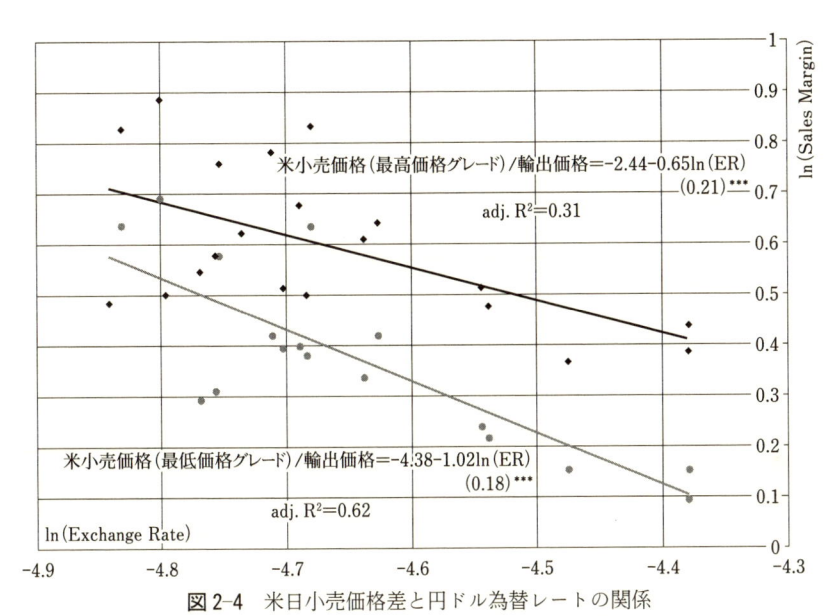

図 2-4 米日小売価格差と円ドル為替レートの関係

注：縦軸がマツダ「アクセラ」の米国小売価格/日本小売価格の自然対数（ln），横軸が円ドル為替レート（ER）の自然対数．右方向が円高を表す．

ドを比較している．為替レートを示す横軸は，右方向が円高を示しているため，円高と共に米日小売価格差が減少することが示されている．縦軸が自然対数表示のため，両国の小売価格が等しい場合にゼロとなることに注意すると，2004年から2012年までの円高期には，日本での小売価格の方が米国での小売価格より相対的に高くなったことが示されている．

これらの実証結果は，円高期には海外価格を高く設定せざるを得ないという単純な考え方とは異なり，輸出企業は，現地小売企業を含む輸出流通構造全体を通じて，円高に対応するための種々の価格戦略を採用していることを示唆している．

7 為替レートが日本の輸出に与える影響の数量的評価

日本のマクロ政策論議では，歴史的に為替レートが輸出を通じて国内の景気に与える影響に大きな関心が寄せられてきた．しかし，アベノミクス開始以降の近年の経験は，為替レートに関するかつての日本経済の「常識」とは大きく異なるものである．2012年末以降の急激な円安の進行にもかかわらず，我が国の輸出は思ったほど伸びなかった．その一方で，日本の輸出産業の業績は円安によって大幅に改善しており，結果として日本経済は（少なくとも2015年夏の時点では）安倍政権が登場した2年半前のエコノミスト達の平均的な予測を大きく上回って回復している．

なぜ，円安によって日本の輸出が回復しなかったかについては，第6節で指摘した通り，生産拠点の海外移転や特定の産業の国際競争力の低下などの構造的な要因が強調されており，そのようなミクロの構造要因が重要であることは間違いない．しかし構造的な要因にすべての説明を求めずとも，もう少しシンプルなマクロ経済分析によっても，ある程度まで有効な説明を与えられるのではないだろうか？ 祝迫・中田（2014a; 2014b; 2015）では，そのような問題意識のもとに，海外景気の動向とエネルギー価格を考慮に入れた時に為替レートが日本の産出量や輸出に与える影響の説明が，どのように変化するかについて分析を行っている．

7.1 80年代の円高不況とリーマン・ショック後の円高の違い

より具体的な例に沿って説明しよう．1980年代半ばのプラザ合意後の"円高不況"の時期には，急激な円高が日本の輸出に大きなマイナスのショックを及ぼし，それが深刻な国内の景気後退をもたらした．しかし，同じように円高が進行したリーマン・ショック直後の2008年末から2009年にかけての局面では，円高の進行という「価格ショック」と同時に，世界的な景気の減速に伴う輸出需要の急激な落ち込みという「数量ショック」が発生していた．つまり80年代の円高不況との比較では，リーマン・ショック後の輸出の落ち込みに対する為替レートの影響は相対的に小さかった．したがって，2012年以降に円安は大きく進んだが，世界景気が2008年以前の水準には回復していない状

況では，同様に日本の輸出が回復していないのは当たり前のことだと言える．

同様に，エネルギー価格変動が日本経済に与える影響の重要性も無視することはできない．プラザ合意の前後には世界的な原油価格の低下が発生しており，そのことはある程度まで，この時期の円高の進行に貢献したと考えられる．また，リーマン・ショック前後の時期にも，原油を含む世界的な消費価格の乱高下が発生していたことは記憶に新しい．したがって，エネルギー供給のほとんどを輸入に依存している日本経済および円レートの動きを数量的に評価しようとする際には，原油価格の変動を分析に取り入れることは重要である．

7.2 構造 VAR による分析

そこで祝迫・中田（2014a; 2014b; 2015）では，Lutz Kilian が原油価格変動が米国経済に与えた影響を分析した構造 VAR モデルを，為替レート変動を含むシステムに拡張し日本経済に適用した分析を行った．すなわち，外生的なショックとして（i）原油供給ショック，（ii）需給に関係のない原油価格変動，（iii）世界的需要ショック，（iv）他の構造ショックでは説明されない為替レートに固有なショックという 4 つの構造ショックを想定し，これらのショックが日本経済全体および産業別・規模別の産出量と企業収益に与える影響について様々な検証を行った．産業別の産出量と企業収益の変動について分析した祝迫・中田（2015）では，以下のようなことがわかっている．第 1 に，中東における地政学的リスクの高まりのような外生的な要因による原油供給そのものの変動は，我が国の産出量や企業収益に明確な影響を与えない．第 2 に，その一方で世界的なプラスの需要ショックは，国内産業の産出量に明らかなプラスの影響を与える．第 3 に，これらの構造ショックと関連のない為替レート・ショックは，いくつかの特定の産業の産出量には明確なマイナスの効果をもたらすが，日本経済全体への影響はさほど明確なものではない．第 4 に，産出量ではなく企業収益（総資産収益率; ROA）への影響でみると，世界的需要ショックおよび為替レート・ショックの影響は，日本の輸出業に明確にプラスの影響を与えている．

一方，総輸出を 5 番目の変数として含めた構造 VAR モデルを推計した祝迫・中田（2014b）では，外生的ショックは為替レートだけであると仮定した

表 2-1　期間別の輸出変動に占める構造ショックの割合

(i) 1979-99 年

	ε（OIL_S）	ε（DE）	ε（OIL_P）	ε（FEX）	ε（TRADE）
2変数	−	−	−	42.4	57.6
3変数	−	15.5	−	23.3	61.2
5変数	4.4	14.9	3.2	18.1	59.4

(ii) 2000-11 年

	ε（OIL_S）	ε（DE）	ε（OIL_P）	ε（FEX）	ε（TRADE）
2変数	−	−	−	32.8	67.2
3変数	−	69.5	−	9.4	21
5変数	2.1	29.7	46.8	3.4	18.1

注：ε（OIL_S）：原油供給ショック
　　ε（DE）：世界的需要ショック
　　ε（OIL_P）：原油市場に固有な価格ショック
　　ε（FEX）：為替レートに固有なショック
　　ε（TRADE）：他の構造ショックの影響を受けない輸出の自立的な変動ショック

場合と，世界景気や原油価格といった他の構造ショックの存在を仮定した場合で，為替レート・ショックが我が国の輸出に与える影響がどのように違うかを検証している．その結果，どちらの仮定のもとでも，ある規模の為替レートの変動が輸出に与える影響の絶対的な大きさにはあまり違いはないことがわかった．一方で，どのような構造ショックが我が国の輸出に最も大きな影響を与えているかは時間を通じて大きく変化しており，したがって為替レート・ショックの相対的な重要性も時期によって大きく異なっている．

表 2-1 には 1979〜2011 年の期間について，2 変数（為替レートと輸出のみ）・3 変数（為替レート，輸出，世界需要ショック）・5 変数（3 変数＋原油供給と価格）という 3 つの VAR を推計し，さらに 1979〜99 年と 2000〜11 年という 2 つの期間に分け，分散分解によってそれぞれの時期の輸出変動に占める構造ショックの影響の割合を計算した結果が示されている．まずシンプルな 2 変数 VAR の結果をみると，輸出の全変動のうち為替レートによって説明される部分は，前半のサブサンプルで 42％，後半で 33％ であり，目立った差は発見されない．ところが世界的需要ショックを含む 3 変数 VAR では，前半サンプルの需要ショックの影響は 15.5％ に過ぎないのに対し，後半では 70％ 近くに上昇しており，その分，為替レート・ショックと輸出自体のショックのシ

ェアが低下している.

　一方,原油関係の変数を含む 5 変数 VAR でも,世界的需要ショックの影響は前半サンプルの 15% から後半の 30% へと上昇しているが,他のショックの影響を受けない原油市場に固有の価格変動(原油価格の投機的変動と解釈することもできる)の影響は 3% から 47% へとさらに大きく上昇している.その分,2 変数・3 変数の VAR に比べると為替レート・ショックと輸出自体のショックのシェアが低下しており,特に後半の 2000 年代のサンプルでは為替レート・ショックと輸出ショックのシェアの低さと,世界的需要ショックと原油価格ショックの影響の大きさが際立っている.ただし,後半のサンプルにおける原油価格ショックのシェアは高過ぎて現実的だとは思われないので,この結果については今後より注意深い検証が必要である.

　以上の分析をまとめると,次のような結論にたどり着く. 2000 年代以降の日本の輸出変動に与えた為替レートの影響の相対的な重要性は 1990 年代までと比べて大きく低下しており,その意味で,2012 年末以降の円安の進行にもかかわらず日本の輸出が増えなかったことは特に不思議ではない.リーマン・ショック以前の 2000 年代中盤の時期,我が国の経済は順調な輸出に牽引されてマイルドな回復基調を示していた.しかし,このような輸出の伸びのかなりの部分は,円安の影響ではなく,この時期の世界的な景気拡大に伴う強い輸出需要に支えられたものであったと考えられる.

　したがって,リーマン・ショック以前と比較して先進各国の景気が十分に回復していない現状で,円安の影響だけで我が国の輸出が大きく増加するとは考えにくい.逆に言えば,輸出数量の伸びは限定的であるにせよ,円安による企業収益の改善という形で,為替レートを通じた景気回復というチャンネルは,アベノミクスにおいては十分に機能していると言えるだろう.

8　まとめ

　国際マクロの様々な視点から日本経済とアジアをめぐる課題について分析を行ってきた.その結果から得られた政策インプリケーションは以下のようにまとめられる.

第2章　国際マクロから考える日本経済の課題

　第2節では，東アジア通貨のミスアライメントに焦点を当てて，アジア通貨で構成された通貨バスケットであるAMUとAMU乖離指標を利用した分析を行った．第1に，β収斂・σ収斂アプローチによって分析すると，世界金融危機前の2005年後半以降，ミスアライメントが顕著となった．その理由として2005年以降，日本と他の東アジア諸国との間で円キャリートレード等域内の資本フローが発生したことが挙げられる．第2に，過去のデータを利用したVARモデル分析によってFRBの金利引上げが東アジア諸国通貨に及ぼす効果を考察した．FRBの金利引上げは東アジア諸国の金利を上昇させるとともに東アジア通貨を減価させるであろう．東アジア通貨のミスアライメントを防止するため，東アジア諸国の通貨当局は域内為替相場のサーベイランスを行うとともに，域内外の資本フローにも注視する必要がある．

　第3節では，産業別実質実効為替レートの有用性について論じた．実質実効為替相場は輸出価格競争力を測る指標として広く用いられている．しかし，BISやIMFなどの国際機関が公表する実質実効為替レートは全産業の平均値であり，産業別に異なる輸出価格競争力を分析することが難しい．これに対して，RIETIが公表しているアジア9カ国の産業別実質実効為替レートは，特定の産業の輸出価格競争力を国際比較することを可能にしている．例えば，2000年代半ば以降，日本の大手電機メーカーの業績が悪化し，韓国の電機メーカーが世界シェアを拡大した状況は，産業別実質実効為替レートに基づいて輸出価格競争力の面から説明可能である．また，2012年末からの急激な円安によって，韓国企業が日本に対する相対的な価格競争力を失った状況も説明することができ，今後アジア各国の産業競争力を測る上で重要なデータとして活用されることが期待される．

　第4節では，為替レートや輸入原材料価格から日本の国内価格へのパススルーを検証した．パススルー率は1980年代中盤に大幅に低下したが，2000年代から再び上昇した．ゼロ金利下において政策当局は金利を下げることはできないが，為替レートには影響できると考えられている．事実，アベノミクス下で円安が進んでいる．しかし，もしパススルーが低いままだったら，国内インフレは反応しなかっただろう．「アベノミクス前夜」のパススルー「復権」は同政策の初期の成功をもたらす重要な前提条件だった．ただしこれは政策担当者

にとって両刃の剣である．原油価格などの外的要因の影響力が強まるため，国内物価の操作可能性はむしろ低下する可能性がある．

第5節では，アベノミクス後の円安で貿易収支が改善されない理由として，リーマン・ショック後の円高により日本企業がアジアにおける国際分業を一層強化した結果，貿易収支改善効果が起こりにくい構造になっていること，日本企業は輸出相手国での販売価格を安定化する PTM 行動をとっており，為替変動による輸出価格の改定が行われていないことを指摘した．一方で，産業別実質実効為替相場は日本の主要輸出産業の輸出競争力が円安により回復していることを示しており，アベノミクスによる円安転換に一定の効果があったことを確認した．今後の課題としては，輸出の減少を所得収支の黒字増加で補うために，海外拠点の利益を日本国内に還元する流れを継続することが必要となろう．

第6節では，細分化貿易データをさらに特定の国際港において捉えることで，輸出企業を特定化した．さらに，モデル別の小売価格を用いることで，メーカー出荷時点での「輸出価格」からディーラー販売時点での「小売価格」までの国際流通構造における価格設定に関する知見を得ることができた．それは，近年の円安期において日本貿易収支の改善が進まないミクロ的な構造要因として，現地通貨建てにおける輸出価格の硬直化がその一因とする可能性である．これは，円高期に海外価格を高く設定するという単純な考え方ではなく，輸出企業は，現地小売企業を含む輸出流通構造全体を通じて，円高に対応する価格戦略を採用することを示唆している．

第7節では，世界的な需要ショックや原油価格を考慮に入れた構造 VAR モデルで，為替レートが我が国の輸出や産出量に与える影響を分析した．その結果，為替レートそのものの影響力に大きな変化はないものの，2000年代以降のマクロ構造ショックに占める為替レート変動の相対的な重要性は90年代までと比べて大きく低下しており，かわりに海外需要ショックや原油価格ショックの影響力が増していることがわかった．2000年代中盤の輸出拡大のかなりの部分は，円安ではなく世界的な景気拡大に伴う強い輸出需要に支えられたものであり，したがって，リーマン・ショック以前と比較して世界景気が十分に回復していない現状で，円安の影響だけで我が国の輸出が大きく増加するとは考えにくい．

第 2 章　国際マクロから考える日本経済の課題

　国際マクログループの研究では，以上のように，通貨変動が長期的に輸出輸入にどのような影響を与えるかを究極の研究課題として，その分析に有用なさまざまなトピックをカバーしている．最後に，このような分析がアベノミクスの成長戦略とどのように関わっているかを議論して，締めくくりをしたい．まず，アベノミクス第一の矢である大胆な金融政策は，デフレ脱却，インフレ目標政策（2% 目標）の確立を目指している．コア・インフレ率は，日銀の黒田東彦総裁が量的・質的緩和を発表した 2013 年 4 月にはマイナス 0.5% であったが，1 年後の 2014 年 4 月には，プラス 1.5% まで上昇した．しかしながら，その後は原油価格の下落の影響などもあって，2015 年 5 月にはふたたび，0.0% まで下落した．ただし，原油価格下落の効果が対前年同月比でみて剥落する 2015 年年末には，再び 1% に近づいて，デフレ脱却は確実なものとなると予測されている．量的・質的緩和は，インフレ率上昇の蓋然性を高めることで，円安・株高の期待を引き起こし，ポートフォリオ・リバランスを通じて，（自己実現的に）円安，株高を引き起こした．2012 年 11 月に衆議院解散が決まったときには，1 ドル 80 円程度であったが，量的・質的緩和直後には，1 ドル 100 円まで円安が進んだ．その後も，円安傾向は続き，2014 年 10 月の追加緩和の効果もあって，2015 年には，1 ドル 120〜125 円のレンジに達している．リーマン・ショック後の急激な超円高は是正された．この円安が，輸出産業の輸出価格戦略，生産，投資にどのような変化をもたらすかについては，本研究グループの成果を応用して考えることができる．例えば，輸出企業は（ドル建て）輸出価格を据え置くことで，輸出数量は拡大せず，利益幅を大きくすることを選択してきたようだ．今後，数量増，国内の設備投資増に結びつくかどうかが注目される．

　インフレ率上昇の要因の 1 つになったのが，輸入価格への為替レートのパススルー効果である．円安が日本の輸入品の価格上昇に結びつくことで，インフレ率をマイナスからプラスにすること（デフレ脱却）に貢献した．円安・株高は，アベノミクス第 3 の矢である成長戦略の実行のお膳立てをしているわけだが，長期的に日本経済の潜在成長率が上がるかどうかは，円安・株高のなかで，成長のための大胆な規制緩和，自由化が行われるかどうかにかかっている．

参照文献

Chatterjee, Arpita, Rafael Dix-Carneiro and Jade Vichyanond (2013), "Multi-Product Firms and Exchange Rate Fluctuations," *American Economic Journal: Economic Policy*, 5(2): 77–110.

Chen, Natalie and Luciana Juvenal (2014), "Quality, Trade, and Exchange Rate Pass-Through," IMF Working Paper 14/42.

Fukuda, Shin-ichi (2015), "Abenomics: Why was It so Successful in Changing Market Expectations?" *Journal of the Japanese and International Economies*, 37: 1–20.

Goldberg, Pinelopi Koujianou and Frank Verboven (2001), "The Evolution of Price Dispersion in the European Car Market," *Review of Economic Studies*, 68: 811–848.

Hara, Naoko, Kazuhiro Hiraki and Yoshitaka Ichise (2015), "Changing Exchange Rate Pass-Through in Japan: Does It Indicate Changing Pricing Behavior?" Bank of Japan Working Paper Series 15-E-4.

Hellerstein, Rebecca (2008), "Who Bears the Cost of a Change in the Exchange Rate? Pass-Through Accounting in the Case of Beer," *Journal of International Economics*, 76(1): 14–32.

Hellerstein, Rebecca and Sofia B. Villas-Boas (2010), "Outsourcing and Pass-Through," *Journal of International Economics*, 81: 170–183.

Ito, Takatoshi, Satoshi Koibuchi, Kiyotaka Sato and Junko Shimizu (2012), "The Choice of an Invoicing Currency by Globally Operating Firms: A Firm-Level Analysis of Japanese Exporters," *International Journal of Finance & Economics*, 17(4): 305–320.

Kano, Takashi and Hiroshi Morita (2015), "An Equilibrium Foundation of the Soros Chart," *Journal of the Japanese and International Economies*, 37: 21–42.

Ogawa, Eiji and Zhiqian Wang (2013a), "The AMU Deviation Indicators Based on the Purchasing Power Parity and Adjusted by the Balassa-Samuelson Effect," *Global Journal of Economics*, 2(2).

Ogawa, Eiji and Zhiqian Wang (2013b), "How Did the Global Financial Crisis Misalign East Asian Currencies?" RIETI Discussion Paper Series 13-E-096.

Ogawa, Eiji and Zhiqizn Wang (2014), "How Would East Asian Currencies Respond to the FRB's Raising Interest Rates?" Report that was Compiled with the Financial Support of the Bank of Korea.

Ogawa, Eiji and Zhiqian Wang (2015), "Effects of a Quantitative Easing Monetary Policy Exit Strategy on East Asian Currencies," RIETI Discussion Paper Series 14-E-037.

Otani, Akira, Shigenori Shiratsuka and Toyoichiro Shirota (2003), "The Decline in the Exchange Rate Pass-Through: Evidence from Japanese Import Prices,"

Monetary and Economic Studies, 21(3): 53–81.
Otani, Akira, Shigenori Shiratsuka and Toyoichiro Shirota (2006), "Revisiting the Decline in the Exchange Rate Pass-Through: Further Evidence from Japan's Import Prices," *Monetary and Economic Studies*, 24(1): 61–76.
Sato, Kiyotaka, Junko Shimizu, Nagendra Shrestha and Shajuan Zhang (2012), "Industry-Specific Real Effective Exchange Rates for Japan," RIETI Discussion Paper Series 12-E-044.
Sato, Kiyotaka, Junko Shimizu, Nagendra Shrestha and Shajuan Zhang (2013), "Industry-Specific Real Effective Exchange Rates and Export Price Competitiveness: The Cases of Japan, China and Korea," *Asian Economic Policy Review*, 8(2): 298–321.
Sato, Kiyotaka, Junko Shimizu, Nagendra Shrestha and Shajuan Zhang (2015), "Industry-Specific Real Effective Exchange Rates in Asia," RIETI Discussion Paper Series 15-E-036.
Shioji, Etsuro (2012), "The Evolution of the Exchange Rate Pass-Through in Japan: A Re-Evaluation Based on Time-Varying Parameter VARs," *Public Policy Review*, 8(1): 67–92.
Shioji, Etsuro (2014), "A Pass-Through Revival," *Asian Economic Policy Review* 9(1): 120–138.
Shioji, Etsuro (2015), "Time Varying Pass-Through: Will the Yen Depreciation Help Japan Hit the Inflation Target?" *Journal of the Japanese and International Economies*, 37: 43–57.
Shioji, Etsuro and Taisuke Uchino (2011), "Pass-Through of Oil Prices to Japanese Domestic Prices," in Ito, T. and Rose, A. eds. *Commodity Prices and Markets*, Chicago: University of Chicago Press, pp. 155–189.
Yoshida, Yushi and Yuri Sasaki (2015), Automobile Exports: Export Price and Retail Price, RIETI Discussion Paper Series 15-E-024.

伊藤隆敏・鯉渕賢・佐藤清隆・清水順子 (2010),「日本企業の為替リスク管理とインボイス通貨選択:『平成21年度日本企業の貿易建値通貨の選択に関するアンケート調査』結果概要」RIETI Discussion Paper Series 10-J-032.
祝迫得夫・中田勇人 (2014a),「原油価格、為替レートショックと日本経済」RIETI Discussion Paper Series 14-J-050.
祝迫得夫・中田勇人 (2014b),「為替レートが日本の輸出に与える影響の数量的評価:構造VARによる検証」RIETI Discussion Paper Series 14-J-051.
祝迫得夫・中田勇人 (2015),「原油価格、為替レートショックと日本経済」『経済研究』66(4): 355–376.
小川英治・王志乾 (2015),「金融政策とアジアのマネー・フロー」小川英治・日本経済研究センター編著『激流アジアマネー:新興金融市場の発展と課題』日本経済新

聞出版社, pp. 29-60.
塩路悦朗 (2011),「為替レートパススルー率の推移：時変係数 VAR による再検証」『フィナンシャル・レビュー』106：69-88.
塩路悦朗 (2015),「パス・スルーの復権：アベノミクス前夜」未公刊論文.
塩路悦朗・内野泰助 (2009)「為替レートと原油価格変動のパススルーは変化したか」日本銀行ワーキングペーパーシリーズ 09-J-8.
塩路悦朗・内野泰助 (2010),「類別名目実効為替レート指標の構築とパススルーの再検証」『経済研究』61(1): 47-67.
塩路悦朗・Vu Tuan Khai・竹内紘子 (2007)「名目為替パススルー率低下のマクロ的含意」RIETI Discussion Paper Series 07-J-024.
清水順子・佐藤清隆 (2014),「アベノミクスと円安, 貿易赤字, 日本の輸出競争力」RIETI Discussion Paper Series 14-J-022.

第3章
グローバル化と人口減少下における地域創生の課題

浜口　伸明

要　旨

　日本の地域経済は東京一極集中と表裏一体で，衰退傾向にある．東日本大震災の被災地では，衰退の方向へ時計の針が一気に進んだ感さえある．地方から大都市への人口移動は，少子化と高齢化の社会的背景ともなっている．日本経済の持続的発展のために，地方創生に向けた大都市と地方の経済活動のリバランシングを大胆に進める必要がある．大都市はイノベーションと新規事業の創出で一国経済をけん引する役割を果たしているが，子育ての機会費用を軽減するような支援策がとられるべきだ．頑強な空間上の秩序のもとでは，産業集積の地理的範囲は通常市町村の境界よりも広いので，自治体の広域連携を形成することが有効だ．地方に産業を定着させるように，移出産業を育成しつつ，獲得した域外マネーを地域内で循環させる必要がある．そのために，地域金融機関，中小企業，商店街などが重要な役割を持っている．地域内の「つながり力」の強さは企業の生産性を高め，イノベーションを促進する．そのために中小企業のクラスター化，卸売り等が持つネットワークのハブ機能の強化が有効に機能する．一方で，ローカルネットワークの構成員の多様性を維持することは，質が高いイノベーションを促すために必要となる．グローバル化の中で，大都市では企業が盛んに製品の入れ替えを行ったり，知識労働者の流入と流出を繰り返したりしている．このような新陳代謝機能を維持することは，質の高いイノベーションのために必要である．地方のものづくりを守るサプライチェーンの強靭性と復元力強化も必要だ．地域におけるイノベーション創造を促し，地域の多様性を広げることも重要だ．

第 3 章　グローバル化と人口減少下における地域創生の課題

1　はじめに

1.1　地域経済の重要性

　1980 年代以降，円高や新興工業国との競争が激しくなるとともに，都市部よりも安い土地や労働力を求めて，地方に工場が移転した．このような工場では，地域の自然資源を利用した農業や水産業で都市向けに出荷する地方の伝統的移出産業よりも労働生産性と賃金が高かったため，若年層を中心に急速に地方の雇用を吸収していった．

　さらに近年では，日本の雇用は製造業からサービス業に移行している．企業は競争力を強化するために東アジア地域を中心に生産拠点を構築し，発達した輸送・通信技術を利用して供給網（サプライチェーン）を国際化している．大量生産機能の多くは海外に移転し，日本が国際化した供給網の中で果たす役割は，本社機能，研究開発，金融といったサービス機能に特化する傾向にある．このような機能は知的資源が集積する大都市圏に立地しやすく，地方の製造業の労働需要は以前よりも縮小した．一方，伝統的産業においては生産性の伸びが小さく，期待できる収入の水準は依然として低い．このため，進学・就職を迎えた若者は質の高い雇用を求めて，毎年地方から大都市圏に移動する．労働生産性が高い若年層の人手不足は，地方圏の産業立地誘因をさらに弱めている．伝統産業では後継者が不足し，本来豊かな農地や漁場などの自然資源が利用されずに放棄されているところもある．

　地方圏の経済的衰退が懸念される一方で，グローバル化する経済における競争では国の豊かさの基盤となる不断のイノベーションが必要となり，研究開発を盛んにして，新しい知を創造する大都市の役割はますます増大している．グローバル競争は有能な人材をひきつける国際的な都市間競争に置き換えて論じられることも多い（細谷，2008）．

　このように地方の衰退と都市への集中は表裏一体の関係を成しながら，地方における負のフィードバック，大都市における正のフィードバックにより，東京への一極集中が強化されている．このような状況は合理的な選択による市場メカニズムの帰結と理解しうるが，必ずしも最適な状態とは言えず，長期的に

懸念され，政策的介入が求められている問題も生じている．

　第 1 に，人口動態をともなった少子化・高齢化の動向である．地方を離れた若者たちの結婚・子育てに関する考え方が大都市圏の晩婚化・非婚化・低出生率の環境に適応すると，人口移動が少子化をいっそう進ませるかもしれない．大都市圏では若年層の人口流入によって，これまでのところ子供の数はおおむね維持されているが，相対的に出生率が高い地方では若年層の減少により，出生する子供の数が少なくなっている．将来，地方から都市への人口移動が先細りになることは確実であり，大都市圏でも急速に人口構成の高齢化が進むであろう．政府が地方創生に関する取り組みを示した「まち・ひと・しごと創生基本方針 2015」（2015 年 6 月 30 日に閣議決定）においても，このような人口問題への危機感が強調されている．

　第 2 に，東京一極集中は都心の地価の上昇や，その結果生じる長距離通勤等の混雑の不経済をいっそう悪化させる．また予知不可能な大規模災害のリスクを考慮すれば，一極集中は国全体にとって不安定性を高めることにもなる．

　第 3 に，高度知識人材の地理的集中は短期的には大都市圏の多様性を高めるが，長期的には共通知識を増大させ，多様性を喪失させる可能性がある[1]．実際にこれまでのところ，東京への人口集中がイノベーションの活性化に結び付いた明確な証拠がないどころか，特許出願件数は経年的に減少している（特許庁『特許行政年次報告書 2014 年版』〈本編〉1-1-1 図参照）．

　もちろん，ワークライフバランスの見直しや子育て支援制度の改善，土地利用の見直し等により混雑の不経済を軽減することは可能であり，大都市圏の競争力を維持する観点からも，そのような対策を講じることは重要である．しかし，それだけで十分ではないかもしれない．同時に，大都市と地方圏の関係を見直し，経済活動のバランスをより好ましい状態にすることによって，国全体の効率性を改善することができるのではないだろうか．

　このように，日本全体の経済的繁栄を維持するために，日本の地域経済の発展を考察する意義は極めて大きい．経済産業研究所（RIETI）は地域経済の課

---

[1] 経済産業研究所の藤田昌久所長は「3 人寄れば文殊の知恵と言われるが，3 年寄ればただの知恵になってしまう」と指摘している（http://www.rieti.go.jp/jp/events/tenth-anniversary-seminar/11011801.html）．

題と政策のありかたについて詳しく検討するために，第 3 期中期目標期間に新たに地域経済プログラムを設置して，研究を行ってきた．このプログラムで行われた研究は，経済産業研究所の藤田昌久所長が 1990 年代に中心的な役割を担って研究領域として確立された空間経済学（Spatial Economics あるいは New Economic Geography）の枠組みに依拠している．

　地域経済が国際経済と密接に関連していることや，国内で労働力が自由に移動することを考えると，地域を個別に切り離して政策を立案しても期待どおりの成果を得ることはできない．空間経済学の発展は，従来の経済学で無視されてきた輸送費・通信費を介した地域間のつながりや生産要素の地域間移動によって実現する，一様でない経済空間構造の内生的決定を一般均衡の枠組みで分析することを可能にした．

　本章ではこれまで行われた地域経済プログラムの研究成果に基づいて，グローバル化と人口減少下における日本の地域経済の現状と問題点，および地域創生に向けた政策課題を論じてみたい．ただし，本章の内容は地域経済プログラムに参加した研究者の見解を代表するものではなく，あくまで筆者個人の責任に帰するものであることをあらかじめお断りしておく．

1.2　東日本大震災の衝撃

　2011 年 3 月 11 日に発生して東北地方太平洋側を中心に甚大な被害を与えた東日本大震災は，地域経済に多くの課題を突きつけた．その一部は既に知られていた問題であったが，これまで明示的に認識されてこなかった新たな問題を浮かび上がらせることにもなった．

　既知の問題の第 1 は，地域において持続的な人口減少，とくに若者の流出が顕著になって高齢化と少子化が伴って起こっていることである．被災地では，震災直後，津波の被害や原子力発電所事故の影響から多くの人々が避難したが，その後も帰還が進まず，震災前の人口から大きく減少したままである．第 2 に，大企業を中心に生産活動のグローバル化が進んできた影響により，国外に移転した製造業を主要な納入先としてきた地域の中小企業や，被災地域において事業者の高齢化が進んでいた農業や水産業では，震災により生産設備が損壊したことを機に廃業を選んだ事例が少なくない．このように，徐々に衰退が進んで

いた地域では震災によって時計の針が一気に進んでしまった感が強い．

同時に，震災後にいくつかの新しい課題も認識された．第1に，グローバル化による選別を受けてもなお国内に残っている企業の中には，製造業の国際供給網において容易に代替できないタスクを担っているところがあり，被災によって生産が中断したために供給網全体が停止し，日本経済全体だけでなく国際的にも供給ショックが生じたことである．国際供給網に参画することによって販路を維持し，地域の雇用を支えている企業の競争力を維持するためには，予期せぬ自然災害の影響から早期に回復して，供給責任を果たせる強靭性を強化することが新たな課題となっている．

第2に，小規模都市の持続可能性である．津波で壊滅的な被害を受けた地域では，安心・安全を重視すると住宅を高台に建設する必要がある．このような場所はこれまで宅地として利用されてこなかった不便な場所であり，集住地を形成するために十分な面積がないため，宅地を点在させることになる．このようなところでは中心市街地のにぎわいを再建することが困難であり，それによって住民の利便性が損なわれれば，いっそう人口流出が起こる可能性がある．このような安全と利便性のトレードオフを解決するための明らかな処方箋は無く，成功のシナリオがないまま試行錯誤で，急いで新しいまちづくりが進められようとしている．

第3に，被災地の再建には多額の国費が投入され，沈下した地盤のかさ上げや新たな防潮堤の建設，高台の造成，インフラ建設などが一斉に進められているところであるが，そのことによって被災地では人手不足から賃金が上昇し，産業の復興が抑制される問題が生じている．

第4に，被災地はこれまで幾度となく大規模な地震や津波の被害を経験してきたが，そのたびに農業・漁業の豊かな自然資源に支えられて生活再建を成し遂げてきた．しかし，今回は高齢化・少子化という長期的な趨勢から，これまでのような楽観的な見通しを持ちにくくなっている．そこで，衰退傾向にあった震災前の延長線上ではない，新しい経済社会システムへの革新的変化が模索されているところである．例えば，水産業が盛んな地域では国際的衛生基準を満たして，輸出を可能にするような近代的な漁港が再建されている．原子力発電所が廃炉になった福島県では，再生可能エネルギーを用いて植物工場等の産

業化が模索されている．

東日本大震災が被災地の経済社会に与えた衝撃から明らかになった多くの課題は，日本の多くの地域が共通に抱えるものである．被災地の復興を日本の地域経済の構造改革を先導する役割を果たすととらえることが，地域経済を研究する強いモチベーションとなり，貴重な経験の蓄積から多くのことを学び建設的な議論が進められている．

2　グローバル化と地域経済

2.1　財・資本・労働の移動の自由化が地域経済に与える影響

空間経済学の理論的研究によって明らかにされた基本的な結論の1つは，財・資本（企業）・労働の移動がより自由になると，企業と労働者（消費者）が集積し，大都市が形成されるということである．この基本的なメカニズムについて，図3-1にもとづいて説明しておこう．人が自由に移動できるとすれば，名目所得がどこでも一定であると仮定すると，多様な商品やサービスを輸送・交通の費用を払わずに消費することができて実質的な満足度（効用）が高い大都市に消費者が惹きつけられる．一方，生産に規模の経済があり，生産量が多くなるにつれて平均費用を低下させることができる企業は，より多くの売り上げが期待できる大規模な市場の近くで生産したほうが高い利潤をあげることができるだろう．輸送費が低くなれば，大都市から離れて住んでいる消費者の需要を失うことをあまり気にせずにすむので，大都市への企業の集中が促進される．このように多様性を好む消費者と利潤を追及する企業が市場取引を行う地理空間においては，輸送費の低下が大都市を形成する．経済のグローバル化が進む現代において，この結論は経済活動が大都市にますます集中し，グローバル化に参加するそれぞれの国や地域の経済が地理的に一様ではないが全体として発展（消費者がより高い効用を得ている状態）を実現しているという特徴を描写している．

以上の推論の仮定をより現実に近づけることによって，このように形成される大都市が永続的でないこともわかっている．たとえば都市化が進む場所にお

図3-1 都市化のメカニズム

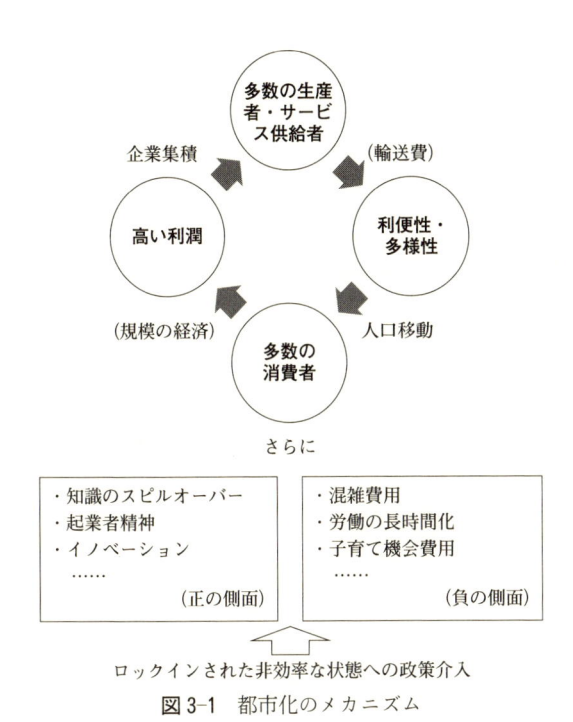

いて希少な生産要素である土地の価格が上昇することや，混雑により環境・交通面のストレスが増加することは，消費者の効用を引き下げる．また，生産者が集中することによる競争の激化は企業の利潤を低下させ，競争が少ない地方市場の魅力を相対的に高める．さらに輸送費が極限まで低下すれば，消費者はどこにいても多様な消費を行うことができるので，地価が安くストレスが少ない地方に住むほうがよくなる．このような状況では大都市の魅力は減少する．

現代の都市では生産者と消費者の間で取引が行われるだけではなく，多様な生産者サービスや中間財の企業間取引，あるいは技術者間の知識のスピルオーバーが生産性を高めたり技術革新を刺激したりするような，生産者間の相互作用の場としての役割が重要になっている．大都市は起業家精神をも喚起する（Sato et al., 2012）．地価の上昇や混雑，競争の激化というマイナス面があるとしても，都市の経済活動が持つこのような側面は大都市に経済活動を集中させる傾向を強めている．グローバル化によって企業間の技術競争はますます重

要になっており，大都市の果たす役割はますます大きくなっているとも言える．

このように，市場経済では集積のメリットとデメリットが常に複雑に作用しあっている．輸送技術の変化が経済空間に連続的にゆらぎを起こしても，多くの場合，空間構造は安定的に維持される．これは「ロックイン効果」と呼ばれる頑強性である．ロックイン効果によって，集積構造において不経済性が顕著で効用が低下しているにもかかわらず集積が維持されてしまう場合や，集積したほうが高い効用が得られるにもかかわらず分散が維持されている場合がある．このような状態は非効率であり，政府の介入によって効率性の改善が見込まれる場合には地域政策が正当化される．

人々は市場が与えるシグナルや政策に反応して，より高い厚生水準を実現しようとして地域間を移動する．日本では毎年 200 万を超える人々が都道府県の間を移動している．生産性が低い地域から高い地域に労働者が移動することは，労働市場が効率的に機能していることを意味する．貧しい地域に所得移転を行うような地域政策は，生産性が低い地域に人口を定着させるようなインセンティブを与えることになり，生産性が高い大都市における労働供給が過小にもなる非効率を生じさせるようであれば社会的厚生を低下させるため，好ましい政策ではない[2] (Kawata et al., 2014)．

ただし，大都市への人口集中が常に必ず好ましい結果をもたらすわけではない．たとえば，大都市への人口集中が少子化の傾向を強めるとの批判がしばしば提議されるようになっている．Morita and Yamamoto (2014) は，大都市であるほど子育ての機会費用が高いことが出生率低下の原因になると指摘している[3]．Ago et al. (2014) によれば，専門的技能を持った労働者が集まる大都市では労働時間が長くならざるを得ず，子育てに時間を使うことはさらに難

---

[2] ただし，すべての人が自由に地域間を移動できるわけではなく，教育水準，健康状態，持っている技術的特性のほか，性別，年齢などの個人特性，あるいは大都市の労働市場への物理的距離の影響による情報格差など，様々な理由により人口移動の費用が高い人がある．こういった場合には，地域間所得移転によって社会全体の厚生水準が改善することがありうる．

[3] 子育てに時間を使うことによって，遺失する時間の価値が高いということを意味する．大都市では娯楽や文化的な施設のバラエティが多く，子育てに時間を使うことによってあきらめなければならない消費の価値は都市のほうが高い．子育て時間が多いと，労働時間を削減する必要があり，それによって得られる所得で可能になる消費を失うことになる．子供が多ければより広い家に住む必要があり，都心にある勤務先から遠く住宅費が安い場所に住まざるを得ない．長くなる通勤時間も子育て費用の一部と考えられる．

しくなるだろう．このような状況の下で，日本の雇用システムでは，多くの場合女性が仕事を辞めることを余儀なくされている．一時的な休職であったとしても，キャリア形成が遅れることによって失う生涯所得は少なくない．

大都市における子育ての機会費用を下げる方策として，キャリア形成の中断を最小限にとどめられるような雇用形態を推進することや，親が短時間子供を預けて出かけられるベビーシッターサービスを充実させること（多くの国ではここに安い移民労働が投入されている）などが考えられる．在宅勤務やあるいはテレコミューティングでシームレスに仕事ができるような情報通信を奨励し，技術革新により通勤時間を含む労働時間の短縮を図ることも少子化対策に有効な対策となりうる（Ago et al., 2014）．

3 地域空間構造の頑強な秩序

3.1 産業集積の階層構造

第2節で紹介した空間経済学の理論分析では，多くの場合，労働や資本が移動可能な2つの地域を想定する2地域モデルが用いられてきた．そのような分析を通じて，特定の地域が産業集積を形成し発展していく過程で，輸送費の減少をもたらす技術的・制度的進歩が重要な役割を果たすことがわかった貢献は大きい．

しかし，実際に地図上に事業所の立地をプロットしてみると，産業によっては，局所的に見れば集積していても大局的にみるとそのような集積が多数あって分散しているように見えるものがあり，大局的に見てもごく少数の場所に集積しているものもある．あるいは，局所的にも大局的にも分散している産業もある．このように多様な現実の産業立地パターンがどのようなメカニズムで形成されるのか，抽象的な2地域モデルから理解することはできない．

そこで，生産・輸送・研究開発活動および人口の集積について，一般的な立地空間において，個別の経済活動の集積の形成メカニズムと空間パターン，さらに，異なる産業間，異なる研究活動間，産業・輸送・研究活動間で生ずる集積連鎖のメカニズムを解明するための基礎理論および実証分析の枠組の構築が

進められてきた．これまで，Mori and Smith（2012; 2013a; 2013b）は日本の製造業小分類レベルの個々の産業について集積群を地図上で統計的に同定するとともに，それらの位置・空間パターンを数値化する系統的枠組みを構築した．この枠組みは，個別の産業が日本全国あるいは特定の地域の中で固有で安定的な集積パターンを持つことを検出できる実用的なツールとして，政策立案に活用することも可能である．

この産業集積検出手法を用いて，個々の都市圏に集積する産業群を検出してみると，大都市には多くの産業が集積している一方で小規模な都市に集積する産業の数は少なく，大都市には小都市に存在する産業の多くがあるが大都市にしかない産業集積機能が存在するというように，大小都市間に極めて強い階層構造が存在することが明らかになった．さらに，個々の産業が集積する都市の平均人口規模と，その産業の立地都市数の間に極めて頑健な対数線形関係で示される秩序が存在し，都市規模分布がべき乗則に従っていることと，都市の産業構造に階層性があることが同時に成立していることがわかった．このようなべき乗則は，日本に固有の現象ではなく，アメリカやドイツのデータを用いて同様の分析を行った結果，自律的な経済圏では一般的に成立することもわかっている．空間上に秩序を形成するメカニズムは産業立地だけではなく，輸送網におけるハブ規模（通過交通量）や研究開発活動の集積の分布に関しても成立することがわかっており，空間上の経済現象に広く一般化できそうである．

3.2 頑強な秩序の下の政策デザイン

ところで，このような空間上に強固な秩序があるといっても，同じ産業集積が同じ場所に安定的に存在することを意味しているわけではないことに注意が必要である．個別産業の立地や個々の都市の人口・産業の変化を見ると，ある地域にあった産業が別の地域に移ったり，都市のランクが入れ替わったりする現象はむしろ頻繁に起こっている．国際競争下における長期的な産業構造変化のなかで，日本から消滅した産業や，新たに誕生して集積を形成している産業もある．重要なのは，個別の産業・都市の盛衰は空間上で一見無秩序に起こっているようであるが，地域経済圏レベルにおいては極めて頑健な階層構造とべき乗則の秩序を維持しながら起こっているということである．こういった秩序

の存在は，個々の地域における産業振興政策をデザインする上で，その実行可能性に対し無視できない制約として機能しており，個別地域での産業政策の実現可能性に直接影響する．

たとえば，シリコンバレーについてその内部構造や制度を分析した研究は多く，成功のレシピはすべて解明されていて，世界中どこでも再現可能かのように思われる．にもかかわらず，シリコンバレーと同レベルの情報通信技術関連産業集積は世界に1つしか存在しない．この事例が示すように，たとえば国内，あるいはアジア全域でごく少数しか存在しえないような産業集積を国内にいくつも作り出そうとするような産業政策を国のレベルで実施することは理に適っていない．また，ある地域で特定の産業集積が成長することは当該地域にとって良いことだが，他の地域で同じ産業が衰退して階層秩序内の入れ替えが起こっているだけであれば，国としてなんら喜ぶべきことではない．国は地方で過剰な産業誘致競争が起きないように，バランスをとる役割が求められる．

さらに地域政策の行政単位についても再考が求められる．地域政策は，行政単位である市町村で政策がデザインされ，統計も整備されているところであるが，産業立地に秩序が成立する地域範囲は通常これよりも広く，境界も市町村の境界と一致していない．したがって，地域産業を維持し育成する地域政策を行うためには，個々の行政単位より広域な連携が必須であり，また産業に応じて柔軟に連携相手を組み替える必要もある．

4　地域経済の自立と持続可能性

4.1　地域経済のポートフォリオと財と資金の循環

第2節では，大都市が集積の経済がもたらす高い消費効用や企業生産性，およびイノベーションを創出する力は一国の経済の原動力になっており，そのようなダイナミックな場所に人口が集まっていくことによって，国際競争力が高まり経済発展が実現されていくことを強調した．大都市への経済活動の集中は混雑の不経済のみならず少子化問題を進めてしまう影響を持ちうるが，都市での働き方を見直すことによってそのような問題を緩和し大都市のメリットを引

き続き享受しうることを示した.

　他方で，日本には自然条件が多様な地域があり，各地域にはユニークな地域資源が存在する．それらに労働と技術を適切に投入することによって，高い収入を生み出すことができるはずである．しかし大都市への集積の経済があまりに強すぎると，混雑の不経済で集積のメリットが低下しているにもかかわらず人口集中がロックインされ，過疎化が進む地方では農地，漁場，観光スポットといった経済的価値がある資源が利用されずにあたかも価値がないもののように放置されてしまうという，無駄が生じてしまう．大都市の混雑緩和の視点からだけでなく地方の資源を有効に利用するべきだという観点からも，地域に産業を根付かせる政策を考える価値がある．

　中村（2014）は，地域経済にとって必要なことは自立性と持続可能性であると指摘している．自立性とは，地域の外に生産物を供給する移出産業を確立して域外マネーを獲得する能力を意味する．たとえば，地域の特産品が全国的に売れるようになったりアジアの富裕層向けに輸出されるようになったりすることや，工場誘致が成功して多くの雇用が創出されたりすることである．しかし，それだけでは地域の所得は必ずしも高くならない．進出企業に単に安価な労働力として雇用され，稼いだ収入をもっぱら全国チェーン店やインターネット販売や便利になった交通インフラを使って大都市のデパートで消費する構造では，いわゆる「ストロー効果」（猪原他，2015）によって富が大都市に吸収されてしまうのである．地域の豊かさを増すためには，地域内で物品・サービスが取引されたり，資金が地域内で再投資されたりする経済活動が活性化することで地域経済の持続可能性を高めることが重要になる．その担い手となるのは，進出企業のサプライヤーとして取引する中小企業，地元に密着して有望な地域資源を見出して投資を仲介する地域金融機関，地元消費者のニーズを把握してきめ細かなサービスを提供する商店街である．

　地域の経済構造を分析する実践的なツールとして，しばしば地域産業連関表や社会会計表が用いられているが，RIETI で行われた研究でも東日本大震災のような大規模災害が産業に及ぼす影響（徳永・沖山，2014）や，空港の国際物流ハブ化の経済効果（伊藤他，2015）など，幅広い問題で経済環境変化と政策効果の分析が行われてきた．以下では興味深い分析結果の例として，東日本

大震災によって被災した福島県の原子力発電所が廃炉になった影響を補償する方法と，自立した経済構造の確立が課題である沖縄県において期待を集めている那覇港の国際物流ハブ化の経済効果について紹介しておこう．

4.2 地域企業の差別化と移出産業の育成

東日本大震災以前に福島県で行われていた原子力発電の直接雇用・所得創出効果は小さくなかった．石川他（2012）は，この損失をカバーして被災地の復興と持続的な成長につなげる方策として，東北電力管内で発電した電力を東京電力管内の関東地方に供給し売電する移出産業として収入を得ることで雇用と所得に現れる効果を分析した．その際，東京電力管内の発電事業を部分的に抑制することにより発生する関東地方の雇用・所得の損失とのトレードオフをどのように按分するか，また二酸化炭素排出や燃料輸入費の増大を抑制するために，火力発電だけでなくどの程度再生可能エネルギーを用いることが望ましいか，などの観点も分析に加えられている．分析結果から，雇用者所得を拡大する点からは，最大限に関東地方に売電するよりも東北地方で産業を興して雇用を拡大するほうが望ましいことが判明した．そうすることにより売電収入が喪失するが，その分は，再生可能エネルギーを東北地方で利用することによって生じる二酸化炭素排出権クレジットを他地域の企業に売却して得られる収入で埋め合わせればよいという結論も導き出される．

沖縄県では，那覇空港を新たな国際物流ハブとする方策が，観光業と並ぶ振興政策の柱として期待されている．新たなハブ空港の出現によってアジア地域において国際供給網を構築した日本企業がこれまで以上に迅速な輸送をおこなうことが可能になるとともに，アジア各国の富裕層に向けて日本から高品質な生鮮食品を供給する可能性が広がることへの期待も高い．後者の中には沖縄県産品も参入できる期待もある．しかし，伊藤他（2015）が現在の経済構造を与件として行った試算結果は，貨物輸送業が県内で生み出す中間需要についても，県産品の輸出拡大についても，物流ハブ化によって沖縄県に及ぼす経済効果は県内総生産の 0.3% に過ぎない小さいものだということがわかった．沖縄県産品の販売増加がもたらす経済効果が小さい理由は，海外のバイヤーに知られておらず差別化された移出品になっていないことや，県外から移入する中間投入

財への依存が強く，域内で活発な資金循環が起こるような仕組みにもなっていないためだと考えられている．

5 企業間ネットワークと地域経済

5.1 ネットワークを介して伝わる知識とショック

東日本大震災のような大規模な自然災害の経験から，一部の地域ショックが経済全体に波及して，マクロ経済に無視できない影響を与えることが認識された．このことは，組織の経済活動が強いネットワークによってつながっており，ネットワークは地理的に大きく広がっていることを意味している．

組織間のつながりの強さは，負のショックの伝播として具現化する一方で，競争力の源泉ともなりうる．ネットワークが持つこのような二面性，すなわち負のショックの伝播のメカニズムと「つながり力」（競争力の源泉）は，どちらも地域経済を理解するために重要である．経済活動を集積させる力（集積力）の源泉の1つとして，企業間取引，知識波及，特定の技能を有する労働市場の形成などが企業間ネットワークを介して発現することの影響が指摘され，「つながり力」活用は政策立案においても指摘されるようになっている．クラスター政策として，集積のメリット（外部性）を生かす目的から，ネットワーク構築を促進する施策が行われてきた．

輸送技術や情報通信技術の進歩は著しく，「世界はフラット化している」（フリードマン，2006）と論じられてはいるものの，現実に企業間のネットワークが構築されるさいに，物理的距離が重要な影響力を持っている．たとえば特許発明者の所属する事業所の位置情報を用いた分析の結果，日本の特許発明事業所は 80 km までの範囲で集積しており，よりハイテクな分類において集積の強度が強いことがわかった．さらに特許引用頻度の高い品質の高い特許を発明する事業所や，特許発明数の多い事業所は地理的に集積する傾向が強い (Inoue et al., 2013; 2014)．日本の事業所間共同研究関係も 100 km の地理的範囲に有意に集積しており，情報通信技術に長足の進歩があったと思われる 1986 年から 2005 年の期間にあっても，この距離に大きな変化は見られなかっ

た (Inoue et al., 2013). これらの分析結果から，知識波及において距離の重要性はなくなっていないことがわかる.

　商品取引のネットワークに関しても多くの取引は非常に狭い範囲で行われており，ネットワークを地理的に広げるときにはハブとして機能する少数の企業が出現し，ローカルネットワークの間をつなぐ役割を果たしている (Saito 2013). 卸売業がハブ企業の役割をはたしている場合には，地域の小規模企業にとって，信用付与するなど，地域のインフラとして機能している (Okubo et al., 2014). 九州新幹線開業の影響を分析した研究から，取引企業との時間距離が短縮されると生産性を上昇させる効果があることもわかった (Bernard et al., 2014).

　局地的大規模災害が発生すると，被災した地域内の企業だけでなく，そのほかの地域の多くの企業にショックが波及する可能性があることは，ネットワークでつながることの負の影響として考慮されるべきである. 東日本大震災の被災地に立地する企業の取引先企業は，全国に広がっているものの，その割合は各地域において非常に少なかった. しかし，被災地企業の取引先の取引先である企業まで含めると，過半数の企業が関係しており，3次の取引先まで含めると，すべての地域で9割近い企業が何らかの関係を持つというように，企業間の取引ネットワークは「スモールワールド（小さな世界）」の構造を持っているということができる (齊藤, 2012). 震災前後の業績の変化の分析からも，直接的取引先だけでなく，間接的取引先まで，影響が及んでいることが確認された (Carvalho et al., 2014).

5.2 「つながり力」を活用した政策形成

　ここで紹介した研究結果からわかるように，知識創造活動や企業の生産性に関して他の企業とのネットワークが重要であり，情報通信技術や輸送技術の発展にもかかわらず，そのようなネットワークの形成は距離の影響を強く受けている. このことから，輸送インフラを整備してサプライチェーンが効率的に機能するようにサポートする政策が重要であることは言うまでもない. 企業のクラスター化を支持するようなローカルインフラを整備することも有効だと言えよう. 自社の独自資源が限られている小規模企業は，地域の「つながり力」を

活用してイノベーションや生産性上昇を促進する効果が期待されることから，そのような政策はとくに重要となる．卸売業を地方での一種のインフラと考え，地方の産業集積育成や地域振興のため，政府が支援し活用するのも1つの有効な施策となるだろう．

他方，Inoue et al.（2015）は，知識近似性の高い領域で生産された特許の被引用数は少なく，異なる知識領域の共同研究から生まれた特許は被引用数が多くなることを示している．コンソーシアムの形成などによって企業間の共同研究関係を促進するような政策を実施する際に，企業間のマッチングが知識近似性の高い領域に偏らないように制度設計を行うことによって，質の高いイノベーションを促進することができることを示唆している（Inoue et al., 2015）．知識のネットワークが距離の影響を受けやすいのであれば，地域内の知識の同質化を避け，多様性を維持する施策が必要である．

6 国際化するサプライチェーンにおける都市と地域

6.1 大規模災害に対する地域の強靭性と復元力

浜口（2012）は東日本大震災で被災した地域に立地する製造業企業を対象として2012年1～2月に実施したアンケート調査に基づいて，被災直後のインフラの寸断や部材供給不足，および顧客の復旧遅れなど，被災した企業の復旧を阻んだ要因を分析した．生産設備が全壊あるいは半壊の甚大な被害を受けた事業所の半分は宮城県に集中し，操業停止状態にあった期間は平均約16日間であったが，宮城県では26日間に及んだ．外部サービスの寸断の影響を受けた事例は，電力，部品調達，輸送，工業用水の順に多かったが，電力寸断の影響が宮城県以外では10日以下であったのに対して，部品調達寸断の影響は1カ月以上に及んだ．生産を再開するための自社の体制整備ができたとしても，サプライチェーン寸断の影響により復旧が遅れた状況を示している．サプライチェーンのどこがボトルネックとなっているのか特定することは，非常時において特に難しいという問題が浮き彫りになった．

震災後仕入先を変更した場合，新たな仕入先を探す際にこれまでの仕入先企

業と同等あるいはそれ以上の品質や納期のスピードを要求する一方で，仕入価格の上昇や距離が遠くなることによる不便は甘受する傾向が見られた．被災した仕入先を代替する業者を見つけて事業を継続できた企業でも，一定の追加費用が発生したことを示唆している．

また，アンケート調査の結果によれば，震災後売り上げの減少はあったものの，総じて雇用は維持された．震災後に危機管理対策として，定期的な訓練や事業継続計画（BCP）の作成，工場の耐震化，自家発電装置の装備や代替輸送方法の検討などが優先的に検討されているものの，とにかく復旧することが優先され，ごく稀にしかおこらない巨大自然災害に備える対策を講じる余裕はないと考えている小規模企業が少なくないこともわかった．しかし，より詳細な分析の結果，政府や銀行の支援や取引先企業の支援は，売り上げや雇用の回復など震災後の企業の復旧に効果があり，事業継続計画のような事前の防災対策も生産停止期間を短縮できる一定の効果が見られたことが確認されていることから（Cole et al., 2015），大規模自然災害のリスクが高い地域では企業の防災対策を支援する政策が講じられるべきである．

サプライチェーン寸断による部品供給の不足・遅延は，国内のみならず国際的にも影響を与えた．自動車産業を事例に取ると，国内生産が正常時の状態に戻るまでに約半年かかっている．中国広東省，タイ，遠くは米国にも一部の部品が不足して生産規模を縮小する影響が及び，ASEANの自動車生産拠点となっているタイの減産の影響は他のASEAN諸国にも波及する2次的影響もあった．

震災後は，代替生産地の準備，安全在庫の準備，非常事態を想定した事業継続計画の見直しなどの，各企業単位の対策はこれまで以上に検討された．これを支援する枠組みとして，企業単位を超えて地域レベルで日常的に企業が協力する広域事業継続計画の策定と実施，さらに国際レベルで非常時に対応する人材を派遣する際の就労ビザの発給や物流の規制緩和，防災を強化するためのインフラ構築，防災情報を共有するシステムの構築など広範囲に国際協力を強化する等，企業，地域，国の各レベルで国際サプライチェーンを強靭にし，復元力を高める施策を検討する必要がある（Fujita and Hamaguchi, 2011; 2014）．

東日本大震災後に地域レベルを対象にして政府が実施した施策の中で，中小

企業等グループ施設等復旧整備補助事業（グループ化補助金）は，被災した企業の生産設備の復旧を支援する一方で，地域事業者の連携を必要条件とした．その結果，同じ工業団地内にありながらこれまで取引関係がなかった事業者どうしの取引が始まったり，共同で新たなビジネスを受注したりする事例が生まれている．これまで原則的に個別の事業者を対象にした補助を与えてこなかった政府にとって，グループ化補助金は，重要な制度的革新であった．

浜口（2015）は東日本大震災後の復興について，工業統計調査の個票データを利用して，製造業の有形固定資産額，生産額，雇用の3つの指標の2010年から2012年の間の成長率を都道府県別に比較したところ，設備投資復旧に関わる支援策が充実したことを反映して，被災地において企業の有形固定資産は急速に回復したが，それは必ずしも生産や雇用の回復を伴うものではなかったことがわかった．被災地企業は震災前よりも労働節約的な技術を選択しつつ，復興を模索していることが示唆される．復興支援策により資金制約が緩和された中で人手不足という被災地の現実を受け止めて再出発する企業が増加すれば，長期的には人口流出に歯止めをかけることが可能になるかもしれない．

6.2 知識の新陳代謝で創造力を高める都市

サプライチェーンの国際化が進むなかで，日本の製造業は参入が少なくなった一方で撤退が多くなり，一見停滞しているように見える．しかし，詳細にデータを分析してみると，企業内の工場の改廃は頻繁に起こり，さらに新製品の導入と既存製品の製造停止はかなり頻繁であり，個々の企業で見ると製品レベルの新陳代謝は活発に行われている．特に景気の底では，活発に製品の変更が行われている．また，多くの企業は複数製品を生産しているが，特定産業に集中して複数製品を生産するというよりは，むしろ複数の異業種にまたがるような形で生産をしている．特に生産性の高い規模の大きい企業ほど，多くの製品を生産し，さらに複数の異業種にまたがって生産活動を展開している．地域的に見れば，都市部ではこうした企業の新陳代謝は非常に盛んである．他方，地方では人材や技術の特性，伝統を生かして，同じものをじっくりと粘り強く生産している．円高と東日本大震災の影響を経て，地方の製造業の選別が進んでおり，一部の地域は国際供給網に対して重要な部品の供給元になりつつある

(Bernard and Okubo, 2015).

　新陳代謝は企業レベルだけでなく，都市のレベルでも議論される．集積の経済は，一般的に，活発な face-to-face コミュニケーションを通して新たな知識創造を促進すると考えられているが，一方で，長期的な関係が持続すると共有知識の肥大化によって質の高いイノベーション活動が阻害される可能性もある．したがって，都市にいかにして持続的に新しい知識を取り込むのかが重要な点となる．

　このような視点を，都市における知識の新陳代謝活性化として捉えて分析した Hamaguchi and Kondo (2015) は，大卒者の地域間移動に着目し，大卒者の活発な入れ替えが起こっている都市ほど，特許の被引用数が多い質の高い発明を生み出す傾向があることを指摘した．このことは，都市において知識の新陳代謝が活性化されるほど，より質の高いイノベーション活動が行われることを示すものであり，産業を誘致すれば産業クラスター政策が成功するわけではなく，持続的に質の高いイノベーション活動を行っていくためには，いかに知識労働者の入れ替えを活発にするかという視点が重要なのである．また質の高いイノベーション活動を行うには，必ずしも知識労働者の規模が大きければよいということではなく，知識の新陳代謝が活発であれば，小規模な都市でも世界的に重要な発明が行われる可能性がある．

7 地域創生に向けた提言

7.1 都市と地域のリバランスが高齢化社会を支え経済を強くする

　政府の「まち・ひと・しごと創生基本方針 2015」（2015 年 6 月 30 日閣議決定）は，東京一極集中化で活力を失った地域の状況を踏まえて，将来にわたって「人口減少問題の克服」と「成長力の確保」を図ることをめざした一連の施策を提示している．その結果として，生産性の引き上げ，ローカル・イノベーション，地域産品のブランド化などが進むことを期待し，地方に安心して子育てができる安定した雇用が創出されるような，人の移住や企業・政府機関の移転を支援するとしている．

このような政府の姿勢は，大都市，なかんずく東京に偏る傾向がある労働と資本を地方に向かわせるようなインセンティブを与えて大都市と地域のバランスを改善しようとするものだ．このような政策が真剣に検討されるようになった背景には，少子化と高齢化が加速し，社会保障制度によって支えきれない脆弱な社会が到来することへの危機感がある．

本章でこれまで指摘した政策の必要性は，以下の5つのポイントにまとめられる．

①大都市はイノベーションと新規事業の創出で，国際的な競争環境で一国経済をけん引する役割を果たしている．人口集中が出生率の低下につながる懸念があるため，子育ての機会費用を軽減するような支援策や通勤時間を含む労働時間を短縮する技術革新を奨励する方策がとられるべきだ．

②産業集積の頑強な空間上の秩序と整合性を保つように，国は地方が過剰な産業誘致競争とならないようバランスをとる．形成される空間上の秩序のもとでは，産業集積の地理的範囲は通常市町村の境界よりも広いので，地域産業政策を立案・実施する際には，育成しようとする産業の自然な地理範囲と整合的な広域連携を形成することが有効だ．

③地方に産業を定着させるように，移出産業の製品差別化を進め，域外バイヤーとのマッチングを進めることが重要である．移出産業が域外マネーを獲得するだけでは地域所得は上がらないので，それを地域内で循環させる必要がある．そのために，地域金融機関，中小企業，商店街などが重要な役割を持っている．

④地域内の「つながり力」の強さは企業の生産性を高め，イノベーションを促進する．そのために中小企業のクラスター化，卸売り等が持つネットワークのハブ機能の強化が有効に機能する．一方でローカルネットワークの構成員の多様性を維持することは質が高いイノベーションを促すために必要となる．

⑤グローバル化の中で，大都市では企業が盛んに製品の入れ替えを行ったり，知識労働者の流入と流出を繰り返したりしている．このような新陳代謝機能を維持することは，質の高いイノベーションのために必要である．地方

では国際的な競争環境の中でサプライチェーンに対して容易に代替できない基幹部品を供給するような，ものづくりがしっかり残っている．このような企業が大規模自然災害に見舞われてサプライチェーンが寸断すると広域的に生産を停滞させる原因ともなるので，企業，地域，国のそれぞれのレベルでサプライチェーンを止めないための強靱性と復元力を強化する対策をとることが必要だ．

本章では，政策介入が必要とされる問題は地域間格差そのものではなく，格差があることによって生じる非効率性だと考えている．大都市の集積の経済は非常に頑強であり，それは日本経済が国際競争に勝ち抜くために必要なものであるが，東京一極集中の現象に見られるような過度な集中は少子化・高齢化の間接的な原因とも指摘されてきているところである．したがって，地方創生を推し進めて，大都市と地方の経済活動のバランスを変えることは，経済の効率性を高めて社会をより安定的で持続可能な方向に導くことが期待できる．しかし，そのためにはかなり大胆な施策が必要とされる．

有効だと思われる政策の一部は，すでに立案されている．子育て支援政策やワーク・ライフバランスを推進する制度，地域における官民連携や地域間連携に対応した新型交付金，地域イノベーション創出政策や産業クラスター政策，6次産業化政策，事業継続計画（BCP）策定・実施の啓発，本社機能の地方移転への補助，2地域居住の推進，空き家対策特別措置法の制定など，それらは非常に多岐に及ぶ．このような政策を大都市と地方の経済活動のリバランシングを進め，高齢化社会を支える強い経済を作るという目的のもとで体系化することが必要だ．

7.2 多様な地域・多様な生き方

地域経済を活性化させるためには，地域を東京のような生活水準やライフスタイルに近づけようとするキャッチアップ型の価値観を変えて，それぞれの地域がおかれた状況に適した独自の経済発展を模索する必要があるだろう．たとえば東北地方の人口は900万人であるが，これは500万人規模の北欧諸国よりも大きいし，1300万人を超える九州の人口はオランダやベルギー級である．

これらの国の1人当たり所得は日本よりもずっと高いことからわかるように，経済発展は人口規模と関係なく可能なはずである．

大都市がイノベーションをけん引することはこの論文でも繰り返し述べたが，東京のような巨大都市に日本のイノベーションが集中する必然性はまったくない．むしろ過度な人口集中は知識の同質化を招き，イノベーションの活力を奪う恐れがある．東京を全国的な交流拠点としつつ，地方にイノベーションの拠点を形成して多様性を拡大するべきであろう．とくに，地域資源を利用した最先端の研究を行う大学や研究機関を地方に立地させ，世界から優れた研究者を集めてはどうだろうか．

これらを支えるものとして，本社が分散化された地域にまたがって活動する人や，複数地域で活動する研究者，地方で起業し，頻繁に東京で活動する必要のある企業家，などの2地域居住の制度化については，住民登録，納税，政治参加の社会制度の改革に踏み込んで本格的に検討すべきだろう．よく話題にのぼるような退職後の地方移転の形態にとどまるものではなく，より一般的に働き方を変えるものとして検討されるべきで，都会でも地方でも拡大している空き家問題や雇用のミスマッチを解消する方策ともなりうるし，人口の新陳代謝を促進してイノベーションを刺激し，強い経済を作ることに貢献するだろう．

8　おわりに

経済活動は依然として距離の影響を受けており，経済は地域的な差異をともなって発展していく．日本の生活の豊かさをけん引する都市の集積の経済が重要である一方，それぞれの地方で固有の自然資源を基盤にした地域経済を維持し，全体として多様性があり効率的，かつ持続的で強い経済を創り出すことを，本章を通じて考えてきた．

RIETIで行っている地域経済に関する研究は，これからも引き続き残された多くの研究課題に取り組んでいく．たとえば，特産品や製造業を中心に考えられていた地域の移出産業を，サービス産業に広げていく必要がある．地域において潜在的価値が高い資源を経済活動に発展させていく情報創造と金融仲介機能を果たす地域金融機関の役割については，より詳細な研究が必要だ．都市

がシステムとなり階層的秩序を形成するもとで，労働市場や交通システムをより効率的に機能させていくための政策についても，掘り下げた検討が必要だ．インターネットであらゆるものが結ばれてビッグデータが活用される情報通信化や，人工知能の実用化など，新時代の科学技術が地域経済に与える影響と地域政策の方向性についても検討を始めることになるだろう．

参照文献

Ago, Takanori, Tadashi Morita, Takatoshi Tabuchi and Kazuhiro Yamamoto (2014), "Endogenous Labor Supply and International Trade," RIETI Discussion Paper Series 14-E-062.

Bernard, Andrew B., Andreas Moxnes and Yukiko Umeno Saito (2014), "Geography and Firm Performance in the Japanese Production Network," RIETI Discussion Paper Series 14-E-034.

Bernard, Andrew B. and Toshiro Okubo (2015), "Product Switching and the Business Cycle," RIETI Discussion Paper Series 15-E-103.

Carvalho, Vasco M., Makoto Nirei and Yukiko Umeno Saito (2014), "Supply Chain Disruptions: Evidence from the Great East Japan Earthquake," RIETI Discussion Paper Series 14-E-035.

Cole, Matthew A., Robert J R Elliott, Toshihiro Okubo and Eric Strobl (2015), "The Effectiveness of Pre-Disaster Planning and Post-Disaster Aid: Examining the Impact on Plants of the Great East Japan Earthquake," RIETI Discussion Paper Series 15-E-097.

Fujita, Masahisa and Nobuaki Hamaguchi (2011), "Japan and Economic Integration in East Asia: Post-Disaster Scenario," RIETI Discussion Paper Series 11-E-079.

Fujita, Masahisa and Nobuaki Hamaguchi (2014), "Supply Chain Internationalization in East Asia: Inclusiveness and Risks," RIETI Discussion Paper Series 14-E-066.

Hamaguchi, Nobuaki and Keisuke Kondo (2015), "Fresh Brain Power and Quality of Innovation in Cities: Evidence from the Japanese Patent Database," RIETI Discussion Paper Series 15-E-108.

Inoue, Hiroyasu, Kentaro Nakajima and Yukiko Umeno Saito (2013), "Localization of Collaborations in Knowledge Creation," RIETI Discussion Paper Series 13-E-070.

Inoue, Hiroyasu, Kentaro Nakajima and Yukiko Umeno Saito (2014), "Localization of Knowledge-Creating Establishments," RIETI Discussion Paper Series 14-E-053.

Inoue, Hiroyasu, Kentaro Nakajima and Yukiko Umeno Saito (2015), "Innovation and Collaboration Patterns between Research Establishments," RIETI Discussion Paper Series 15-E-049.
Kawata, Keisuke, Kentaro Nakajima and Yasuhiro Sato (2014), "Competitive Search with Moving Costs," RIETI Discussion Paper Series 14-E-052.
Mori, Tomoya and Tony E. Smith (2012), "Analysis of Industrial Agglomeration Patterns: An Application to Manufacturing Industries in Japan," RIETI Discussion Paper Series 12-E-006.
Mori, Tomoya and Tony E. Smith (2013a), "A Probabilistic Modeling Approach to the Detection of Industrial Agglomerations," RIETI Discussion Paper Series 13-E-013.
Mori, Tomoya and Tony E. Smith (2013b), "A Spatial Approach to Identifying Agglomeration Determinants," RIETI Discussion Paper Series 13-E-014.
Morita, Tadashi and Kazuhiro Yamamoto (2014), "Economic Geography, Endogenous Fertility, and Agglomeration," RIETI Discussion Paper Series 14-E-045.
Okubo, Toshihiro, Yukako Ono and Yukiko Umeno Saito (2014), "Roles of Wholesalers in Transaction Networks," RIETI Discussion Paper Series 14-E-059.
Saito, Yukiko Umeno (2013), "Role of Hub Firms in Geographical Transaction Network," RIETI Discussion Paper Series 13-E-080.
Sato, Yasuhiro, Takatoshi Tabuchi and Kazuhiro Yamamoto (2012), "Market Size and Entrepreneurship," RIETI Discussion Paper Series 12-E-002.

石川良文・中村良平・松本明 (2012), 「東北地域における再生可能エネルギー導入の経済効果：地域間産業連関表による太陽光発電・風力発電導入の分析」RIETI Policy Discussion Paper Series 12-P-014.
伊藤匡・岩橋培樹・石川良文・中村良平 (2015), 「アジアへの輸送玄関　那覇ハブ空港の可能性」RIETI Discussion Paper Series 15-J-036.
猪原龍介・中村良平・森田学 (2015), 「空間経済学に基づくストロー効果の検証：明石海峡大橋を事例として」RIETI Discussion Paper Series 15-J-045.
齊藤有希子 (2012), 「被災地以外の企業における東日本大震災の影響：サプライチェーンにみる企業間ネットワーク構造とその含意」RIETI Discussion Paper Series 12-J-020.
徳永澄憲・沖山充編著 (2014), 『大震災からの復興と地域再生のモデル分析』文眞堂.
中村良平 (2014), 『まちづくり構造改革：地域経済構造をデザインする』日本加除出版.
フリードマン，トマス著／伏見威蕃訳 (2006), 『フラット化する世界』(上・下) 日本経済新聞社.

参照文献

浜口伸明 (2013), 「『東日本大震災による企業の被災に関する調査』の結果と考察」RIETI Policy Discussion Paper Series 13-P-001.

浜口伸明 (2015), 「東日本大震災被災地域製造業企業の復興過程の分析」RIETI Discussion Paper Series 15-J-044.

細谷祐二 (2008), 「ジェイコブズの都市論：イノベーションは都市から生み出される」『産業立地』11月号：33-40.

第4章
日本の技術革新力の現状とその強化を目指して

長岡 貞男

要 旨

　市場メカニズムがイノベーションを推進する効果を高めるには，企業の能力，発明者への合理的なインセンティブ設計，スタートアップや技術市場，研究開発のインフラ等の環境や制度の整備が重要である．本章では，こうした日本の技術革新力にかかる研究を，以下の6つの群に分けて紹介し，その政策含意を議論している．(1)日本の研究開発の知識源泉：日米欧の発明者から見た特徴，(2)日本産業のサイエンスの活用能力，(3)研究開発へのインセンティブ設計，(4)技術スタートアップと技術市場，(5)標準ベースのイノベーション，(6)世界の知識の活用である．それぞれの節で研究のねらい，成果，そしてその政策含意を述べている．研究方法は，イノベーションの過程のミクロで（プロジェクト，人あるいは企業レベルの）新たなデータの収集と構築，これらのデータに基づいた実証研究，あるいは理論研究である．

1　はじめに

　持続的な技術進歩は，環境やエネルギーの制約などを克服し，国民の実質所得を拡大し，また経済厚生を持続的に高めていく上で，必須である．技術進歩の原動力は，課題を解決する新たな知識の創造とその活用である．知識の重要な特徴は，一度問題解決に有効な知識が創造されれば，その知識は永久に，また特許等による一定の制約期間を過ぎれば，人類全ての人が無制限に利用可能である点である．石油等の天然資源が，その新たな埋蔵地が発見されても掘削されてしまえば無くなってしまうのと全く異なる．例えばスタチンは，三共

製薬(現在,第一三共)に所属していた遠藤章博士が1974年に発見した新しい作用機序による高脂血症の薬であり,動脈硬化,それによる心筋梗塞や脳梗塞のリスクを大幅に下げる効能を持っている.現在,スタチンは世界の多くの国で利用されており,動脈硬化の予防による平均寿命の延伸に大きな貢献をしているが,より優れた方法で高脂血症の問題が解決されるまでは,新たな研究開発費用を負担することなく人類はスタチンを利用できる.

知的財産保護を組み込んだ市場メカニズムは,知識を問題解決のために創造し,また活用すること,すなわちイノベーションによる競争への強力なインセンティブを備えている.しかし,同時に,市場メカニズムがどれだけイノベーションに有効に機能するかは,企業の能力,発明者へのインセンティブ設計の自由,スタートアップや技術市場,研究開発のインフラ等の環境や制度の整備状況に依存する.本章では,日本の技術革新力に関連した,オリジナルな研究を以下の6つの群に分けて,紹介し,その政策含意を議論している.(1)日本の研究開発の知識源泉:日米欧の発明者から見た特徴,(2)日本産業のサイエンスの活用能力,(3)研究開発へのインセンティブ設計,(4)技術スタートアップと技術市場,(5)標準ベースのイノベーション,(6)世界の知識の活用である[1].

本章で紹介するそれぞれの研究では,イノベーションの過程のミクロで(プロジェクト,人あるいは企業レベルの)新たなデータの収集と構築,これらのデータに基づいた実証研究,あるいは理論研究によって,実態の把握と共にパフォーマンスの向上のあり方を検討している.

2 日本の研究開発の知識源泉:日米欧の発明者から見た特徴

研究のねらい

本節は,研究開発の着想と実施において外部の知識(文献,外部の組織な

---

[1] 「公的研究機関のナショナル・イノベーションシステムにおける役割」(主査:後藤晃政策研究大学院大学教授),「組織とイノベーション」(主査:伊藤秀史一橋大学教授),「オープンイノベーションの国際比較に関する実証研究」(主査:元橋一之東京大学教授),「標準と技術のライフサイクル,世代交代と周辺課題」(主査:青木玲子九州大学副学長),及び「イノベーション過程とその制度インフラの研究」(主査:長岡貞男東京経済大学教授)の成果を反映している.

ど）がどの程度重要であり，また利用されているかをオリジナルの発明者サーベイに基づいて分析する．研究開発の最大のインプットは知識であり，研究者が利用可能な知識の幅がそのパフォーマンスを大きく左右する．外部の知識をどの程度有効に活用した研究開発を行うことができるかは，各国の発明者（あるいは企業）の能力や知識インフラに依存する[2]．このような知識の流れの大半は経済取引の対象ではなく，知識フローの全体像の把握にはサーベイが必須である．

研究の方法

本節を含めて以下の節で利用する発明者サーベイは，2010年から2011年にかけて実施した[3]．サーベイの対象は，優先権主張年が2003年から2005年の日本特許庁と欧州特許庁に出願された発明である．本サーベイは，アルフォンソ・ガンバデッラ教授（イタリア，ボッコーニ大学）及びディートマー・ハーホフ教授（独，当時ミュンヘン大学，現在マックス・プランク研究所）が率いるチームと協力して実施し，国際共同研究プロジェクトとして実施した．日本では3306件の回答が得られ，回収率は未達はがきを母数から除くと23.2%であった．このプロジェクトに先立って経済産業研究所（RIETI）で実施した第1回サーベイは主として1990年代後半の発明を対象としており（優先権主張年が1995年から2001年），今回のサーベイは，2000年代の半ばの発明を対象としている．

研究からの知見

以下では，発明への知識源を，外部組織の人に体化された知識と，文献や公開ワークショップなど公開される媒体に体化された知識に分け，発明の着想あるいは実施に「非常に重要」であった頻度を，日米独の国別に集計している．「非常に重要」であるかどうかの判断基準は各国の発明者によって異なるので，

---

2) すなわち，知識活用は内生的であり，産学連携制度，特許制度における開示のあり方，公知文献のデータベースの整備状況等，知識の供給側の条件も知識活用に影響する．産学連携制度との関係は第3節，特許制度との関係は第7節を参照．
3) 詳細は，長岡他（2012）を参照．

日米独の水準を直接比較することはできないが，各国内における順位，すなわちランキングの国際比較は可能である．

(1)外部組織に体化された知識

図4-1が示すように，外部組織をさらに，ユーザー，顧客[4]，競合企業，サプライヤー，大学，公的研究機関，コンサルティング企業に区分している．日米独で各組織の知識源としての重要性（非常に重要である頻度のランキング）は，全体の傾向としてはかなり共通している．日米独とも，組織の中では顧客ないしユーザーが最も頻度が高い．その次に頻度が高いのは米国では大学等の教育機関であり，日本とドイツでは競合企業が重要である．3番目に頻度が高いのは，日本とドイツではサプライヤーと大学・教育機関であり，米国ではサプライヤーである．米国では競合企業は4番目である．

(2)文献やワークショップなど公開された知識及び同僚間での情報交換

次に図4-2が示すように，文献など公開された知識については，特許文献，公刊された科学技術文献，未刊の技術文書，実施許諾を受けた発明・ノウハウ，技術的な会議・ワークショップ，展示会・見本市について，知識源としての重要性を尋ねている．このカテゴリーでも全体的な傾向において日米独は類似している．非常に重要である頻度が最も高い3つの知識源は，特許文献，同僚間での情報交換，公刊された科学技術文献である．実施許諾を受けた発明・ノウハウ，技術的な会議・ワークショップ，展示会・見本市も，それぞれ非常に重要である場合が少なからず存在するが，その頻度は科学技術文献の半分あるいは3分の1程度である．同僚間での情報交換のみが組織内部の知識であり，それが非常に重要である頻度は高いが，全体としては他の外部の知識源がより重要である．

日本の発明者の特徴として，特許文献の重要性の頻度に比較して公刊された科学文献や未完の技術文書の重要性が，特に米国の発明者と比較して大幅に低いことが指摘できる．特許文献対科学技術文献の比率は，米国発明者が38%対31%でほぼ等しいのに対して，日本の場合は52%対29%と特許文献の方

---

[4] 顧客とユーザーは往々にして同一であるが，顧客は購入者，ユーザーは当該企業の商品を実際に利用する者であり，例えば卸売り業者は直接の顧客であるが，ユーザーではない場合が多い．

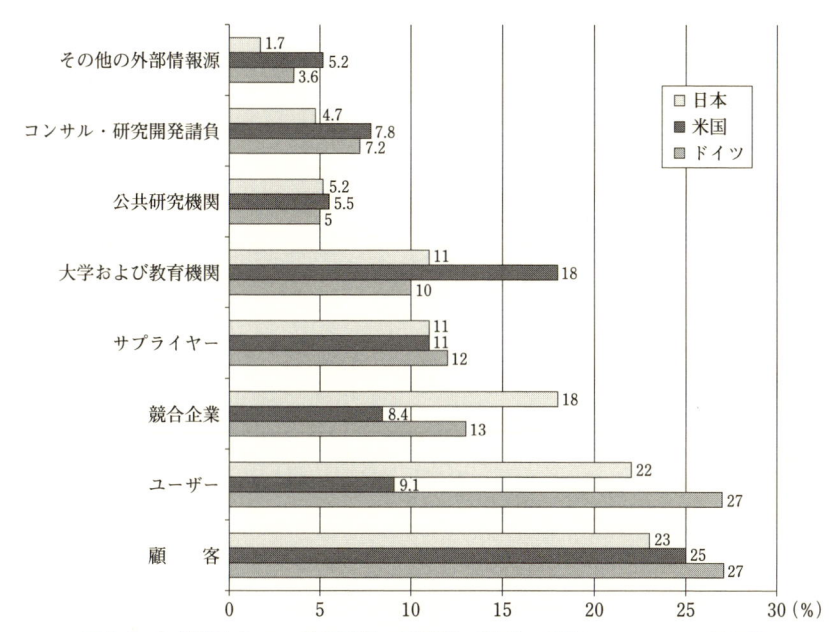

図 4-1 知識源としての外部組織の重要性（「非常に重要」のシェア，日米独別）

グラフデータ（日本／米国／ドイツ）：
- その他の外部情報源：1.7／5.2／3.6
- コンサル・研究開発請負：4.7／7.8／7.2
- 公共研究機関：5.2／5.5／5
- 大学および教育機関：11／18／10
- サプライヤー：11／11／12
- 競合企業：18／8.4／13
- ユーザー：22／9.1／27
- 顧客：23／25／27

注：「非常に重要」であるかどうかの判断基準は各国の発明者によって異なるので，日米独の水準を直接比較することはできない．

が，圧倒的に頻度が高い．1990年代後半から2000年代初期の発明を対象とした最初の日米発明者サーベイの結果でも，この点について同様の結果となっている（Walsh and Nagaoka, 2009）．また，米国発明者では，未完の技術文書が公刊された文献の半分弱の頻度で（13%対31%）非常に重要であるが，日本の発明者では，その割合は約6分の1（5%対29%）と大幅に低い．米国の発明者の方が，より早期にこうした知識にアクセスしていることを示唆している．

研究からの含意

日米独とも，研究開発において外部の知識は非常に重要な役割を果たしている．すなわち，各国で，ユーザー・顧客，競合企業，サプライヤー，大学，公的研究機関，特許文献，公刊された科学技術文献，未刊の技術文書，実施許諾

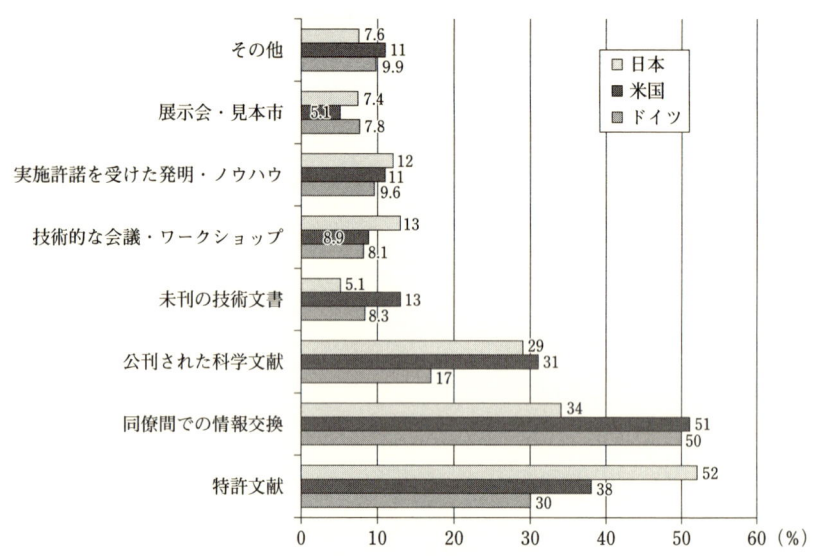

図 4-2 知識源としての文献等公開された知識の重要性(「非常に重要」のシェア,日米独別)

項目	日本	米国	ドイツ
その他	7.6	11	9.9
展示会・見本市	7.4	5.1	7.8
実施許諾を受けた発明・ノウハウ	12	11	9.6
技術的な会議・ワークショップ	13	8.9	8.1
未刊の技術文書	5.1	13	8.3
公刊された科学文献	29	31	17
同僚間での情報交換	34	51	50
特許文献	52	38	30

注:「非常に重要」であるかどうかの判断基準は各国の発明者によって異なるので,日米独の水準を直接比較することはできない.

を受けた発明・ノウハウ,技術的な会議・ワークショップ,展示会・見本市など,多様な外部の知識源が,発明の着想や実施に貢献している.非常に重要な貢献をしている頻度が高いのは,特許文献,同僚の間での情報交換,公刊された科学技術文献,ユーザー・顧客,競合企業(特に日本),サプライヤー等である.発明は既存の知識を活用し,さらにそれに新規な知識を付け加える累積的過程であることを明確に示している.

しかし,外部知識の活用パターンは国際的に異なる.特に米国の発明者と比較すると,日本の発明者は,研究の知識源として,科学技術文献より特許文献,また大学より競合企業を重要と考えている頻度がより高いことは,日本企業が研究開発の質を更に高めていく余地が大きいことを示唆している.企業のサイエンス吸収能力が知識の活用範囲を制約している可能性は高く,この点は次の節でより掘り下げる.

3 日本産業のサイエンス活用能力

本節では，イノベーションへのサイエンスの活用能力をテーマにした4つの研究を紹介する．(1)日米独での発明におけるサイエンスの重要性，(2)発明にサイエンスが貢献する3つの経路（文献，研究機器・研究試料及び産学連携）の重要性の評価，(3)課程博士と論文博士がサイエンス吸収能力をいかに高めるか，及び(4)イノベーションにおける公的研究機関の役割（産業技術総合研究所（産総研：AIST），理化学研究所（理研：RIKEN）及び宇宙航空研究開発機構（JAXA））についての研究成果を紹介する．最後の研究は，後藤晃政策研究大学院大学教授によるRIETIの研究プロジェクト「公的研究機関のナショナル・イノベーションシステムにおける役割」の成果である．

3.1 発明の先行文献におけるサイエンスの重要性の高まり

研究のねらいと方法

発明におけるサイエンスの重要性が高まっているのかどうか，まず経時的な変化を評価する．それを直接評価できる統計データは存在しないが[5]，米国の特許に引用される先行公知文献において，特許文献と非特許文献の合計に占める非特許文献のシェアのデータを活用することは可能である．発明の科学的源泉の指標としてその引用文献は不完備であり，かつノイズを含むことが知られているが（長岡・山内（2014）を参照），各技術分野で特許文献と非特許文献それぞれが同程度の割合で不完備でありまたノイズを持っていると仮定することができるとすれば，このような比率は，発明におけるサイエンスの重要性の変化を示す指標として利用することができる[6]．

研究からの知見

表4-1は，日米独の単独出願人による米国特許について，1981年から1985

---

[5] イノベーション・サーベイが候補であるが，米国は最近まで企業レベルのイノベーション・サーベイを実施してきていないことに加えて，欧州のデータもパネルとして利用できるかどうかはまだ不確かである．

[6] 日本あるいはドイツの出願者は翻訳費を含めて米国出願のために追加費用を負担するので，日本とドイツのサンプルは米国サンプルよりセレクトされていることにも留意が必要である．

表 4-1 発明の先行公知文献における非特許文献の割合の変化（1980 年代前半から 2000 年代後半まで）

技術分野	米国出願人 1981-85 非特許文献数のシェア(%)	米国出願人 2006-10 非特許文献数のシェア(%)	米国出願人 2006-10 非特許文献数(平均)	日本出願人 1981-85 非特許文献数のシェア(%)	日本出願人 2006-10 非特許文献数のシェア(%)	日本出願人 2006-10 非特許文献数(平均)	ドイツ出願人 1981-85 非特許文献数のシェア(%)	ドイツ出願人 2006-10 非特許文献数のシェア(%)	ドイツ出願人 2006-10 非特許文献数(平均)
Telecommunications	12	22	6.85	8	19	2.26	19	19	2.51
Digital communication	14	26	8.79	8	25	3.68	17	27	4.15
Basic communication processes	14	26	5.79	13	15	1.30	22	17	1.96
Computer technology	14	28	8.85	12	18	2.33	15	27	4.60
Semiconductors	21	25	8.52	19	16	2.31	22	18	2.82
Optics	14	23	7.61	6	14	1.57	11	20	3.36
Measurement	12	23	6.55	8	15	1.48	10	15	1.72
Control	5	23	9.53	4	12	1.47	6	13	1.57
Analysis of biological materials	42	58	27.57	28	51	7.49	21	66	12.41
Organic fine chemistry	29	52	20.34	29	56	9.00	31	51	10.85
Biotechnology	64	67	40.77	50	68	19.13	43	73	22.44
Pharmaceuticals	46	57	35.23	33	64	16.04	41	53	18.42
Machine tools	4	10	3.17	2	13	1.57	2	6	0.88
Engines, pumps, turbines	4	10	2.35	2	10	0.92	3	8	0.78
全技術分野平均	10	26	9.30	8	18	2.16	9	21	3.15

注：米国特許の出願年別のサンプルによる．非特許文献は，主として科学技術文献．非特許文献数のシェアは，非特許文献数と特許文献数それぞれの平均の和におけるシェア．技術分野は国際知的所有機関（WIPO）の 35 技術分野．

年の 5 年間と 2006 年から 2010 年の 5 年間の間の，先行公知文献における，非特許文献数（主として科学技術論文）のシェアを示している．全技術分野では，1980 年代の前半では日米独とも約 1 割であったのが，2000 年代の後半には 2 割近く，あるいはこれを超える水準となっている．先行公知文献として引用される文献の中で，サイエンス文献が大幅に重要性を増している．

表 4-1 が示すように，非特許文献のシェア比率は技術分野によって大きく異なり，バイオテクノロジー・医薬の分野（バイオ資料の分析を含む）で最も高く，情報通信・計測制御がこれに続き，機械系（工作機械，エンジン）では最も低い[7]．しかし，この表に掲載しているほとんど全ての分野で，また日米独各国で，その先行公知文献の中における科学技術文献のシェアは拡大している．

---

[7] 非特許文献の引用頻度の分野別格差が，現実のサイエンスの重要性格差をどの程度正確に反映しているかは，重要な研究課題として残っているが，我々の研究では現実の格差を過大評価している（長岡・山内，2014）．

特にバイオテクノロジーにおいては，近年では先行文献の約3分の2が科学技術文献となっている．サイエンスの成果を発明に有効に活用していくことの重要性が高まっていることを示唆している．また，日本出願人の特許の先行公知文献における科学技術文献シェアが米国出願人と比較して低いのは（米26％，ドイツ21％，日本18％），図4-2の結果と整合的である．

研究の含意

日米独それぞれで，かつ多くの技術分野で特許の先行公知文献に占める非特許文献の割合は高まっており，研究開発を行う上で，既存の技術的な知識のみではなく，サイエンスの成果も活用して研究開発を行う企業が増えている．知的財産権の取得という観点からすると，企業は発明の進歩性を確立する上で，既存の技術とサイエンスの両方をベースに評価する必要性が高まっている．

なお，サイエンスの吸収能力を強化することと，企業が自らサイエンスの領域にまで研究分野を拡大することとは，関連はするが，別の問題である．最近のArora et al.（2015）の研究によると，米国企業は基礎研究への投資比率を近年大幅に減少させているが，特許の取得動向や先行公知文献に占める非特許文献の割合は高まっている．自らサイエンスは行わないが，サイエンスの活用の程度は高まっていることが示唆されている．

3.2　発明の科学的源泉：文献，研究機器・研究試料及び産学連携

研究のねらいと方法

サイエンスは，科学技術文献に体化された知識のほか，機器や研究試料に体化された知識，研究者に体化されて産学連携等によって活用される知識と，多様な経路でイノベーションに影響を与える．どの経路がどの程度重要であるかについて，体系的なデータは存在しない．本研究では，これについての体系的なデータを構築することを目標としている[8]．2回目の発明者サーベイに回答頂いた発明者の中で843名の方の協力を頂き，研究開発の科学的な源泉について追加アンケート調査を行った．サーベイでは，調査対象となる発明をもたら

8）長岡・山内（2014）による．

した研究開始プロジェクトについて，その研究開発開始時点から 15 年程度以前までに公刊された科学研究からの知見，研究機器や研究試料に体化されて利用可能となった科学研究からの知見，及び大学や研究機関との共同研究の必須性と重要性を調査している．

研究からの知見

図 4-3 は，調査対象となった発明を生み出した研究開発プロジェクトの着想あるいは実施に対する，3 つの源泉の影響度の回答分布を見たものである．およそ 18% の発明者が当該発明の着想あるいは実施に対して，科学技術文献が必須の役割を果たしたと認識しており（着想が 10%，実施が 7.6%），また，加えて，4% の発明者が，科学技術文献が重要な影響を持っていたと回答している．科学技術文献の重要性が高い技術分野は，バイオテクノロジー（Biotechnology），化学工学（Chemical Engineering），医薬品（Pharmaceuticals）等の分野である．

研究機器・試料についても，17% の研究開発に対して必須の役割（着想 7.8%，実施 8.5%）を果たしており，また，これに加えて，5% の研究開発に対して重要な影響を持っている．研究機器や研究試料などが重要である頻度は文献とほぼ同じであり，研究インフラの整備が企業の研究開発にも重要であることを示す結果である．そうした必須の効果を持っていた割合が高い技術分野は，科学的文献と同様の分野である．

大学や公的研究機関の影響については，およそ 3%（着想が 1.4%，実施が 1.3%）の発明にとって，大学等の研究機関との共同研究が必須の役割を果たし，加えて約 3% 発明に対して重要な影響を持っていることが分かる．計測分析器具（Instruments），化学（Chemistry），電気工学（Electronics Engineering）の分野で，研究開発における大学等の貢献が大きい．

比較のために，新有効成分医薬品プロジェクトを対象とした日本企業の探索研究プロジェクトについての同様のサーベイの結果を以下に紹介する[9]．科学技術文献が着想ないし実施に必須と答えたプロジェクトの割合は約 5 割（着想が 36%，実施が 15%），大学との協力が 14%（着想が 6%，実施が 8%），研

---

9) 長岡他（2005）．

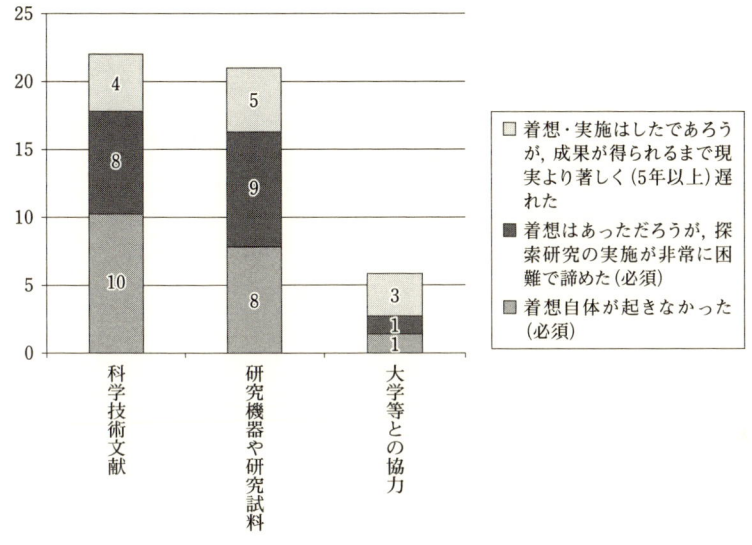

図 4-3 発明における 3 つの科学的源泉の重要性の頻度
注：回収数 N = 843.

究機器やリサーチマテリアルも 13%（着想が 4%，実施が 9%）である．したがって，医薬品の探索研究では，全技術分野の平均と比較して，文献と産学連携の重要性が著しく高くなる．また，産学連携の重要性は先行医薬品がない場合により高くなり，文献の重要性は低くなる．

表 4-2 は，科学文献，研究機器・試料，大学との共同研究のいずれかが必須であったと回答した割合を技術分類別に集計し，高い順に並べたものである（サンプル数が 10 以上の分野に絞っている）．科学的成果が研究開発の着想・実施に必須の役割を果たすことが多い技術分類は，バイオテクノロジー（Biotechnology），医薬品（Pharmaceuticals），化学工業（Chemical Engineering）といった分野であるが，同時に，大半の（発明数で 8 割を超える）技術分野において 2 割を超える発明で，近年の科学的な研究成果が必須と評価されている．したがって，広範な技術分野で，サイエンスの成果はイノベーションの重要な源泉となっている．

表 4-2 科学的成果が研究開発の着想・実施に必須であった割合

	いずれかが必須の役割 N	%	合計 N
Biotechnology	9	60.0	15
Pharmaceuticals/Cosmetics	14	48.3	29
ChemEngineering	8	42.1	19
Semiconductors	14	36.8	38
IT	18	35.3	51
OrganicChem	20	35.1	57
Materials	8	34.8	23
Polymers	16	32.7	49
SurfaceTechn	5	26.3	19
Electr/Energy	17	25.4	67
Telecom	13	25.0	52
Matprocessing/Textiles/Paper	10	24.4	41
Analysis/Measurement/ControlTechn	17	23.9	71
PetrolChem/MaterialsChem	4	23.5	17
MedicalTechn	5	22.7	22
MechElements	8	22.2	36
Environment	3	21.4	14
Audiovisual	7	20.0	35
Optical	5	16.1	31
Transportation	7	15.6	45
ConsGoods	3	13.6	22
Motors	3	9.7	31
Handl/Printing	2	7.4	27
MachineTools	1	7.1	14
Total	223	26.5	843

産学連携へのきっかけ

本サーベイでは，企業の発明者が大学等との共同研究を開始する際のきっかけについても調査をしている．表 4-3 は，発明者が大学等を共同研究の相手として選択するうえで，どのような経路がどの程度重要であったかを示したものである．この表を見ると，特許の発明者と大学等との共同研究の 7 割から 8 割において，そのきっかけとして，大学研究者の論文の公表，学会報告が，「非常に重要」あるいは「重要」な役割を果たしている．特許の公開公報も約 4 割の共同研究で重要な契機となっているが，学術論文の公開の方がその重要性が高い．

表 4-3　大学等との共同研究の契機

	非常に重要である		重要である		どちらでもない		重要でない		全く重要でない	
	N	%	N	%	N	%	N	%	N	%
大学等の研究者の学術論文の公表	27	36.0	32	42.7	6	8.0	6	8.0	4	5.3
大学等の研究者の学会報告	24	32.0	31	41.3	13	17.3	5	6.7	2	2.7
大学等の研究者からの共同研究への直接働きかけ	11	14.7	23	30.7	28	37.3	10	13.3	3	4.0
大学研究者主導の研究プロジェクト	11	14.7	22	29.3	24	32.0	15	20.0	4	5.3
大学等の研究者の特許の公開公報	7	9.3	22	29.3	28	37.3	10	13.3	8	10.7
大学等の研究者のホームページ	9	12.0	19	25.3	24	32.0	17	22.7	6	8.0
大学等の産学連携支援機関	7	9.3	17	22.7	31	41.3	11	14.7	9	12.0
他の機関による仲介	9	12.0	8	10.7	29	38.7	12	16.0	17	22.7
その他	2	4.0	2	4.0	27	54.0	4	8.0	15	30.0

注：N＝75.

　また，約 45% の共同研究では，大学等の研究者から企業研究者への働きかけが共同研究の「非常に重要」あるいは「重要」なきっかけとなっていることが分かる．これらの共同研究 34 件においては，企業の発明者の学会報告，学術論文の公表及び特許出願公開が，大学等の研究者からの共同研究を呼び込むツールとしてしばしば重要になっている（それぞれ約 7 割，約 6 割，及び約 5 割のケース）．

研究の含意

　各技術分野の平均では，研究機器・試料は科学技術文献とほぼ同じ高い頻度で企業研究者の研究の着想あるいは実施に必須である．サイエンスの成果を媒体に体化した文献，研究機器・試料などは，企業の研究開発の「縁の下の力持ち」（公共財）としてのより幅広い産業イノベーションに重要であることを示しており，研究基盤としての科学的な研究成果を体化した研究機器や研究試料産業の発展の重要性を認識させる結果である．また，バイオテクノロジー，医薬品，有機化学といった分野では，サイエンスの貢献が特に大きいが，サイエンスは，広範な技術分野で産業の発明の源泉となっている．

　産学連携は，先端領域でその重要性は高くなる．例えば医薬品の探索研究で

は，先行医薬品が存在しないような未知領域である．加えて，大学及び企業の研究者が学会報告や論文や特許を公開することが産学連携の重要な契機ともなっている．企業研究者による論文の公刊，学会への参加等の低下が近年指摘されているが，企業は長期的な視点でサイエンス吸収能力への投資を行うことが重要であろう．

3.3 課程博士，論文博士とサイエンス吸収能力

研究のねらいと方法

第2節で，日本の発明者の知識源泉として，米国の発明者の知識源泉と比較して，科学文献や大学の重要性が特許文献や競争企業の重要性より低いことを指摘したが，本節ではまず発明者が博士レベルのトレーニングを受けることのサイエンスの吸収力に与える影響を検証する．また論文博士と課程博士を比較する．日本企業の博士号発明者の約半分（ストックベース）は論文博士で，現在，論文博士は廃止される方向にあるが，論文博士は博士号を有している企業発明者の約半数を占め，企業のサイエンス吸収能力を高める上で重要な意義を持っていた可能性があり，その検証が重要である．

以下では，最初に発明者が利用する知識源が学歴によってどのように異なるかについて，クロス・セクションのデータによる分析結果を紹介し，その後，発明者をコントロールしたパネルデータによる研究の結果を見ていくこととしたい．

研究からの知見

図4-4は，博士（課程博士，論文博士）の発明者が発明の知識源として，大学（研究者など）と科学技術文献を，それぞれ活用した程度を修士卒の発明者と比較して示している[10]．サーベイの対象となった発明をもたらした研究開発の知識源として利用したかどうか，及びそれが「非常に重要」であったかどうかの頻度である．

修士の発明者と比較すると，博士号を取得している発明者の「大学」あるい

---

10) 長岡他（2012）による．

[図: 大学や科学技術文献を発明の知識源として活用する程度を示す棒グラフ]

発明の知識源としての大学の重要性
- 多少でも利用: 修士 60, 論文博士 82, 課程博士 79
- 非常に重要: 修士 10, 論文博士 32, 課程博士 24

発明の知識源としての科学技術文献の重要性
- 多少でも利用: 修士 82, 論文博士 92, 課程博士 92
- 非常に重要: 修士 31, 論文博士 59, 課程博士 52

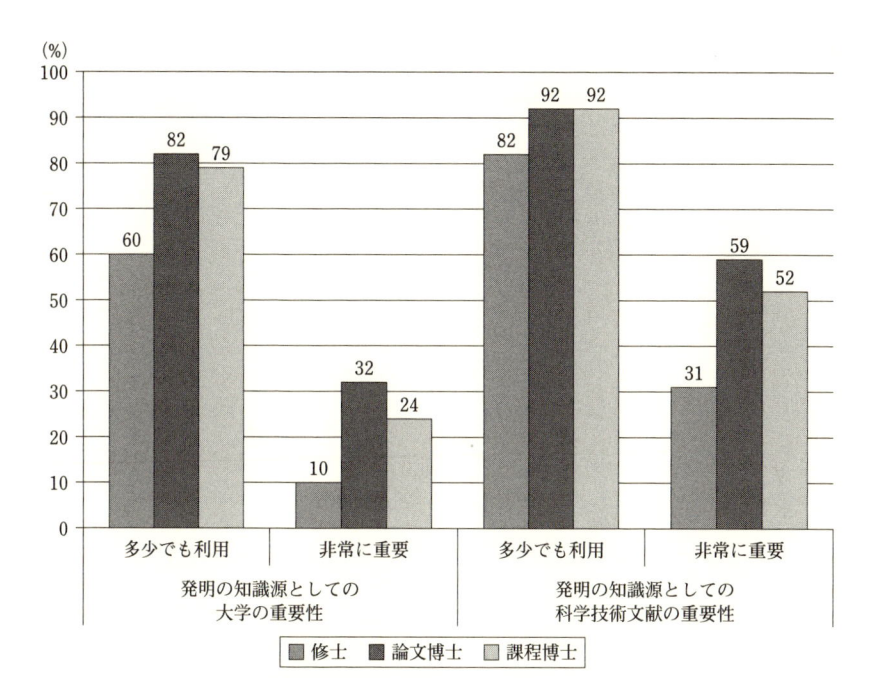

図4-4 大学や科学技術文献を発明の知識源として活用する程度（修士，課程博士及び論文博士別）

注：「多少でも利用」は，利用しなかった場合以外の場合である．

は「科学技術文献」からの知識の吸収と活用の程度は著しく高い．大学が知識源として非常に重要である割合は，課程博士の発明者が24％で，修士卒の発明者は10％，科学技術文献が非常に重要である割合は，前者が52％，後者が31％である．

興味深いことに，大学や科学技術文献を知識源として利用する頻度で課程博士の発明者と論文博士の発明者はほぼ同じ水準であり，それが「非常に重要」であった割合は論文博士の発明者の方が高い．すなわち，大学が知識源として非常に重要である割合は，論文博士の発明者が32％，課程博士の発明者が24％，科学技術文献が非常に重要である割合は，前者が59％，後者が52％である．発明者のパフォーマンスを評価するために，技術分野，共同発明者数等をコントロールした上で，出願特許の数，被引用件数等を両者で比較すると，大きな差はなく，論文博士の発明者は課程博士の発明者と同様に高いパフォー

マンスを示している（Onishi and Nagaoka, 2014）[11]．

以上のクロス・セクションのプロジェクトレベルのデータは，能力の高い発明者が博士号を取得する可能性が高く，かつこれとは独立に能力の高い発明者はサイエンスを吸収する能力も高いことも反映するので，博士号からサイエンス吸収能力への因果関係を示すことには必ずしもならない．発明者の年ごとの発明実績についてのパネルデータを用いて，発明のキャリア途上において博士号や修士号を取得した場合に，そうでない場合と比較して，サイエンスの吸収能力が高まるかどうかを検証することで，すなわち，発明者の固定効果を導入した分析を行うことで，この問題に対処することが可能である．発明者の中には入社してからこれまで取得していた学位に比べて，より上位の学位を得る場合があり，こうした発明者が，そうでない発明者と比較して，経験をコントロールしても，進んだ学位を得た結果，サイエンスの吸収能力と発明の生産力が高まるかを検証できる．

Onishi and Nagaoka（2014）の試算によれば，修士号を取得することで，発明が引用するサイエンス文献の引用の数は大幅に高まり，また博士号を取得する場合にはそれがさらに大幅に増加する．発明の生産力も有意に高まる．このような大きな効果は，図4-4で示しているクロス・セクションの比較結果（課程博士と修士の差）と整合的であり，後者は能力の差のみではなく，学歴の差も大きく反映していることを示している．なお同研究では論文博士の効果も同様に分析しているが，論文博士は既に企業内でレベルの高い研究業績を得た後に博士号を得ることが多く，これと整合的に論文博士取得後に他の発明者と比較してさらにサイエンスの吸収能力が高まる効果はない．

研究の含意

発明者がより高いレベルの学歴の取得につながるトレーニングを受ければ，サイエンスを活用する頻度は大幅に高まる．また，博士号を持っている発明者が4割以上存在する米国の方が，その割合が1割強の日本と比較してサイエンスを知識源として利用する頻度が高い．これらの結果は，日本の発明者への博

---

11) 論文博士を取得する発明者は能力や意欲が高いというセレクション・バイアスがあるので，教育プログラム自体の効果を示してはいないことに留意する必要がある．

士レベルでのトレーニング機会を拡大して，日本においてサイエンスの吸収能力を高める余地が大きいことを示している．

また，日本の論文博士は課程博士と遜色のない発明のパフォーマンスを示しており，論文博士の制度の再導入も重要なオプションであろう．論文博士の制度は，認証機関として大学が機能をしてきた例であるが，その効果は決して小さくない．論文博士の復活に加えて，社会人プログラムの強化によって社会人が働きながら博士号を取得する機会を拡大することなど，研究と教育の両方を射程に入れた産学連携の強化が重要であろう．さらに，博士課程卒業者を活用できる柔軟な雇用制度の整備に企業が取り組むことも重要である．

3.4 イノベーションにおける公的研究機関の役割：AIST, RIKEN, JAXA のケース[12]

研究のねらい

産総研，理研などの国公立研究機関は，産業の研究開発の基盤となる研究を推進することで，日本産業のサイエンス吸収能力を高める上で，重要な役割を果たせると考えられる．しかし，企業，大学などと比較すると，公的研究機関の役割や研究のパフォーマンスなどについての検証が十分に行われてきたとは必ずしもいえない．後藤晃政策研究大学院大学教授・RIETI ファカルティー・フェローが主査である「公的研究機関のナショナル・イノベーションシステムにおける役割」では，ポスト・キャッチアップ期における公的研究機関の役割について多面的な角度から研究を行っているが，以下では特許データを利用した公的研究機関の研究の波及効果の分析を紹介する．

研究からの知見

この研究では，AIST, RIKEN, JAXA の 3 つの公的研究機関に注目し，大学や民間企業と比較しつつ，それらの機関が開発に係った特許の件数や，民間企業との共同研究の頻度，共同研究と特許指標との相関などについて，その実態の把握を行っている．これらの機関を出願人に含む，または各機関の発明者を含む特許出願を特許データベースから検索し，1971〜2010 年の間に，

---

12) Suzuki et al. (2014) による．

AISTは約3万4000件,RIKENは約4500件,JAXAは約1900件を抽出している.同様に検索した大学(約6万件)と,民間企業(ランダムサンプリングで選択した9.5万件)を分析サンプルとしている.

以下では,民間企業を出願人に含まない研究からの知見を単独出願特許,民間企業を出願人に含む複数組織による共同研究からの知見を共同出願特許とする.共同出願特許の比率は80年代半ばから2000年代において,AISTは20〜40%,RIKENは20〜50%,JAXAは30〜80%,大学は40〜70%程度の間で推移している.民間企業同士の共同出願特許の比率が8%程度であることと比較すると,三機関・大学の共同出願特許比率は高い.1992〜2005年に出願された特許について,発明者前方引用回数,審査官前方引用回数,特許ファミリー・サイズ(その発明が何カ国の特許庁に出願されたかのカウント),ジェネラリティー(引用された技術分野の数で知識波及の範囲の広さを表す指標)の4つの指標を作成している.

図4-5に,これらのパフォーマンス指標について,組織ごとに単独出願特許と共同出願特許に分けて平均値を示している.組織ごとに研究の技術分野構成が異なり,また,これらの指標の技術分野ごとの平均も異なることには注意が必要であるが,民間企業の特許と比べると,AIST,大学の特許の発明者前方引用やジェネラリティが高いこと,RIKENの特許のファミリー・サイズが大きいことなどが傾向として表れている.

回帰分析では,民間企業間の共同研究と比較した場合の,公的研究機関と民間企業の共同研究がこれらの特許指標に与える効果の違いについて主に注目して,公的研究機関の独立行政法人化が進んだ2001年以降とそれ以前の差,技術分野の違いなどを考慮にいれた上で推計を行っている.2000年まででは,民間企業同士の共同出願特許と比較して,AISTまたは大学の共同出願特許は,発明者前方引用,審査官前方引用,ジェネラリティが有意に高く,また,RIKENの共同出願特許はファミリー・サイズが有意に大きい傾向にあることを見いだしている.2001年以降は,民間企業同士の共同出願特許と比較して,大学の共同出願特許のパフォーマンスが低下していることも明らかになった.TLO法(大学等技術移転推進法)施行後の大学の特許出願の急増と今回の特許指標で測った意味での質の低下は,制度変更の影響とともに件数ベースの大

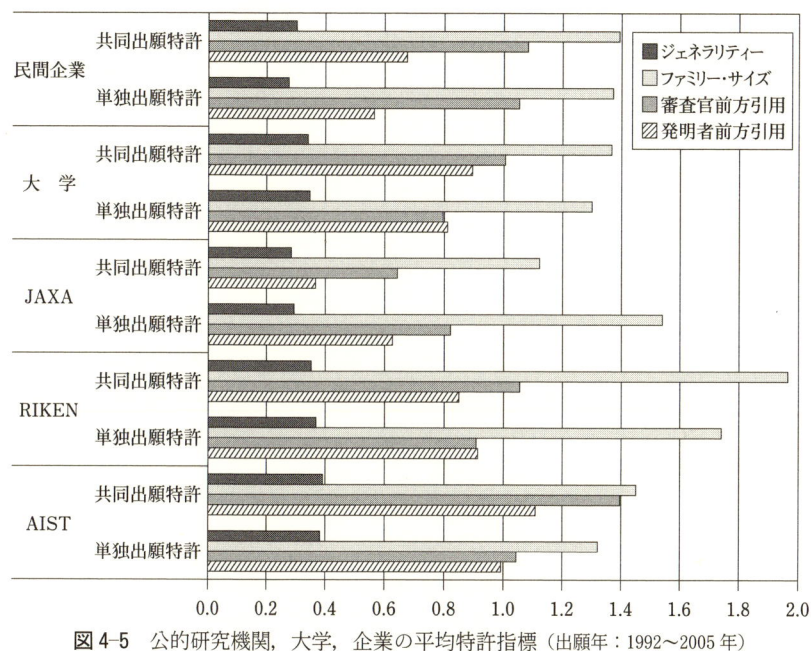

図 4-5 公的研究機関，大学，企業の平均特許指標（出願年：1992〜2005 年）
出典：Suzuki et al.（2014）．

学評価がもたらした影響である可能性もある．

研究の含意

Suzuki et al.（2014）が指摘するように，公的研究機関と民間企業の共同出願特許の特許指標（被引用件数，引用される技術分野の幅の広さ）が民間企業間の共同出願特許より高いことは，公的研究機関が産業界のサポートにおいて一定の存在意義を持っていることと，同時に，産業界のニーズを汲みとった研究テーマに取り組むことの重要性も示唆している．第3節2項で確認したように，研究機器・研究試料は日本の産業界の研究開発から見ても文献と同じ頻度で，また産学連携より大幅に高い頻度で重要であり，共同研究に加えて，このような産業界への研究インフラ整備への取り組みも重要であろう．

4　研究開発へのインセンティブ設計

研究のねらいと方法

日本では，個別の職務発明ごとに「相当の対価」を企業が発明者に支払うことを強制していた特許法35条が大幅に改正されることとなった．これを受けて，各企業が発明者へのインセンティブ制度を設計する自由度は高まる．以下では，企業の今後の主体的な取り組みに参考となると考えられる研究を3つ紹介する．(1)発明への内発的な動機の重要性の評価，(2)発明者への金銭的な実績報酬の効果の分析，及び(3)組織における上司と実行者（例えば，発明者）それぞれに，どのような人物を任命するのが，変革あるいは現状維持のために最適であるかの理論研究である．上記(1)の研究では，動機の内生性に対処するために，発明の金銭的な効果を完全に内部化できるオーナー発明者に注目することで，そうした発明者でも内発的な動機がどの程度重要であるかによって評価を行う．上記の(2)の研究には，改正前の特許法35条下で，1999年の東京地方裁判所の判決，2001年の高裁判決，そして2003年の最高裁判決を受けて，日本企業が個別発明からの売上げ，利益あるいはライセンス収入の実績に基づく発明者報酬を強化し，または拡大してきたことの影響を評価することによって実施する．

これらの研究に続いて，企業への研究開発補助金について分析する．研究開発への政府の支援として，税制と補助金があるが，補助金の大きな特徴は，波及効果と付加効果が大きいプロジェクトにターゲットできる仕組みをもっていることである．それが可能であれば，より裁量性の少ない税制と比較して，補助金は大きな効果をもたらす可能性がある．このような観点から，現実の政府の研究開発補助政策は波及効果と資金制約にターゲッティングされているのかを実証的に研究する．

4.1　内発的な動機の重要性：オーナー発明者からの証拠[13]

研究のねらいと方法

発明への動機には，発明自体への内発的動機（intrinsic motivation），すなわち知的にチャレンジングな仕事を行うこと自体からの効用（taste for science) あるいはタースク動機（Task motivation）も重要な役割を果たしている（Giuri et al., 2006; Nagaoka and Tsukada, 2007; Sauermann and Cohen, 2010）．ただ，例えば，金銭的な報酬があまり重要でないと多くの企業内の発明者が認識しているのは，単に金銭的報酬を獲得する機会がないからであるかもしれない．このように，動機の強さは発明者が置かれているインセンティブ・システムに依存するという内生性をコントロールするために，本項では，金銭的な報酬が完全に発明者に内部化されるオーナー発明者（自営業者の発明者）による発明の動機を分析することで，内発的な動機の重要性を評価する．企業利益の残余請求者として，発明からの利益を希釈化されることなく回収できる立場にあるこうした発明者でも内発的な動機が重要であれば，金銭的な実績報酬はそれより限定せざるを得ない職務発明者には，内発的な動機はより重要であると推定できる．

研究からの知見

以下の分析で利用するデータは，自営業者の発明者の回答数が多く確保できた第1回（2007年）の発明者サーベイである（サーベイの概要は長岡・塚田（2007）を参照）．これによると，図4-6に示すように，オーナー発明者と職務発明者にとって「非常に重要である」動機として最も頻度が高いのは，共通しており，「チャレンジングな技術課題の解決」である．いずれの発明者群においても，約4割の発明者にとってこの内発的な動機が非常に重要になっている．これに続いて重要な動機は，「科学技術の進歩への貢献」からの満足感であり，オーナー発明者で28%，被雇用の発明者で17%の割合となっており，大変興味深いことにオーナー発明者の方が高い．発明の内発的な動機あるいはタースク・モチベーションが最も重要である点では，オーナー発明者は職務発明者に劣らない．

予想されるように，オーナー発明者では「金銭的報酬」の動機が「非常に重要である」頻度は13%と，職務発明者の割合の3%をかなり大きく上回っている．しかしそれでも，オーナー発明者の「チャレンジングな技術課題の解

---

13) 以下は，長岡他（2014）及び Onishi et al. (2015).

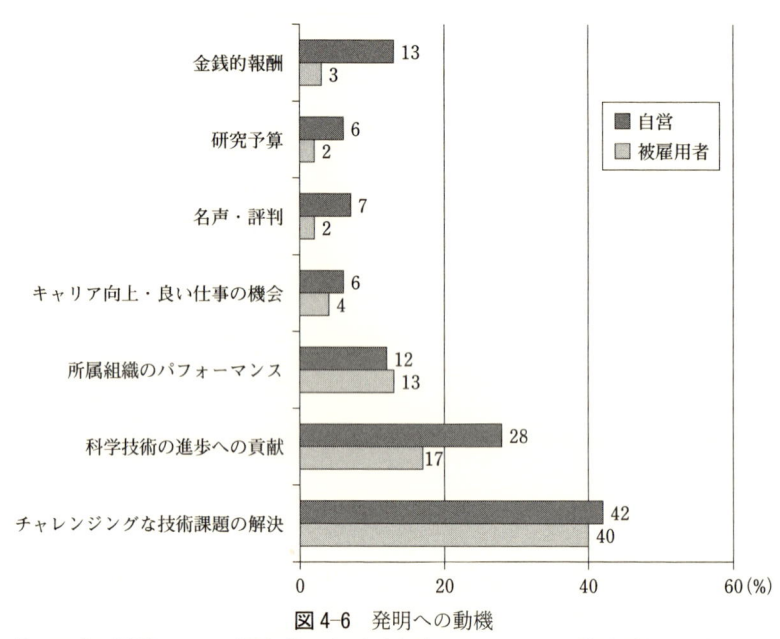

動機	自営	被雇用者
金銭的報酬	13	3
研究予算	6	2
名声・評判	7	2
キャリア向上・良い仕事の機会	6	4
所属組織のパフォーマンス	12	13
科学技術の進歩への貢献	28	17
チャレンジングな技術課題の解決	42	40

図4-6　発明への動機

注：2007年の発明者サーベイ（長岡・塚田（2007）を参照）による．N＝5,097（被雇用者），114（オーナー発明者）．

決」への動機や「科学技術の進歩への貢献」の重要性の頻度よりはかなり低い．このように，発明者の内発的な動機あるいはタースク・モチベーションは，オーナー発明者でも，発明への非常に重要な動機である頻度が金銭的な報酬より3倍高い．

研究の含意

　チャレンジングな技術課題を解決したいという動機や科学技術の進歩への貢献という内発的な動機は，発明からの利益を完全に享受できるオーナー発明者でも発明に重要な役割を果たしている．このことは金銭的な実績報酬をそれより弱めざるを得ない職務発明者では，内発的動機がより重要であることを意味している．したがって，職務発明者への処遇には，昇進・昇格など長期的で総合的な評価に基づく処遇，研究予算や研究環境の改善などこの動機と整合的にする必要性があることを示している．

4.2　金銭的な実績報酬と発明者のプロジェクト選択

研究のねらい[14]

日本では，改正前の特許法35条では，雇用者は個別の発明ごとに，その発明の権利を企業に譲渡した場合に，「相当の対価」を支払うことが規定されていたが，それが「個別の」発明の実績報酬の支払いについて強行法規であるかどうかは「オリンパス事件」まで明確ではなかった．1999年の東京地方裁判所の判決，2001年の高裁判決，そして2003年の最高裁判決で，企業は個別の発明について相当の対価を支払う義務が存在することが明確となった．これを受けて日本の多くの企業は，個別発明からの売り上げ，利益あるいはライセンス収入の実績に基づく発明者報酬を強化し，または拡大してきた．本研究では，そのような金銭的な実績報酬の強化がプロジェクト選択への影響をもたらしたかどうかの検証をしている．これは研究者への金銭的な実績報酬の効果をテストする，まれな機会となっている．研究開発活動は，不確実性が高く，また情報の非対称性も大きいので，先行する理論・実証研究の多くは (Lambert, 1986; Holmstrom, 1989; Manso, 2011; Azoulay et al., 2011; Ederer and Manso, 2013)，単純な実績報酬制度は研究活動の効率性を高める上で効果的に機能しないことを示唆している．

研究からの知見

発明者はリスク回避的であり，かつ（どのようなプロジェクトを実施するかの）プロジェクト選択の裁量があるとする．このようなモデルからの理論的な予測として，発明者に対する成果報酬が優れた発明をもたらすかどうかは，導入によって発明者の努力が増すことによるプラス効果（インセンティブ効果）と，リスク回避行動からくるローリスク・ローリターン・プロジェクトの選択によるマイナス効果（代替効果）に依存する．さらに，後者の代替効果は発明者が持つ内発的動機付けの強さ，リスク回避度の強さに加え，選択可能なプロジェクト間のリスクの高低の幅に依存する．したがって，以下の検証可能な仮

---

14)　Onishi et al. (2015).

説を立てることができる.

仮説1：内発的動機の強い発明者ほど，ハイリスクで探索的な研究を志向する.

仮説2：成果に応じた金銭的報酬は，発明者がより安全で開発的な研究を選択させるように機能する.

仮説3：プロジェクト間の成否のリスクの差が大きい技術分野では，発明報奨制度は研究成果の質を低める方向に作用する．対照的に，プロジェクト間のリスクの差が小さい技術分野では，報奨制度は成果の質を高める方向に機能する.

仮説4：前述のようなプロジェクト間のリスクの差が大きい技術分野では，内発的動機の強い発明者ほど，発明報奨制度の持つマイナスの効果が大きくなる.

計量経済分析では，RIETI発明者サーベイ，知的財産研究所実施の職務発明制度の調査，特許書誌情報に関する知的財産研究所のIIPパテントデータベース，特許明細書本文に引用されている科学論文については人工生命研究所の特許引用情報データベースを用いて，発明者レベルのパネルデータを構築した．なお，研究から生まれる発明の質については特許の審査官による被引用件数，プロジェクト選択については，基礎研究により近いかどうかを測るという意味で，発明者が特許明細書中に引用した科学論文数を用いた．

推計結果では，実績に基づいた発明報奨制度の導入・改訂は，(1)被引用件数で見た発明者の特許の平均的な質を改善させる効果が見られるが，特許明細書中で引用される科学論文数が有意に減少すること（仮説2を支持），(2)内発的動機（サイエンスへの貢献が重要な動機である程度で測定）が高い発明者では，特許の平均的な質が高いこと（仮説1を支持），(3)特に，研究上のリスクが大きい技術分野ほど，実績報奨制度導入による科学論文への引用数の減少が顕著で，特許の質上昇効果も小さくなり（仮説3を支持），(4)内発的動機が高い発明者ほど，特許の平均的な質の限界効果の減少および科学論文の引用数の顕著な減少が見られること（仮説4を支持）が明らかとなった．

研究からの含意

実証結果は，発明者のプロジェクト選択の裁量，リスク回避行動及び内発的な動機を組み入れた理論的モデルの予想と整合的である．改正前の特許法35条の考え方（個別発明の実績に基づいて発明者に報酬を支払うべし）は，企業における効率的なインセンティブ設計を歪める危険性があることを示している．今回の特許法35条の改正によって，企業の発明者へのインセンティブ設計により自由に設計できることとなったが，その設計に当たっても，リスクの企業と発明者の間の効率的な負担，昇進・昇格など長期的な評価に基づく処遇，研究環境の改善など発明者の内発的な動機を歪めない処遇の活用を考慮することが重要であろう．小池（1994）が指摘したように，日本の長期雇用制度は長期的な評価を可能とし，長期的な観点からの研究開発への取り組みを促し，またリスクの効率的な分散を促す面で優れた特徴を持っており，その長所を活用したインセンティブ設計が重要である．

4.3 変革のための組織設計

研究のねらい

組織における権限配分はインセンティブに影響を与えるので，インセンティブ設計は組織の設計と密接に関係する．Aghion and Tirole（1997）の理論研究が示すように，発明者にプロジェクト選択の権限を委譲することは，プロジェクトの発掘への発明者のインセンティブに大きな影響を与え，その結果，研究開発のパフォーマンスに大きな影響を与える可能性がある．このような権限委譲の問題に加えて，上司と発明者にどのような人物（現状維持を好むか，変革を好むか）を任命するかも，選択されるプロジェクトとその実行努力に影響を与えると考えられる．「変革は組織のトップから」「イノベーションを引き起こすために組織の多様性を高めよ」等が主張されることがよくあるが，そのメカニズムやこうした主張が成立する条件は明確になっていない．以下の研究は，一橋大学の伊藤秀史教授が主査をしている「組織とイノベーション」プロジェクトにおける理論研究の結果である[15]．

---

15) Itoh（2015）．

図 4-7 最適な人事の組み合わせ
出典：Itoh（2015）.

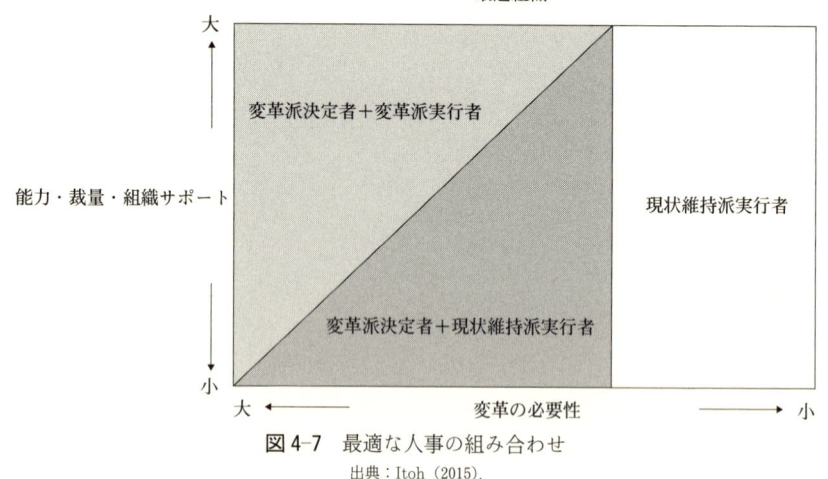

モデル

伊藤のモデルでは，組織構造を分析するために，意思決定者と実行者に組織を階層化する．開発実行者が新規プロジェクトの開発努力を行う．新規プロジェクトが開発された場合，意思決定者が現状維持プロジェクトと新規プロジェクトの間の選択を行う．新規プロジェクトが開発されなかった場合には自動的に現状維持プロジェクトが選ばれる．その後，実行者が決定されたプロジェクト実行のために努力する．決定者と実行者はプロジェクトの成功を望ましいと考えているが，決定者にも実行者にも，現状維持プロジェクトの成功の方を好む者と，新規変革プロジェクトの成功の方を好む者と，2つのタイプが存在している．決定者と実行者のそれぞれの立場に，どちらを好む者を就けるかが組織設計の問題である．

研究の結論

伊藤の分析によれば，最適な組織は次のようにまとめることができる．現状維持の成功可能性が十分高いならば，実行者に現状維持派をおいて現状維持プロジェクトを実行するモチベーションを高めるのがよい．逆に，変革が望ましい状況では決定者を変革派にして，決定者による変革への抵抗をなくせばよい．

「変革は組織のトップから」（外部もしくは傍流からのトップの起用，社外取締役の導入など）である．しかし，実行者まで変革派にするならば，実行者の開発可能性を十分高くしなければならない．実行者の能力を高め，自由裁量を与え，さまざまな組織サポートが必要である．それができないのならば，むしろ現状維持派の実行者をおいて，新規プロジェクトが開発されなかった場合のモチベーションを高めておいた方がよい．

研究の含意

組織内（トップと実行者）の最適な人事選択は，組織が追求すべきプロジェクトのタイプに依存する．変革が望ましい場合にのみ，トップを変革派にすることが重要であるという非対称性があることは，組織設計を考えていく場合に重要な示唆であると考えられる．

4.4 研究開発のスピルオーバー，リスクと公的支援のターゲット

研究のねらいと方法

企業が行う研究プロジェクトにも大きな波及効果がある研究は少なくなく[16]，同時にそうしたプロジェクトはリスクも高く当該企業にとっては収益性が乏しいことも多い．政府が行う研究開発補助政策は，知識の波及効果と補助の付加効果が大きいプロジェクトに適切にターゲッティングできれば，大きな効果をもたらす可能性がある．研究開発への現実の公的支援がどのようなプロジェクトや企業にターゲットされており，これらは波及効果と付加効果の基準とどのように整合的かを実証的に検証することが本研究のねらいである．利用するデータは経済産業研究所の発明者サーベイと企業活動基本調査であり，民間企業に所属している発明者の研究プロジェクトにフォーカスした．

研究からの知見

発明者サーベイの結果によると，民間企業に所属している発明者の研究においても，研究プロジェクトの20%は基礎研究の段階を含む．同時に，民間企

---

[16] 日本の創薬企業の探索プロジェクトにとって最も重要な科学技術論文の執筆者の所属機関の分布を見ると，大学と国公立研究機関が約6割，製薬企業と病院がそれぞれ2割強と1割となっている（長岡他，2015）．

表4-4 政府支援を受けたプロジェクトの比率

		研究開発への資金制約	
		あり	なし
基礎研究	あり	9%	4%
	なし	5%	1%
論文発表	あり	16%	5%
	なし	4%	1%

業の研究開発プロジェクトの1割強ではリスク資金の不足によって研究の縮小・遅れがあり，約4分の1には事業化投資への制約がある．しかし，日本の民間企業の研究開発プロジェクトの3%程度にしか政府資金は供給されていない．そのプロジェクト特性別の配分を見ると，表4-4に示すように，基礎研究を含んでいて，かつ資金制約があったプロジェクトの9%が政府支援を受けており，この割合は表の4つの象限の中で一番高く，上で述べた効率的な政府支援の考え方と傾向としては一致している．研究プロジェクトの成果を科学技術論文として発表したか否かをスピルオーバー指標とした場合には，より明確にその傾向が観察される．

また，計量経済分析から得られた結果によれば，政府支援が行われているプロジェクトの特徴は，科学技術論文発表，セレンディピティーなどを指標とするスピルオーバーの発生条件と，全体的には整合している．ただし，研究開発を行う企業の研究開発集約度の高さや博士号所有者の研究プロジェクトへの参加が，高いスピルオーバーをもたらすと考えられるが，これらは現状の政府支援の選択条件としてはそれほど高く評価されておらず，他方で産学連携のプロジェクトはスピルオーバーと比較して相対的に過大に評価されている可能性も示唆されている．

研究の含意

政府支援が行われているプロジェクトの条件は，科学技術論文発表などを指標とするスピルオーバーの発生条件と，リスク資金による制約の有無（支援の付加効果の存在）の条件と，全体的には整合しているが，他方で企業の研究開発集約度の高さや博士号所有者の研究プロジェクトへの参加はスピルオーバー

の観点からはより高く評価されるべきである可能性も示した．本研究で試みた，プロジェクト選択の条件とスピルオーバーの発生条件（及び資金制約の発生条件）の実証研究は，支援のメカニズムを設計する上で重要な情報を与えると考えられ，今後の研究の発展が重要であると考えられる．

5　技術スタートアップと技術市場

　革新的なシーズをイノベーションとして結実させる上では，新しい技術シーズの発展性を評価する多様な試みと，新しい技術と補完的資産の多様な組み合わせを可能とする技術市場が重要である．最初の点について，最近の Klepper and Thompson（2010）の研究は，米国の産業内のスピンオフは，新しいアイデアの評価の組織内の不一致（Disagreement）が原因で起きており，スピンオフは新しいアイデアを生かすシステムとして重要な役割を果たしていることを指摘している．また，京都大学（本庶佑研究室）で発見された PD1 を介する免疫チェックポイントを活用した抗癌剤の開発の過程は，この2つの点の重要性をハイライトしている．この事例では，日本に拠点のある内外の製薬企業のほとんどが投資を回避する中，米国のバイオベンチャー（メダレックス）が小野薬品との協力で創薬と臨床開発投資を実施した．また，同社は後に大手製薬企業（ブリストル・マイヤーズ・スクイブ）に買収され，グローバルにまた多様な疾患領域における臨床開発が加速された．このように，新しい革新的な技術をイノベーションとして発展させる上で，スタートアップと技術市場（ライセンスの他，企業買収や特許の譲渡を含めた広義の技術市場）は非常に重要な役割を果たす．以下では，日本におけるスタートアップと日本企業における外部からの技術獲得についての研究成果を報告する．

5.1　発明者の流動性及びリスク回避度

研究のねらい

　発明者を含めて人材移動は，人材の最適な配置及び人的資本の活用による投資誘因の向上において重要な意味を持つ．また発明者の場合は，これらに加えて，人の移動が知識の効果的な移動をもたらす場合が多いこと，また発明者の

移動はアイデアへの多様な見解を試す機会を拡大することから，組織間の移動の重要性は特に大きいと考えられる．以下では，日米欧において，起業を理由とした発明者の移動の頻度がどの程度異なるか，また起業を制約する要因としてリスクが如何に重要であるかを分析する．

研究からの知見

以下ではまず，発明者の勤務先変更の有無の頻度を日米欧で比較する．調査対象となった発明時点からの5年以内に勤務先の変更があったかである．日米欧発明者サーベイの結果によれば，米国では44%で半数弱の発明者が勤務先を変更しており，EU全体の平均で30%，ドイツで28%と，日本で16%となっている[17]．日本での研究人材の流動性の低さが際立っている．

このような差の源泉は何であろうか．以下では特に日米独の差に注目して分析結果を示す．図4-8に示すように，発明者の移動理由を比較すると，昇進を理由とした移動が米国では最も重要で，15%の発明者[18]がこれを理由に過去5年程度の期間に移動している．他方で日本では昇進を理由とした移動はゼロに近く，ドイツでも非常に低い．また高い給与水準が組織間の移動の理由である場合も米国では8%強と高く日本の2%弱と大きな差がある．ただ，ドイツでも給与水準を理由とした移動の頻度は高い．これら地位や給与の処遇改善を理由とする移動の日米差は，日米の移動性の差の半分を説明する．米国では企業の内部労働市場と外部労働市場は強くつながっているが，日本の場合は，企業内での昇進や昇給は，短期的には転職機会で左右されることがない．このような昇進・昇給メカニズムの差が日米の流動性の差の源泉として最も大きい．

研究活動の機会や条件の差を理由とした転職の頻度は，日本でも6%とかなりの水準であるが，米国とドイツでは12%と大幅に高い．勤務先の倒産・精算・買収等による移動は，米国では6.6%と高水準であり，日本の1%と比べて高い．最後に，米国では5%弱の発明者が起業を理由に過去5年程度の期間に移動しているが，日本では1%弱であり，4%の差がある．ドイツも約2%であり，日本より高い水準となっている．しかし，起業を理由とした移動は，

---

17) 長岡他（2012）を参照．
18) 複数回答可とした．分母には，勤務先を変更しなかった発明者も含む．

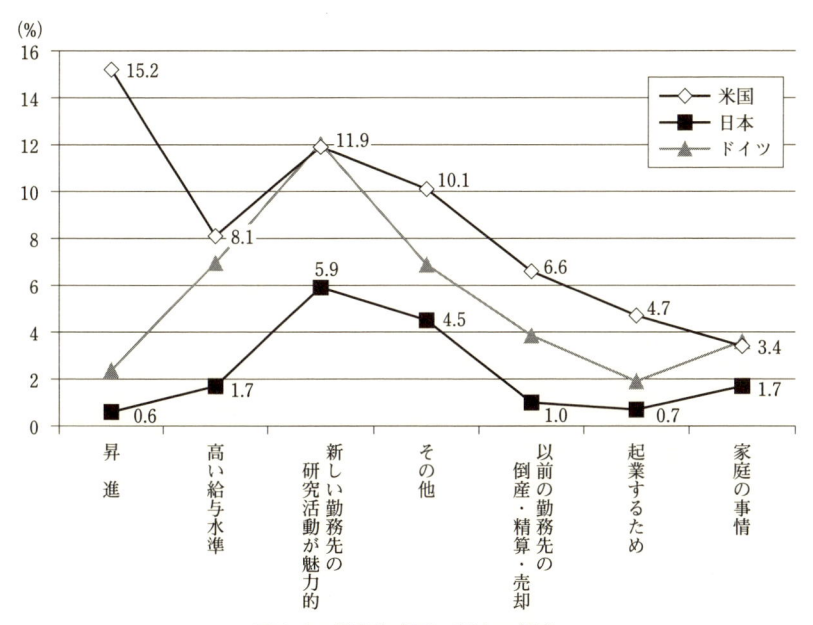

図 4-8　勤務先変更の理由の頻度
注：日米の頻度差が大きい順番で理由が並べてある．

発明者の流動性の日米差全体の中に占める割合は小さい．

　図 4-9 は，起業のために移動した日本の発明者のリスク回避度（あるいはリスク愛好度）を，4段階に集計して，研究活動の魅力を理由に移動した発明者，及び移動しなかった発明者と比較している．これを見ると，起業のために移動した発明者のリスク回避度は，移動しなかった発明者と比較して著しく低いことが分かる．起業のために移動した発明者はその約3割はリスクを全く厭わないと回答しており，移動しなかった発明者はその割合は4%に過ぎない．他方で，研究活動の魅力を理由に移動した発明者は1割の発明者がリスクを全く厭わないと回答している．このことは，起業を行うかどうかの非常に重要な制約はリスクであり，それを軽減することが起業の増加に大きくつながるであろうことを示唆している．

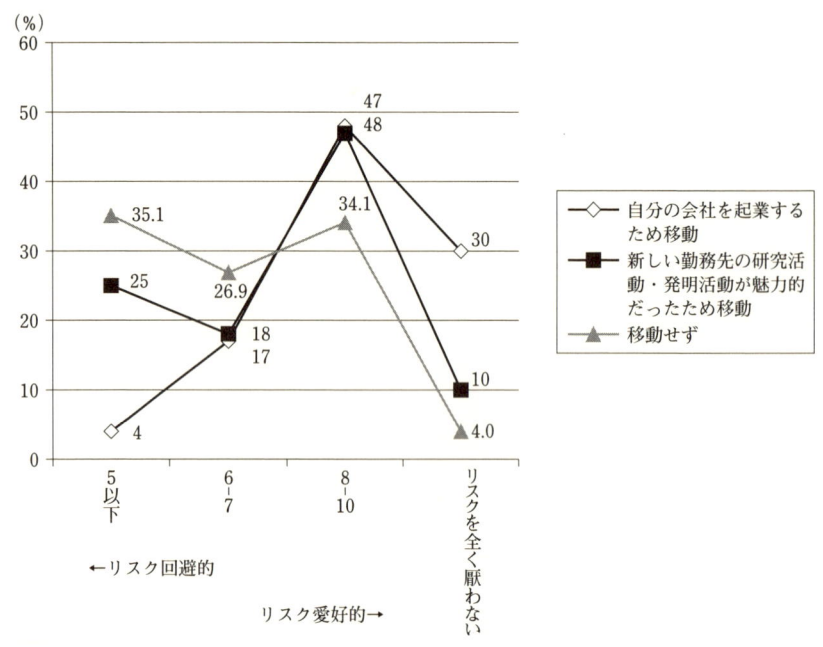

図4-9 起業のために移動した発明者のリスク回避度あるいはリスク愛好度の分布

注：N＝238（起業のために移動した発明者），177（研究活動の魅力で移動した発明者）及び2,801（移動しなかった発明者）．

研究の含意

　研究者の移動性の日米差は非常に大きいが，起業に直結する移動の差はその比較的小さい一部である．それでも，米，独，日で起業を理由とした発明者の移動（当該発明より以前5年間）は4.7％，1.9％そして0.7％と大きな差がある．日本で起業のために組織を移動した発明者についての分析によれば，リスク回避度の低いあるいはリスク愛好的な発明者に集中している．したがって，起業への非常に重要な制約はリスクであり，起業へのリスクを低下させるための政策は起業促進への大きな効果があると考えられる．起業や事業化へのリスク資金を提供するエンジェルやベンチャー・キャピタルの強化，さらにこれらの投資家が資金回収を行う機会を与える上場市場や買収市場の発展も重要である．また，起業が失敗に終わった場合に容易な再就職を可能とするように，日本の労働市場の柔軟性が増すこと，特に中途採用の市場，転職市場が拡大する

ことも重要である．

5.2 起業と起業家のスキル

研究のねらい

起業を行う人材の特性としては，起業には分業は困難なのでジェネラリストが向いているという指摘がある（Lazear, 2004; 2005）．他方で，ジェネラリストではなく変化を好む人材が起業家となっており，多様な起業の経験を持っている起業家の所得は低いという現実がそれと整合的な事実だとする指摘もある（Åstebro and Thompson, 2011）．日本の起業家の特徴はこれに照らしてどうか，また起業を行う者の特性と起業を成功させる者の特性は同じか異なるかは重要な研究課題である．東京大学の元橋一之教授が主査である研究プロジェクト「オープンイノベーションの国際比較に関する実証研究」では，日本の起業家へのオリジナルなサーベイに基づいて，この点の分析を行っている[19]．

研究からの知見

馬場・元橋（2013）では，RIETIによって行われた「起業意識に関するアンケート調査」のデータを用いている．潜在的起業家7023人に対して（14大学を学士として卒業したインターネット・モニターの中で，起業経験者1500名と非経験者5000名のデータ取得を目標として調査），起業を計画した者が2201名，実行した者が1501名，その成功と失敗が10段階で評価されている．

計量経済分析の結果，起業に関する計画や実行といった段階においては，大学における課外活動や海外経験などの幅広い分野での経験が重要であり，Lazearのモデルと整合的であることを見いだしている．他方で，事業の成功については，必ずしも大学における幅広い活動が正の相関関係をもつのではなく，職務経験を通じてマネジメントの経験を積むことが成功につながることを見いだしている．また，経験した起業数と起業の成功は負の相関関係にあり，経験の幅はパフォーマンスを下げる傾向にあり，この点ではÅstebro and Thompson（2011）の分析と整合的である．

---

[19] 馬場・元橋（2013）．

研究の含意

起業に対する計画や実行の確率は，幅広い経験（大学における課外活動，特に長期インターンシップやビジネスプランコンテストなどのビジネスとの接点）を持つことで上がるので，高等教育において，学生に対して，より企業や社会との接点をもたせ，また留学制度を充実することが重要であると馬場・元橋（2013）は結論付けている．また，起業家が起こした事業を成功に導くためには，大学における幅広い活動より，むしろビジネスや技術などに対する専門的な知識が必要となり，両氏は，企業からのスピンアウトビジネスを慫慂するために年金のポータビリティをはじめとした雇用流動化のための政策や，在職者に対する起業セミナーなどに対する公的支援が重要であると指摘している．

5.3 技術獲得とオープン・イノベーション

研究のねらい

イノベーションへの多様な機会の発展には，M&A，共同研究開発，ライセンス等を含む技術市場の発達が重要である．以下で紹介する研究は，東京大学の元橋一之教授の研究プロジェクトからの知見であり，新商品開発プロセスにおける技術獲得に関するオリジナルなサーベイに基づく[20]．

研究からの知見

Kani and Motohashi（2013）は，2011年に行われた「新商品・新サービス開発についてのアンケート調査」（RIETI）（以下，「新商品アンケート」と略す）による．同サーベイはプロダクト・イノベーションにおいて活用した外部の技術源（共同研究開発，ライセンス，M&A等で導入）がいかに重要であるか，またどのような外部組織が重要であるかを調べている．同様のサーベイは，米国においてデューク大学のコーエン，アローラ及びジョージア工科大学のオルシュ教授によって行われている（Arora et al., 2014）．彼らの研究によれば，米国の製造企業の中でプロダクト・イノベーションを行った企業において，その最も重要なイノベーションの源泉となった発明の約半分は企業の外部に起源

---
[20] Kani and Motohashi（2013）．

があることを指摘している.

Kani and Motohashi（2013）は，このデータを用いて，企業による技術獲得の頻度，またその相手先がビジネスパートナー（サプライヤーか顧客）であるか否かで技術獲得の決定要因がどう異なるかについて分析している．その結果，新商品アンケートで回答を得た3705社のうち，38％の1390社において過去3年間に何らかの新商品・サービスの開発が行われた．そのうち，同商品・サービスの開発を主に企業内で行った企業が1199社存在し，さらにそのプロセスにおいて外部技術の導入を行った企業が436社，すべて自前で行った企業は642社となった．主に外部開発の企業も含めると，外部連携企業は全体の約半数となり，日本企業においてもオープン・イノベーションが浸透していることを示していると Kani and Motohashi（2013）は指摘している（米国の調査結果からの比率とほぼ等しい）．また，外部技術獲得企業のうち，その半数以上（288社）は技術の獲得先が顧客やサプライヤーなどのビジネスパートナーとなっている.

主に内部によって新商品開発を行った1199社について，外部技術を獲得したかどうか，またその場合，技術パートナーがビジネスパートナーと同じかどうかの決定要因について，計量経済分析を行った結果，技術パートナーがビジネスパートナーと異なる場合（以下，T≠Bと略す）は，特許によって技術の権利化を行っている企業において外部獲得をより行っていることが分かった．一方，両者が同じ場合（以下，T＝Bと略す）は，自社において補完的資産を有しない場合（たとえば，自社の主要ビジネスと違う分野での新商品開発）において技術獲得が活発に行われ，自社においては技術開発に注力しながら，マーケティング資産などの補完的資産についてはパートナーに頼る役割分担が行われていることが分かった.

研究の含意

今回の日本のアンケート調査において，ほぼ半数の企業がその新商品開発において外部から技術を獲得していること，また顧客やサプライヤーからの技術獲得が重要である点は，上述した米国の調査結果と同様の結果であり，日米では大きな差がないことは重要な知見である．また，今回の研究では，技術パー

トナーがビジネスパートナーと同じかどうかで，技術取引を促進する条件が異なる（補完的資産，特許）という点も，技術市場を拡大していく上での制約条件を検討していく上でも重要な知見である．

6 標準をプラットフォームとするイノベーション

情報通信分野を中心にして，標準をプラットフォームとしたイノベーションが重要性を増している．標準は特定企業によって所有されている場合（デファクト・スタンダード）もあるが，多数の企業が協力して形成し，公的な標準（デジュア・スタンダート）となる場合もある．日本企業は，MPEG-2，光ディスク産業などデジュア・スタンダートにおいても，また，ゲーム産業などデファクト・スタンダードにおいても，標準をプラットフォームとするイノベーションの実績が乏しいわけではないが，産業界全体では，特に国際標準への取り組みが遅れているとの指摘も多い．また，デジュール標準をプラットフォームとするイノベーションにおいては，市場で潜在的に競争関係にある企業間の特許プール（あるいはパテント・プール）が，標準技術の普及と標準技術の研究開発誘因の両方で重要であるが，特許プールがその後のイノベーションを阻害するのではとの懸念も一部に存在する．本節ではこれらを取り上げている．

6.1 標準はイノベーションに如何に重要か[21]

研究のねらい

標準は，ネットワーク外部性を実現することで，イノベーションに大きな効果があると考えられ，情報通信技術の発達でその重要性は高まっている．しかしながら，標準がイノベーションにとってどの程度重要であるかを示す客観的なデータは従来存在しなかった．このため，発明者サーベイによって，研究開発の中で標準に依拠したものがどれだけあるかを調査することとした．また，本節ではそれに加えて，発明者が標準に関与する程度の差によってその発明の価値がどのように変化するかを検証する．

---

[21] 以下は，長岡他（2012）による．「標準と技術のライフサイクル，世代交代と周辺課題」（主査：青木玲子九州大学副学長）の成果の1つである．

表 4-5 標準に依拠した発明の割合と，標準化活動への参加の有無

技術分野	標準に依拠 件数	%	依拠していない 件数	%	合計	わからない	標準化活動に参加した	標準に依拠した発明に対する比率（%）
ElecEng	132	19.4	549	80.6	681	270	28	21
Instruments	70	18.7	305	81.3	375	172	6	9
Chemistry	113	23.3	371	76.7	484	264	11	10
ProcEng	50	20.3	196	79.7	246	121	5	10
MechEng	74	19.1	314	80.9	388	202	9	12
ConsConstr	17	25.4	50	74.6	67	36	1	6
合計	456	20.3	1,785	79.7	2,241	1,065	60	13

注：「依拠していない」には「検討中」の 5.4% を含む．
出典：長岡他（2012）．

研究からの知見

調査票では「当該特許発明が ISO や JIS 等の標準化機関が定めた技術標準を活用，またはそれに依拠しているか」どうかを尋ねている．表 4-5 は技術分野別の集計結果である．この問いに回答があった 2,241 件の中で，標準に依拠したと回答があった発明の比率は全体の約 20% であり，この比率は非常に高い[22]．電気（ElecEng），計測（Instruments），化学（Chemistry），プロセス・エンジニアリング（ProcEng），機械・エンジニアリング（MechEng），消費財・建設（ConsConstr）の 6 つの技術分野のいずれにおいても高い水準となっている．また，発明者が当該技術標準自体の開発にも参画した場合は，全体では発明が標準を活用あるいはこれに依拠している場合の約 13% でしかないが（分母には不明を含む），電気の分野では高く（21%），より詳しい業種では，電気通信（Telecom）の分野で約 30% である．

日米独の比較でも，標準に依拠した発明の比率には国の間にあまり差はなく，どの国でも約 2 割である．しかし，標準化活動に参加した発明者のシェア（発明者におけるシェア）は，日本が 17%，ドイツが 25%，米国が 29% であり，日本の発明者の参加比率が低いのが明確である．

発明が利用される製品や製造過程において標準化がなされている場合，発明の潜在的な用途は広く，その結果，発明は利用される可能性が高く，またその

---

[22] 不明は分母から除いているが，不明が約 3 分の 1 と多い．他方で，依拠していないには「検討中」の 5.4% を含む．

経済的な価値も高いと予想される．実際，サーベイの結果によれば，発明が標準に依拠している場合，利用されている割合は 64%，そうでない場合は 44% と大きな差がある．発明者が認識している当該発明の経済的な価値において上位 10% の特許発明である頻度（%）においても，標準に依拠していない場合，その頻度は 12% であるが，依拠している場合，(1)標準開発に参加していない場合でもそれが 15% に若干増大し，また(2)発明者が標準開発にも参画している場合には 27% に大きく高まっている．

研究の含意

標準に依拠した発明の割合は広範な技術分野で高く，そうした発明は利用される可能性も高い．したがって，標準はイノベーションを効率的に進める効果があり，このことは標準自体の革新がイノベーションの加速に重要であることも意味する．また，発明者が標準開発にも参加している場合，発明の経済価値は高い．日本の発明者は欧米と比較して標準化活動への参加比率は大幅に低く，国際的な標準化活動への積極的な関与も重要である．

6.2 標準の特許プールのイノベーションへの効果

研究のねらい

特許プールは補完的な関係にある技術を集積し，その一括ライセンスを行うことで，技術を広く普及し，同時に研究開発からの収益を高めることを目的としている．特許プールが，形成後のイノベーションにどのような影響を与えるかは，標準の革新の観点からも重要である．特許プールがイノベーションに与える影響についての先行研究は数が少ないが，最近の研究，Lampe and Moser (2010), Joshi and Nerkar (2011) は負の影響があるとしている．Lampe and Moser (2010) は，シンガー社等によるミシンの特許プールの研究であり，プールの対象となった技術（ロック・スティッチ方式）と比較して，その代替技術（チェイン・スティッチ方式）の研究開発の方が，プールの形成後により活発となったので，プールはイノベーションにマイナスであったと結論づけている．また Joshi and Nerkar (2011) は，光ディスク産業に着目して，DVD のプール（MPEG-2 も含めている）は，プールのインサイダー（特

許権者やライセンシー）と比較してそのアウトサイダーの研究開発をより活発にしており，イノベーションにマイナスの影響があったとの結論を導いている．

しかしながら，これらの研究は，いずれもプールのインサイダーとアウトサイダーのパフォーマンスをプール結成前後で比較するというアプローチをとっているが，そのために適切な比較を行っていないという共通の問題がある．Lampe and Moser（2010）の研究は技術分野ごとに特許件数の増減の比較をしているが，米国特許庁が付した分類は，ロック・スティッチ方式とチェイン・スティッチ方式で異なるのみではなく，分類の数が異なり，前者の数の方が圧倒的に多い（16分類対6分類）．また，Joshi and Nerkar（2011）の研究は，光ディスク産業内の標準間競争（CDからDVD，DVDからBlue Ray）を考慮していない点に基本的な問題がある．

本研究は，標準の世代間競争を実証分析に組み入れて，また標準の合意とパテント・プールの結成は異なったタイミングで行われることを認識して，実証研究を行う．特に，DVDの標準化とパテント・プールに着目して，これらが次世代標準の研究開発競争やDVD自体の研究開発競争にどのような影響を与えたかを，ライセンサーとライセンシーの行動を第三者の行動と比較する形で検証する．企業単位のパネルデータで企業の固定効果を導入して分析している．

研究からの知見

我々の研究は，DVD，及びDVDと競合するHDDVD及びBlue Rayの特許を識別し，DVD標準及びそのプールの形成が，DVDの技術開発，DVDの次世代の技術開発にどのような影響を与えたかを，DVDのアウトサイダーをコントロール・グループとして検証した．この研究では以下が見いだされた．

第1に，DVD標準の合意もそのパテント・プールの形成も，DVDと競合する標準の技術開発へのDVD技術のライセンサーによる研究開発投資を拡大した．したがって，DVD標準の合意やそのプール形成などによって，ライセンサーへの置き換え効果やサンクコストの効果による負の影響が研究開発にあった証拠は無かった．図4-10は，ライセンサーとそれ以外を区別していない全体の動向であるが，標準合意の後CDの研究開発は減速し，DVD及びBD/HDDVDは活発となったことを示唆している．

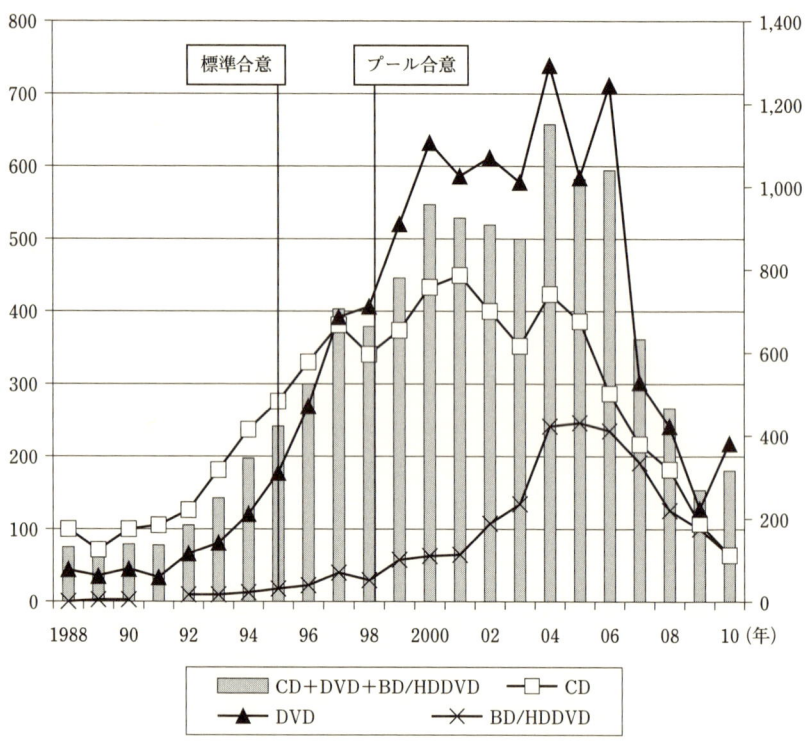

図 4-10 現世代の標準合意,そのパテント・プールの形成及び次世代標準の研究開発

第2に,DVD標準の合意もそのパテント・プールの形成も,DVD技術のライセンサーによる,DVD技術を更に発展させる研究開発努力も拡大させた.

第3に,しかしながら,特許件数と特許のファミリー件数の差で評価した特許性向は大幅に高まり,プールの形成後に特許の平均的な質は悪化した.

研究の含意

標準間競争を反映させた実証研究によれば,DVDの標準合意もパテント・プールの結成も,ライセンサーやライセンシーによる次世代標準の研究開発もDVD自体の改良への研究開発も促すことになった.DVDの特許プールは,DVDの標準の必須特許の一括ライセンスのみが任務であり,次世代標準の研究開発を調整する権限はそもそもない[23].さらに,プールのメンバーは必須

特許の RAND ライセンスにコミットしているために，DVD と競合する技術を開発する企業に対して差別的なライセンスをすることも可能ではない．また，DVD の改良技術については標準に組み入れる技術として認定するかどうかについてはライセンサーの間での合意が必要であるが，個々のライセンサーは標準の必須特許を拡大し，ライセンス収入の配分シェアを高める強い誘因を有している[24]．

DVD のプールは米国司法省のビジネス・レビュー・レターによって，業務が当該標準の必須特許の一括ライセンスに限定され，競争に影響がある情報交換は制限されていること，また RAND ライセンスの遵守が求められていることも，上述した競争メカニズムが機能した一因となっていると考えられる．

7 世界の知識の活用

発明者が世界で最先端の公知技術をベースに研究開発を行い，また知的財産の審査官も同様の知識ベースを活用して新規性と進歩性の審査を行うことが，世界的に研究開発の重複をなくし，同時に補完的な技術の開発を促し，世界的にイノベーションを加速することになる．そのためには，世界の知識を活用していく能力の構築が重要である．本節では，国境と国籍を超えた共同発明の現状とその効果，新規性喪失の例外規定（グレース・ピリオド）とその知識のスピルオーバーへの効果，及び特許審査における情報のローカリティーの現状についての研究を紹介する．

7.1 国境と国籍を超えた知識と人材の活用

研究のねらいと方法

チームによる知識生産が重要になる中で，国境や国籍を超えて知識と人材を

---

[23] 標準のイノベーションにおける既存企業と参入企業との競争の理論分析については，Aoki and Arai (2015) を参照．
[24] Nagaoka and Nishimura (2014) が示しているように，「特許の藪」によって，企業がクロス・ライセンス等で技術を競争企業間で共有することが必要な場合にも，企業はクロス・ライセンスにおいてより有利な立場に立つために，研究開発で先行優位性を得るための動機は強まっていることとも共通点がある現象である．

組み合わせて研究開発を行うことは，研究開発の生産性を高める上で重要になってきていると考えられる．Jones（2009）によれば，研究開発に有用な知識の蓄積は大きくなっており，それを活用するには，チームと各研究者の経験の蓄積が重要になっている．もしこれが重要であれば，国内の国内生まれの発明者のみで発明者のチームを構成する場合と比較して，外国に居住する発明者あるいは国内にいる外国生まれの発明者を含めたチームを構成することで，研究開発のパフォーマンスは高まるはずである．科学技術文献自体はグローバルに利用可能であるが，実際に科学的な知見が有効に利用されるには人的な資本に体化された知識（ノウハウ）の利用がしばしば重要である（Zucker et al., 1998; Jensen and Thursby, 2001）．ノウハウとの組み合わせが重要な知識の活用において，外国に居住する発明者あるいは外国籍の発明者が有用な役割を果たしている可能性がある．

　本書では，こうした観点から，PCT ルートによる国際出願のデータを使って外国居住の発明者や外国籍発明者との共同研究開発が，日米欧の各国でどの程度の頻度で行われているか，またそれが発明のパフォーマンスにどのような効果をもつのか分析を行った．米国を指定国に含む PCT ルートによる国際出願の書誌データからは発明者の居住国と国籍の情報を抽出することができる．

日米欧の現状と動向

　図 4-11 は，「国内の自国籍発明者のみの共同発明」「国内の外国籍発明者との共同発明」「外国居住の自国籍発明者との共同発明」「外国居住の外国籍発明者との共同発明」に注目してそのシェアの推移を示している．日米独英の 4 カ国について，国内の自国籍発明者のみの共同発明以外のタイプの各共同発明の比率の時系列推移を示している．米国では，米国内の外国籍発明者と国内の米国籍の発明者との共同発明の比率が 1990 年代前半から 2 倍以上に増加している．ドイツとイギリスでは，外国居住の外国籍発明者との国内の自国籍発明者との共同発明比率の伸びの方が大きい．いわば，米国では外国籍の人材の国内への移動による発明の内なる国際化が進み，欧州では国境を越えた共同発明が進んでいるが，日本のみにはほとんど変化がない．

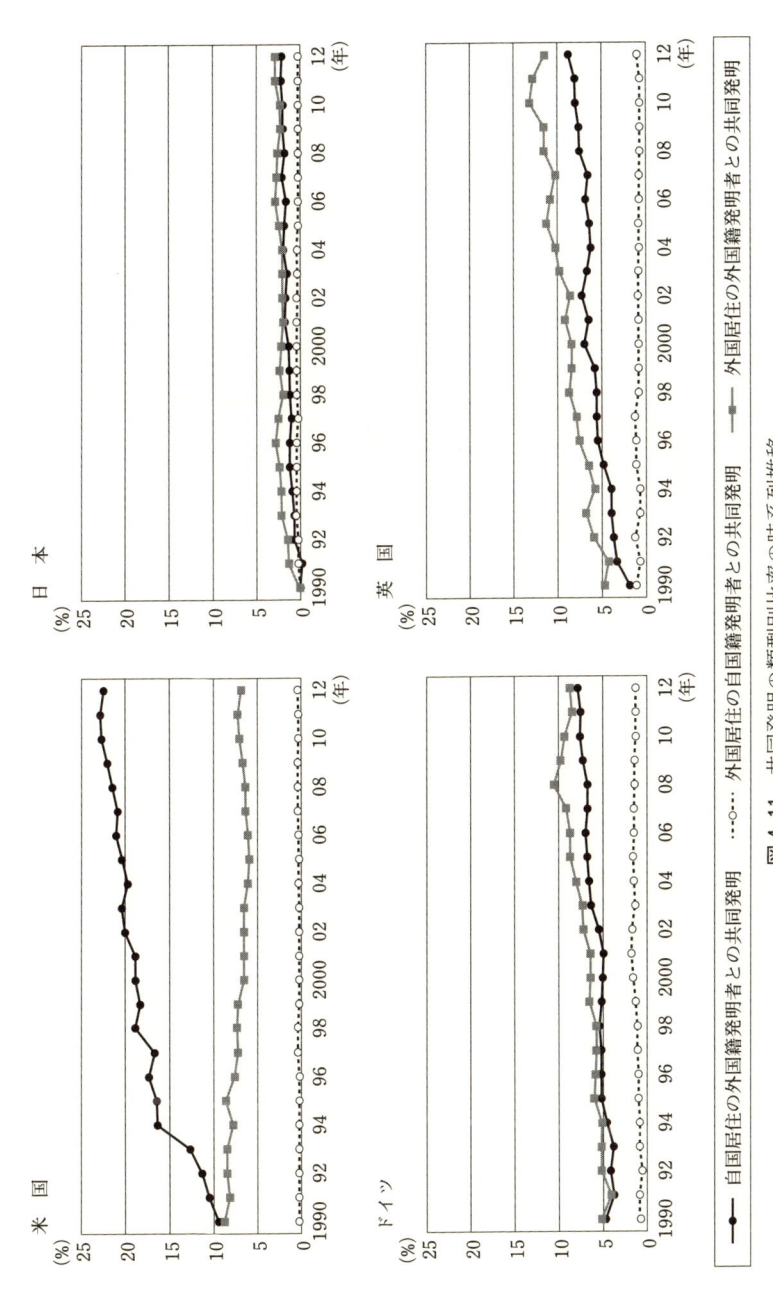

図4-11 共同発明の類型別比率の時系列推移

注:「国内の自国籍発明者のみの共同発明」は省略した.

第4章 日本の技術革新力の現状とその強化を目指して

発明のパフォーマンスへの影響

図4-12は，サイエンス・リンケージ（当該特許が科学技術論文を引用した回数）と前方引用件数（当該特許が引用された回数）の平均値を，共同発明の類型別・国別に示したもので，どちらの指標についても，自国籍でかつ自国に居住する発明者のみによる共同発明（一番左の棒）と比較すると，国境，国籍を超えた共同発明は平均値がかなり高い傾向にある．例えば，サイエンス・リンケージは，純粋の国内共同発明である場合，日本では2.8であるが，外国籍の発明者が存在する場合は4.8，あるいは外国に居住する発明者がいる場合は5.7，外国籍でかつ外国居住の発明者がいる場合は6.4である．米国の場合も，純粋の国内共同発明が7，外国籍の発明者が存在する場合は11，外国に居住する発明者がいる場合は12，外国籍でかつ外国居住の発明者がいる場合は9.2である．

　サイエンス・リンケージや前方引用件数を被説明変数とした特許レベルの回帰分析を行うと，これらの違いなどをコントロールしても，国内の外国籍発明者との共同発明や外国居住・外国籍発明者との共同発明は，国内の自国籍発明者のみの共同発明と比較してサイエンス・リンケージが高く，前方引用件数で測った意味での特許の質も高い（出願人が1人，発明者2～5人による共同発明で，かつ筆頭発明者が国内に居住する自国籍の発明者である特許に限定したサンプルで推計している）．しかし，出願人企業の固定効果をコントロールすると，これらの効果は有意ではあるがかなり小さくなるので，企業間の人材の質の差，企業の研究基盤の差等が，国内の共同発明と国境あるいは国籍を超えて発明者を組み合わせた発明の間のパフォーマンスの差の一部を説明することが分かる．そして，筆頭発明者の固定効果をコントロールすると有意な差はなくなる．したがって，国内の外国籍発明者との共同研究，外国籍・外国居住発明者との共同研究は，国内発明者のみの共同研究よりも質が高い発明が生み出されている傾向にあるが，これは，企業，特に研究開発リーダーの能力にも強く依存していると考えられる．

研究の含意

国際共同研究開発プロジェクトの推進，外国研究者の国内への招請等を推進

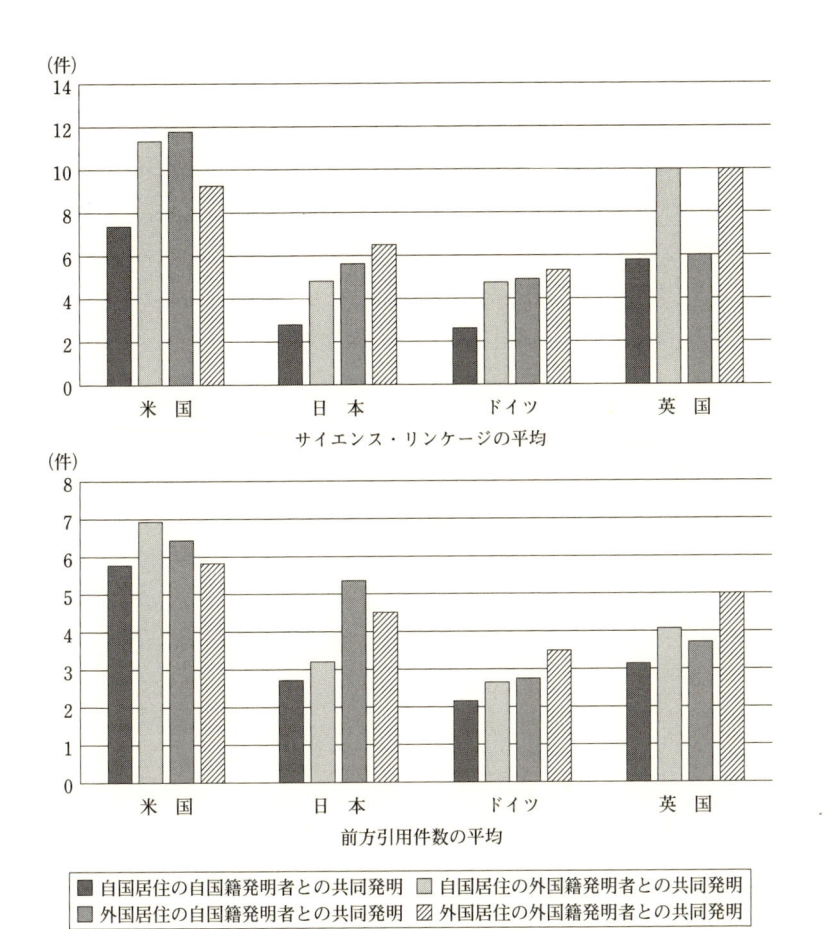

図 4-12 サイエンス・リンケージと前方引用件数の平均値（出願年：2003〜2012年）

するとともに，国際共同研究を効果的に推進していく能力のある国内の研究者の養成も非常に重要であるといえるだろう．特に，研究者を含め，日本人の英語力強化が非常に重要である[25]．

---

25) Tsukada and Nagaoka（2015）はグラビティー・モデルを利用して各国の米国との国際共同研究の水準を説明している．これによると，2国間の輸出入の水準，直接投資交流の水準，教育水準等をコントロールしても，TOEFLスコアで評価した語学力が有意な差を与えることを見いだしている．

7.2　新規性喪失の例外規定と知識のスピルオーバー [26]

研究のねらい

グレース・ピリオドとは，特定の条件の下で，特許出願までに行った発明の公開によって，その本人の発明の新規性を喪失しないとすることを可能とする猶予期間である．発明者が出願前に公開した発明であっても，グレース・ピリオドの期間内に特許出願を行えば，出願前の公開による発明の新規性喪失を理由として特許性が否定されないので，特許の保護と研究成果の早期普及を両立させる重要な制度である．米国特許庁では，無条件に1年間の猶予期間を与えるが，欧州特許庁および欧州の主要国ではグレース・ピリオドは，ほぼないに等しい（国際博覧会における公開および極めて限られた条件のみに6カ月間）．日本は出願前に公開した事実を出願時に届け出ることを条件に6カ月間がグレース・ピリオドとして特許法上与えられている．グレース・ピリオドは日米欧の間の特許制度調和上も残っている重要な課題の1つである．

グレース・ピリオドの効果については，本研究では以下の3つの仮説の識別を行うとともに，それによる知識フローの加速効果を評価している．第1の仮説は，研究成果の早期公開と特許の出願の両方を望む研究者が，グレース・ピリオド利用によって，国内特許の出願を待たないで研究成果の学術的な公開を行うことができるので，開示が加速化されるという開示加速仮説である．第2の仮説は，研究成果の公開と同時に特許出願が可能であるにもかかわらず，グレース・ピリオド利用によって，発明者による特許出願が遅延するという国内特許出願遅延仮説である．第3の仮説は，学術成果公表に高い優先度をおいているため，あるいは事故によって，特許出願前の公開を行い，本来であれば我が国特許出願を断念していた発明に対してグレース・ピリオド利用によって，国内特許出願を促すという国内特許出願促進仮説である．

日本におけるグレース・ピリオドの利用状況

図4-13は横軸には出願年，縦軸には出願人のタイプ（企業と大学等）ごと

---

26) 本節は，Nagaoka and Nishimura（2015）に基づく．

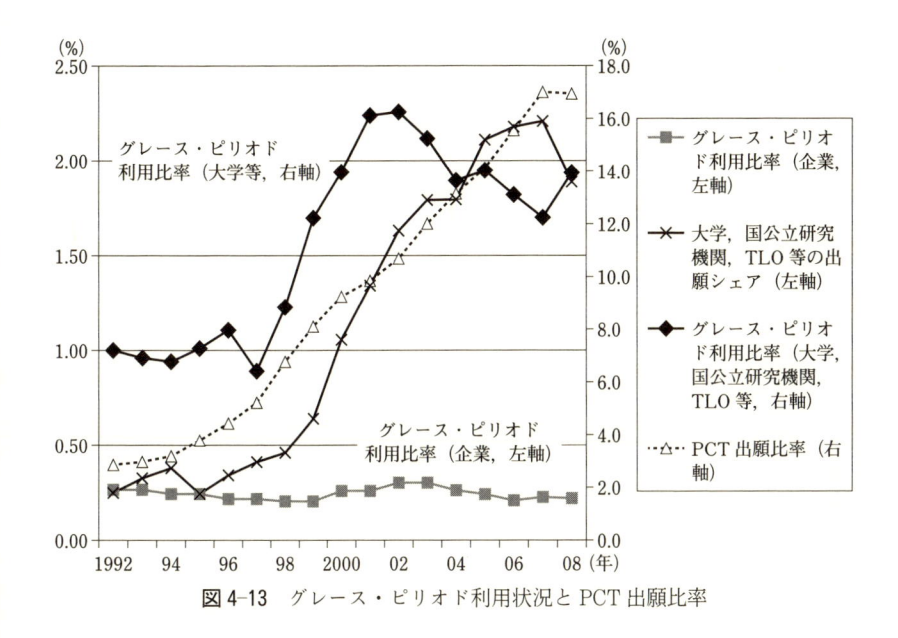

図 4-13 グレース・ピリオド利用状況と PCT 出願比率

の新規性喪失の例外規定適用を申請した割合（グレース・ピリオド利用比率），企業と大学等（大学，国公立研究機関，TLO（技術移転機関）等）の出願の割合，及び PCT（特許協力条約）を利用した出願率を示している．大学等の出願シェアは，TLO の設立及び国立大学等の法人化の影響で，大幅に上昇している．また，PCT を利用した出願率は大幅に高まっており，国際出願が重要になっている．

グレース・ピリオド利用比率は，企業の場合も大学等の場合も，2000 年から 2001 年に急増している（企業による利用率はそれ以前の 90 年代には減少傾向にあった）．これは 2000 年から実施された制度改正（インターネットによる公開，進歩性の判断にも例外規定を適用）の影響だと考えられる．しかし，同時に，グレース・ピリオド利用比率は企業の場合は 2003 年をピークとして，大学等の場合は 2002 年をピークとして減少している．その原因の 1 つは，2004 年に行われた PCT の制度改正にあると考えられる．これによって，PCT 出願を行うことで欧州諸国を含む PCT 条約加盟国に 30 カ月以内に追加費用なしで特許出願が可能となったので，グレース・ピリオドを利用することの機

会費用が高まったからである.

仮説の検証結果

開示加速仮説,国内特許出願遅延仮説,及び国内特許出願促進仮説の3つの仮説のうち,どの仮説が我が国におけるグレース・ピリオド利用と整合的であるかを,各仮説では,出願企業は異なるトレードオフ関係に直面していることを利用して,識別することが可能である.開示加速仮説では,「研究成果の学術的な論文を早期に行うことの便益」対「外国への出願機会の損失」,国内特許出願遅延仮説では,「国内での長期の保護期間の便益」対「外国への出願機会の損失」,国内特許出願促進仮説では,「国内の特許化の便益」対「特許化費用」と,それぞれ異なるトレードオフ関係に出願企業は直面している.

分析結果によれば,①PCTの制度改革に伴う外国へ出願する機会の拡大によって,グレース・ピリオド利用は抑制された,②サイエンス・リンケージが強い特許化発明ほど,グレース・ピリオドは利用され,その傾向はサイエンス・リンケージが大きくなると強くなる,③請求項数が大きいほど,グレース・ピリオドは使われなくなる.こうした結果は,全体として開示加速仮説の符号条件のみと一致する.

また,グレース・ピリオドの知識のスピルオーバーの評価に当たっては,スピルオーバーが大きいからグレース・ピリオドを利用するという内生性のコントロールが必要である.本研究では,発明のサイエンス・リンケージの強さに加えて,自己引用の水準でこのような観察できない異質性要因をコントロールする.グレース・ピリオド利用をせずに特許出願後に学術的な公開を行った特許化発明と,グレース・ピリオド利用をして特許出願前に学術的な公開を行った発明からの知識スピルオーバーを比較した分析を行った結果によれば,後者の,特許出願前の学術的公開の方が知識スピルオーバーが有意に大きかった.

研究の含意

上記の分析結果は,グレース・ピリオドを発明者が利用する主な動機は,特許獲得機会を確保しつつ学術的な公開を早く行いその研究成果への学会での優先権も確立することであること,また,グレース・ピリオドによって第3者へ

の知識スピルオーバーも促進されることを示している．発明者（あるいは出願人）がグレース・ピリオドを利用するかどうかはあくまでも発明者の選択肢であり，加えてグレース・ピリオドの利用による早期公開によって第三者（企業及び消費者）は早期公開によって利益を得る可能性が大きいので（重複的な研究の早期回避，次のイノベーションへの早期着手等），グレース・ピリオド制度は社会的厚生を増加させる可能性が高い．また本研究では，PCT出願の改革によって特許出願の国際化機会が近年拡大していることが，日本企業によるグレース・ピリオド活用を抑制していることも示しており，この結果は，グレース・ピリオド制度のグローバルな導入の重要性が高まっていることも示している．

7.3 特許審査における情報のローカリティー

研究のねらい

発明者，審査官が世界で最先端の公知技術をベースに研究開発を行い，特許審査を行うことが，世界的な研究開発の重複を無くし，同時に補完的な技術の開発を加速し，イノベーションのスピードを高めるために非常に重要であると考えられる．世界公知を原則としている特許制度はこれを目指している．しかし，現実には公知文献であっても各国にローカルな情報が存在し，それが外国の発明者や審査官に利用されていない可能性が存在する．公知文献であっても情報のローカリティーがどの程度重要であるか，言い換えれば特許制度が目標としている世界公知が現実にどの程度成立しているかについては，世界的に見ても研究は乏しい．学習院大学の和田哲夫教授による以下の研究[27]では，日米欧の特許庁の間で，審査官の先行文献の認識の差が存在するかを検証することで，このような情報のローカリティーがどの程度重要かを検証している．

研究の方法

Wada (2015) では，特許協力条約 (PCT) 出願については，各国特許庁の審査の前に，指定された特許庁の審査官が国際調査報告 (ISR) を行うことに

---

27) Wada (2015) による．

着目して，この両者を比較することで，各国特許庁の審査官の先行文献サーチがどの程度完備しているかを分析している．PCT出願が受理官庁（Receiving office: RO）になされたのち，国際調査機関（ISA）は国際調査報告（ISR）を国際公開時までに発行する．これは世界知的所有権機関（WIPO）が定めた統一ガイドラインにのっとって行われる．このような国際調査報告が識別した公知特許文献の集合と，そのPCT出願から国内移行後に各国の特許庁（選択官庁）の審査によって付された引用文献の和集合を，引用された特許の国際特許ファミリーを単位として比較している．

研究の結果

Wada（2015）は，日米欧の三極すべてに移行されたPCT出願に対して，日米欧各国の審査官引用先の和集合の1つ1つが，ISR引用に含まれていたか，という変数を被説明変数にとった，計量経済分析を行った．この結果，被引用発明と引用発明の地理的距離が近いほど，ISRがカバーしている文献の割合は高くなる傾向が判明した．また，日米欧の三極の特許庁の間でそのISRにおける発見確率を比較すると，欧州は日本に比べて平均的に高く，日本は米国よりも平均的に高い傾向がみられた（ただし，この平均水準の差については，分割・継続出願等の各極の国内手続きの差異が与える影響についてさらに精査を要する）．これらの結果は，各国の特許庁が，公知文献であっても，外国の文献の場合はサーチが困難であることを示している．

研究の含意

以上の結果は，三極特許庁など各国特許庁が協力することで，先行技術文献のサーチの効率性を高めることができることを示唆している．各国の特許庁がそれぞれの国のローカルな先行技術におけるサーチで優位性を持っているからである．したがって，Wada（2015）は，各国の特許庁のサーチ結果の相互利用は世界公知による特許審査に重要であり，また同時に，先行して行われた他国の審査結果に頼りすぎることは危険であると指摘している．

8 おわりに

　以下では，研究の政策含意を中心に結論を述べる．

　第1に，研究開発の最大のインプットは知識自体であり，日本産業の研究開発の質を高めていく上で，重要な課題の1つは，日本企業のサイエンス活用能力を高めることである．米国の発明者と比較すると，日本の発明者は，研究の知識源として，科学技術文献より特許文献，また大学より競合企業を重要と考えている頻度がより高い．論文博士制度の再導入，社会人博士プログラムの強化，並びに研究と教育の両方を射程に入れた産学連携の強化が重要であろう．企業研究者による学会への参加，論文の公刊等の低下が近年指摘されているが，学会活動等は産学連携の重要な契機ともなっており，企業も長期的な視点でサイエンス吸収能力への投資を行うことが重要であろう．

　大学及び国公立研究機関との連携は，日本産業のサイエンス吸収能力を高める上で，重要な役割を果たせると考えられる．連携する組織間で知識と人的資源を同時に組み合わせることができる共同研究は，その重要な手段であり，本章で紹介した後藤晃のチームによる研究も共同研究の重要性を支持している．産総研，理研等の公的研究機関は，大学では実施が困難な組織的な基礎研究や産業界を先導する応用研究への取り組み，研究機器・研究試料等の研究インフラの整備などが期待されている．研究機器・研究試料は日本の産業界の研究開発から見ても文献と同じ頻度で，また産学連携より大幅に高い頻度で重要であり，その整備への取り組みは重要である．

　第2に，研究開発へのインセンティブ設計の合理的な設計である．個別の職務発明ごとに「相当の対価」を企業が発明者に支払うことを強制していた特許法35条が大幅に改正されることとなった．これを受けて，各企業が発明者へのインセンティブ制度を設計する自由度は高まる．本章で示した研究によれば，オーナー発明者（自営業者の発明者）であっても，発明への動機として，内発的な動機あるいはタースク・モチベーションが最も重要であり，職務発明者では，それはより重要である．また，金銭的な実績報酬は，成果が出にくい探索的でハイリスク・ハイリターンの研究から，容易に成果が上がる実用的な研究に，発明者のプロジェクト選択をシフトさせる危険もある．したがって，企業

と発明者の間のリスクの効率的な負担，昇進・昇格など長期的で総合的な評価に基づく処遇，研究予算や研究環境の改善など発明者の内発的な動機を歪めない処遇等を活用することが重要であろう．企業の中の権限の配分や人事も，プロジェクトの提案インセンティブに重大な影響を与える．伊藤秀史が指摘するように，企業が実施するプロジェクトのタイプに整合的な，権限委譲と人事政策が重要である．

第3に，企業が行う研究プロジェクトにも大きな波及効果があり，同時に資金制約にも直面している研究は少なくなく，政府の研究開発補助政策は，支援対象プロジェクトを適切にターゲットできれば大きな効果をもたらす可能性がある．日本の研究開発補助制度はスピルオーバーの発生条件と，リスク資金による制約の有無（付加効果）の条件と，全体的には整合している．ただし，企業の研究開発集約度の高さや博士号所有者の研究プロジェクトへの参加はスピルオーバーの観点からはより高く評価されるべきである可能性もある．研究支援制度の設計に生かせるように，研究の深化が望まれる．

第4に，技術スタートアップと技術市場の発展を通した多様なイノベーションの機会の追求である．起業に直結する発明者の移動に限定すると研究者の移動性の日米差は大幅に縮まるが，それでも，米国とドイツと日本で起業を理由とした発明者の移動（当該発明より以前5年間）は4.7%，1.9%そして0.7%と大きな差がある．日本の発明者で起業のために組織間を移動した発明者は，他の発明者と比較して，大幅にリスク回避度が低いあるいはリスク愛好的である．したがって，起業への非常に重要な制約はリスクであり，起業へのリスクを低下させるためのエンジェルやVCの強化，さらにその出口としてIPOに加えてスタートアップを買収する市場の発展が重要である．また，元橋一之が主査である研究プロジェクトで実施したオリジナルなサーベイによれば，起業にはジェネラリストが向いているという仮説（Lazear, 2004; 2005）は日本の起業家にも起業については成立する．このような観点からの起業家教育の充実が，起業家の養成には重要である．同時に起業を成功させるにはビジネスに関する専門的な知識の習得が重要であることも示されており，企業からのスピンアウトがこの点では重要である．

共同研究開発，ライセンス，企業のM&A等を含む技術市場の発達による

イノベーションの分業の効率的な推進が重要である．元橋一之のサーベイによれば，ほぼ半数の日本企業が新商品開発に当たって外部から技術を獲得しており，また顧客やサプライヤーからの技術獲得が重要であることが明らかになった．発明者サーベイの結果と合わせると，米国との差が大きいのは，むしろ企業の M&A，特許権自体の譲渡取引であり，これらの今後の発展が重要であろう．

第5に，発明者サーベイによれば，標準に依拠した発明の割合は日米独各国で発明全体の約2割と高く，標準は幅広い技術分野でイノベーションに大きな役割を果たしている．このことは標準自体の革新が，イノベーションの加速に重要であることも含意している．また，日本の発明者は欧米と比較して標準化活動への参加比率は大幅に低く，標準の形成に影響力のある研究開発の実施と標準化活動への積極的な関与が重要である．パテント・プールはその後のイノベーションを阻害するという見解もあるが，標準合意とプールの結成のタイミングの差及び標準間競争を反映させた実証研究によれば，DVD の標準合意もそのパテント・プールの結成も，ライセンサーやライセンシーによる次世代標準の研究開発や DVD 自体の研究開発を促すことが明らかになった．DVD のプールは，当該標準の必須特許の一括ライセンスにその業務が限定されていること，競争に影響がある情報交換は制限されていること，RAND ライセンスの遵守などを行っており，これらの規律によって競争メカニズムが機能していることがその重要な要因だと考えられる．

第6に，日本の発明者の場合，国境を越えた共同発明も国内の外国籍の発明者との共同発明も，頻度が非常に低くまた増加への傾向も小さい．内外の研究者の交流の強化，国際的な共同研究の推進，また，日本人研究者の英語力強化を含め，国際共同研究を経営することが可能な人材育成が重要である．

第7に，科学的知識の早期普及とその成果の商業化のための特許保護との両立のために，グレース・ピリオドは重要である．出願者の自発的な選択によってグレース・ピリオドは利用されるのみであるが，それによって，第三者への知識スピルオーバーが有意に促進する効果があるので，グレース・ピリオド制度は，イノベーションを促進する制度だと結論づけることができる．他方で，欧州がグレース・ピリオドを採用していない中，外国へ出願する機会の拡大に

よって，グレース・ピリオド利用は近年，日本では抑制されているので，グローバルな導入の重要性が高まっている．また，世界公知による基準で特許の審査がされ，また発明者がグローバルなスケールで重複的な研究開発を防ぐことができることが重要であるが，現時点では日米欧の審査官の間でもローカルな情報が存在する．世界公知基準による特許制度の構築を目指して特許庁間の協力とインフラ整備を進めることが重要である．

参照文献

Aghion, Philippe and Jean Tirol (1997), "Formal and Real Authority in Organizations," *The Journal of Political Economy*, 105(1): 1-29.

Aoki, Reiko and Yasuhiro Arai (2015), "Evolution of Standards and Innovation," RIETI Discussion Paper Series 15-E-136.

Arora, Ashish, Sharon Belenzon and Andrea Patacconi (2015), "Killing the Golden Goose? The Decline of Science in Corporate R&D," NBER Working Paper 20902.

Arora, Ashish, Wesley M. Cohen and John P. Walsh (2014), "The Acquisition, and Commercialization of Invention in American Manufacturing: Incidence and Impact," NBER Working Paper 20264.

Åstebro, Thomas and Peter Thompson (2011), "Entrepreneurs, Jacks of All Trades or Hobos?" *Research Policy*, 40: 637-649.

Azoulay, P., J. S. G. Zivin and G. Manso (2011), "Incentives and Creativity: Evidence from the Academic Life Sciences," *RAND Journal of Economics*, 42(3): 527-554.

Ederer, F. and G. Manso (2013), "Is Pay for Performance Detrimental to Innovation?" *Management Science*, 59(7): 1496-1513.

Franzoni, Chiara and Giuseppe Scellato (2010), "The Grace Period in International Patent Law and its Effect on the Timing of Disclosure," *Research Policy*, 39: 200-213.

Geuna, Aldo and Lionel J. J. Nesta (2006), "University Patenting and its Effects on Academic Research: The Emerging European Evidence," *Research Policy*, 35: 790-807.

Holmstrom, B. (1989), "Agency Costs and Innovation," *Journal of Economic Behavior and Organization*, 12: 305-327.

Itoh, Hideshi (2015), "Organizing for Change: Preference diversity, Effort Incentives, and Separation of Decision and Execution," RIETI Discussion Paper Series 15-E-082.

Jensen, R. and M. Thursby (2001), "Proofs and Prototypes for Sale: The Tale of

University Licensing," *American Economic Review*, 91(1): 240–259.

Jones, F. B. (2009), "The Burden of Knowledge and the 'Death of the Renaissance Man': Is Innovation Getting Harder?" *Review of Economic Studies*, 76: 283–317.

Kani, Masayo and Kazuyuki Motohashi (2013), "Determinants of Demand for Technology in Relationship with Complementary Assets in Japanese Firms," RIETI Discussion Paper Series 13-E-033.

Klepper, S. and P. Thompson (2010), "Disagreements and Intra-Industry Spinoffs," *International Journal of Industrial Organization*, 28: 526–538.

Lambert, R. A. (1986), "Executive Effort and Selection of Risky Projects," *RAND Journal of Economics*, 17(1): 77–88.

Landier, Augustin and David Thesmar (2009), "Financial Contracting with Optimistic Entrepreneurs," *Review of Financial Studies*, 22(1): 117–150.

Lazear, E. (2004), "Balanced Skills and Entrepreneurship," *American Economic Review*, 94(2): 208–211.

Lazear, E. (2005), "Entrepreneurship," *Journal of Labor Economics*, 23(4): 649–680.

Manso, G. (2011), "Motivating Innovation," *The Journal of Finance*, 66(5): 1823–1860.

Nagaoka, Sadao and Yoichiro Nishimura (2014), "Complementarity, Fragmentation and the Effects of Patent Thicket," RIETI Discussion Paper Series 14-E-001.

Nagaoka, Sadao and Yoichiro Nishimura (2015), "Use of Grace Period and its Impact on Knowledge Flow: Evidence from Japan," RIETI Discussion Paper Series 15-E-072.

Onishi, Koichiro and Sadao Nagaoka (2014), "How do PhDs Contribute to Life-Cycle Inventive Productivity?: Evidence from Japanese Industrial Inventors," mimeo (based on "Life-Cycle Productivity of Industrial Inventors: Education and Other Determinants," 2012, RIETI Discussion Paper Series 12-E-059).

Onishi, Koichiro, Hideo Owan and Sadao Nagaoka (2015), "Monetary Incentives for Corporate Inventors: Intrinsic Motivation, Project Selection and Inventive Performance," RIETI Discussion Paper Series 15-E-071.

Shimbo, Tomoyuki, Sadao Nagaoka and Naotoshi Tsukada (2015), "Dynamic Effects of Patent Pools: Evidence from Inter-Generational Competition in Optical Disk Industry," RIETI Discussion Paper Series 15-E-132.

Suzuki, Jun, Naotoshi Tsukada and Goto Akira (2014), "Innovation and Public Research Institutes: Cases of AIST, RIKEN and Jaxa," RIETI Discussion Paper Series 14-E-021.

Tsukada, Naotoshi and Sadao Nagaoka (2015), "Determinants of International

Research Collaboration: Evidence from International Co-Inventions in Asia and Major OECD Countries," *Asian Economic Policy Review*, 10(1): 96–119.
van Pottelsberghe de la Potterie, Bruno, and Matthis de Saint-Georges (2011), "A quality index for patent systems," CEPR Discussion Paper 8440.
Wada, Tetsuo (2015), "Cognitive Distances in Prior Art Search by the Triadic Patent Offices: Empirical Evidence from International Search Reports," RIETI Discussion Paper Series 15-E-096.
Walsh, John and Sadao Nagaoka (2009), "How "open" is Innovation in the US and Japan?: Evidence from the RIETI-Georgia Tech Inventor Survey," RIETI Discussion Paper Series 09-E-022.
Zucker, G. Z., M. R. Darby and M. B. Brewer (1998), "Intellectual Human Capital and the Birth of U. S. Biotechnology Enterprises," *American Economic Review*, 88(1): 209–306.

小池和男(1994),『日本の雇用システム:その普遍性と強み』東洋経済新報社.
長岡貞男・大湾秀雄・大西宏一郎(2014),「発明者へのインセンティブ設計:理論と実証」RIETI Discussion Paper Series 14-J-044.
長岡貞男・塚田尚稔(2011),「研究開発のスピルオーバー,リスクと公的支援のターゲット」RIETI Discussion Paper Series 11-J-044.
長岡貞男・塚田尚稔・大西宏一郎・西村陽一郎(2012),「発明者から見た2000年代初頭の日本のイノベーション過程:イノベーション力強化への課題」RIETI Discussion Paper Series 12-J-033.
長岡貞男・西村淳一・源田浩一(2015),「探索研究とサイエンス:医薬イノベーションの科学的源泉とその経済効果に関する調査(1)」医療産業政策研究所リサーチペーパー・シリーズ,66.
長岡貞男・山内勇(2014),「発明の科学的源泉:発明者サーベイからの知見」RIETI Discussion Paper Series 14-J-038.
馬場遼太・元橋一之(2013),「起業活動と人的資本:RIETI起業家アンケート調査を用いた実証研究」RIETI Discussion Paper Series 13-J-016.

第5章
生産性・産業構造と日本の成長

深尾 京司

要　旨

　本章では、経済産業研究所（RIETI）の「産業・企業生産性プログラム」の活動を簡単に紹介した上で、その代表的な3つの成果について報告した。

　第2節では、日本がなぜ情報通信技術（ICT）革命に出遅れたかについて、企業ミクロデータを用いた実証結果に基づいて考察した。その結果、規模の小さい企業や若い企業ほど、ICT投入が最適水準より過小な水準に止まっており、何らかの制約に直面している可能性が高いことが分かった。この原因としては、これらの企業では、社内にICT担当部署をフルセットで持つことが困難なため、ICTに関するBPO（ビジネス・プロセス・アウトソーシング）の利用機会が重要であると考えられるが、日本ではBPO市場が未成熟な状態にあることが指摘できる。

　戦後の日本では地域間の労働生産性格差が大幅に縮小した。第3節前半では、1970年から2008年の時期について、R-JIPデータベースを用いてサプライサイドの視点から、労働生産性格差縮小の原因を調べた。第3節後半では、秋田県、島根県など、他県に先駆けて人口高齢化が進んでいる地域をそれ以外の地域と比較することによって、高齢化県で労働生産性が低いのはなぜかについて分析した。その結果、高齢化県では1950年代から全要素生産性（TFP）が低いために若年人口が流出し、低いTFPが現在も続いているために、現在も労働生産性が低いとの結果を得た。東京等他の都道府県でも今後急速な高齢化が進むが、高齢化がTFP下落をもたらす可能性について、心配する必要はないと考えられる。

　最後に第4節では、「産業・企業生産性プログラム」が日本と中国に関するデータを提供している世界投入産出データベース（WIOD）を使って、中国における最終需要の成長率減速と、最終需要構成の投資から消費への転換が、日米独に与える影響を分析し

た．その結果，日本とドイツは中国へ投資財を主に輸出しているため，中国における最終需要成長率の低下よりも投資から消費への転換の方が，国内雇用の著しい減少を経験すること，これに対して消費財を主に輸出している米国の雇用は，中国における最終需要構成の投資から消費への転換ではあまり減らないことが分かった．

1 はじめに

日本では1990年代以降，技術革新や生産効率上昇の指標である全要素生産性（Total Factor Productivity，以下TFPと略記する）の上昇率が大幅に低下した．図5-1は，成長会計の手法により日本の経済成長をサプライサイドの視点から要因分解した結果だが，1990年代以降，総労働時間の減少と資本投入増加の減速に加え，TFP上昇率の低下が経済成長を大きく引き下げてきたことが分かる．

標準的な新古典派経済成長理論によれば，日本のような先進国では，資本蓄積のスピードはTFP上昇率と総労働時間の増加率に左右され，両者が高くなるほど速くなる．つまり，1990年以降の資本投入増加の寄与の低下はかなりの程度，TFP上昇率の低下で説明できることになる[1]．このことは，今後長期にわたって生産年齢人口が毎年1％弱減少すると予想される日本にとって，TFP上昇の引き上げが，働くことを希望する女性労働者や退職後の労働者の活用と並んで，経済成長を維持する上で必須であることを意味する．

このような問題意識から，経済産業研究所（RIETI）の「産業・企業生産性向上プログラム」では，TFPの計測とTFP向上策に関する研究を進めてきた．本章では，このプログラムの成果を幾つか紹介する．

「産業・企業生産性向上プログラム」には，いくつかの特徴がある．

第1に，マクロ経済全体のTFP上昇は，産業レベルや都道府県レベルのTFP上昇に分解できること，同様に産業レベルのTFP上昇も産業内の企業や事業所のTFP上昇に分解できることを利用して，日本のTFPの動向を産

---

[1] 詳しい計算過程は略すが（詳しくは深尾（2012）を参照），1970～90年から1990～2012年にかけての資本投入増加の寄与の減少のうち約半分はTFP上昇率の低下で，残り約半分は総労働時間の減少で説明できる．

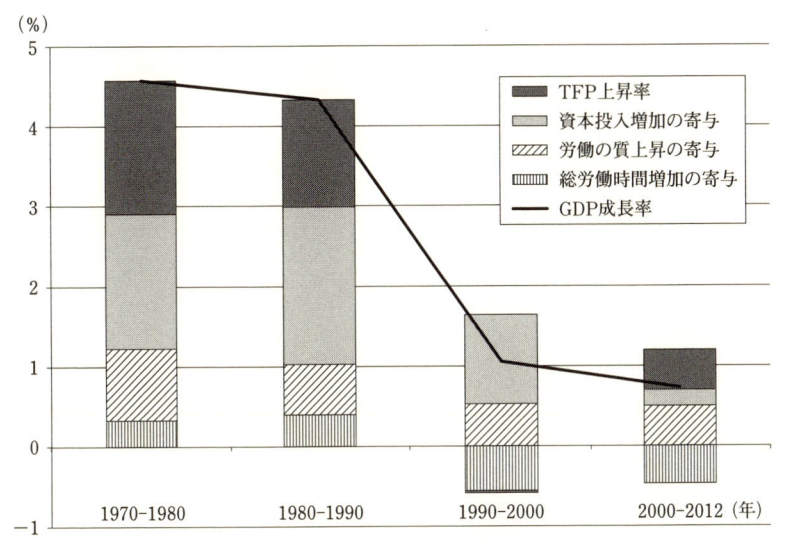

図 5-1 サプライサイドから見た日本の経済成長の要因分解（年率，％）
出典：経済産業研究所・一橋大学「JIP データベース 2015 暫定版」．

業・地域や企業・事業所の生産性の視点から理解するように努めている．

　第2に，このような分析のため，政府統計ミクロデータを活用すると同時に，一橋大学や学習院大学と連携しながら，産業・地域レベルのデータベースを構築・更新してきた．代表的なデータベースとしては，経済全体をカバーする108の産業別に生産要素投入やTFP・労働生産性が計測できる日本産業生産性データベース（Japan Industrial Productivity Database，略称 JIP）や，同じく都道府県別・産業別に生産性分析が可能な都道府県別産業生産性データベース（Regional-Level Japan Industrial Productivity Database 2014　略称 R-JIP），中国に関して JIP と同様の分析を可能にする中国産業生産性データベース（China Industrial Productivity Database，略称 CIP）がある．

　プログラムの第3の特徴として，海外のプロジェクトや国際機関と協力して，データベース作成や研究を進め，日本のデータを海外に提供することにより，日本と海外の国際比較を可能にしたことが挙げられる．海外の連携プロジェクトとしては，欧州委員会の過去および現在の3つの研究プロジェクト（産業レベルの生産性国際比較をめざす EU KLEMS（KLEMS とは TFP を計算する

ために必要な生産要素投入等に関する質の高いデータを指す）プロジェクト，世界投入産出データベース（World Input-Output Database, 略称 WIOD）プロジェクト，公的部門の無形資産投資に関する SPINTAN（Smart Public Intangible Investment, 略称 SPINTAN）プロジェクト），ハーバード大学を中心とした World KLEMS プロジェクト，日本と韓国が主導してきた Asia KLEMS プロジェクト等がある．JIP データベース等に基づく国際比較分析の成果は，2015 年だけでも，『通商白書』，『労働白書』，『科学技術白書』，等で引用されている．

本章では，このプログラムの特徴を活用した，3 つの研究成果を報告することにしよう．

まず第 2 節では，日本がなぜ情報通信技術（ICT）革命に出遅れたかについて検討する．1990 年代後半以降の米国では，電機・通信など ICT 財・サービスを生産する産業だけでなく，商業・電機以外の製造業など，ICT 財・サービスを集約的に投入する産業でも，TFP が大幅に上昇した．しかし日本では，このような ICT 利用産業における TFP 上昇は起きなかった[2]．第 2 節では，この問題について，産業レベルの国際比較データや企業活動基本調査個票データを用いて行った研究結果を報告する．

次に第 3 節では，地域間の生産性格差と高齢化の問題について分析する．徳井他（2013）で示したように，戦後の日本では地域間の労働生産性格差が大幅に縮小した．第 3 節では，まず 1970 年から 2008 年の時期について，R-JIP データベースを用いてサプライサイドの視点から，労働生産性格差縮小の原因を調べる．次に秋田県，島根県など，他県に先駆けて人口高齢化が進んでいる地域をそれ以外の地域と比較することによって，高齢化県で労働生産性が低いのはなぜかについて分析してみる．

第 4 節では，本プログラムが日本や中国のデータを提供している WIOD を用いて，グローバル・ヴァリュー・チェーンに関する分析を行う．

日本は 1990 年代以降，長期にわたって総需要の不足に悩まされてきた．図 5-2 には，実際の GDP と内閣府が推計した潜在 GDP（経済の過去のトレンド

---

[2] Basu et al. (2003) によれば，1995〜2003 年における米国全体の TFP 上昇のうち 70% 以上は，卸・小売業で生じたという．

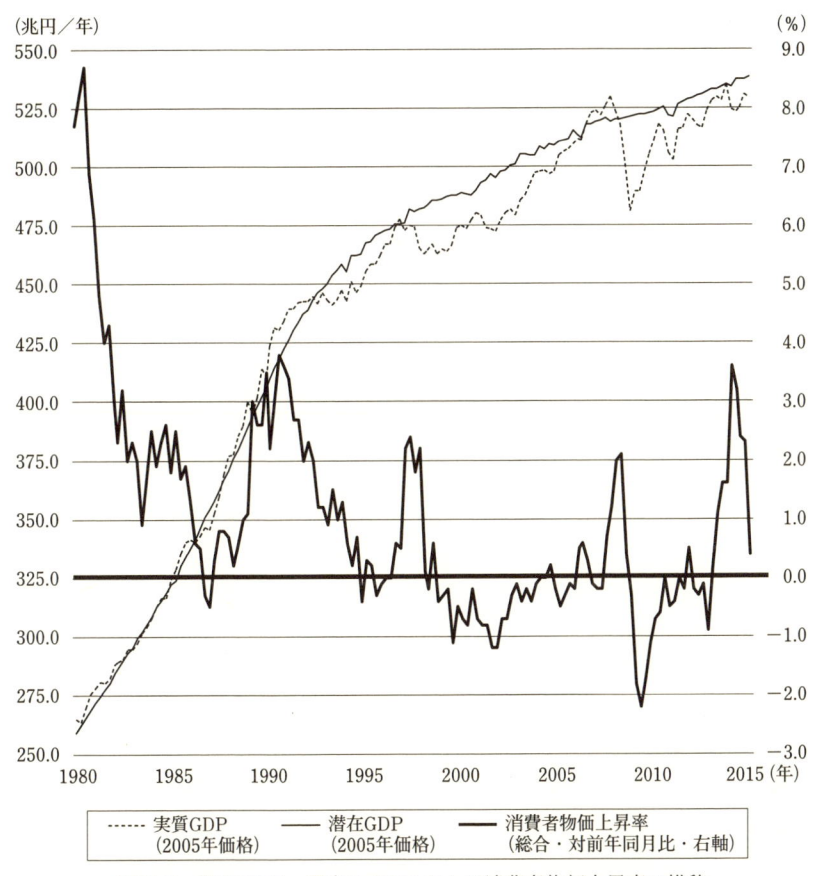

図 5-2　潜在 GDP，現実の GDP および消費者物価上昇率の推移
注：毎年1〜3月の数値．
出典：内閣府『国民経済計算統計』，内閣府『今週の指標』各号，総務省『消費者物価統計』．

からみて平均的な水準で生産要素を投入した時に実現可能な GDP），および消費者物価上昇率の推移が示してある．図 5-2 からは，1990 年頃を境に，図 5-1 で既に見た資本蓄積や TFP 上昇率の減速，労働投入の減少によって，日本の潜在 GDP の動向が大きく下方に屈折したことが分かる．また，総需要の不足によって，実際の GDP は潜在 GDP を大きく下回る時期があった．特に，1998 年の金融危機後や 2008 年のリーマン・ショック後には，GDP ギャップ（（実際の GDP－潜在 GDP）／潜在 GDP）は，それぞれ約 −5%，−8% に達

177

した.

　最近では，アベノミクスや米国の景気回復による円安，株高等により，2014年初めにはほぼゼロになったが，2014年4月の消費税率引き上げや中国を初めとする途上国の成長鈍化により，総需要が低迷し，2015年4～6月期にはGDPギャップが－1.7％にまで拡大している.

　おそらく，現在の日本経済が直面している最大の不確実性の1つは，中国経済の減速による輸出の大幅停滞の可能性であろう．日本は，高度な部品や素材を東アジア諸国等にも輸出し，それが投入された製品が中国にも輸出されているため，中国減速の日本への影響は，このようなグローバル・ヴァリュー・チェーン全体の縮小によっても生じる.

　第4節で説明するように，中国の高成長維持のためには，単に総需要の成長を回復させるだけでなく，投資主導や輸出主導に代わる，家計消費を中心とした内需主導成長への移行が欠かせない．しかし，日本は中国に対して投資財を主に輸出しているため，このような中国の経済改革は，日本経済にマイナスに作用する可能性がある.

　これらの問題を分析するには，詳細な産業レベルでグローバル・ヴァリュー・チェーンの現状と需要ショックの影響を分析できる，WIODのような国際産業連関表が役に立つ．そこで第4節では，WIODプロジェクトのデータを用いて，中国の成長減速と構造改革が日本経済に与える影響を試算する.

　最後に第5節では，本章で得られた主な結果を要約する.

2　日本はなぜICT革命に出遅れたか

　米国では1990年代の中盤から2000年代の前半にかけて，TFPが急激に上昇したのに対し，日本では1991年以降TFP上昇が顕著に減速した．この時期の日米のTFP上昇率の格差をもたらした大きな要因の1つは，日本がICT革命に乗り遅れたことにあると考えられる．それでは，なぜ，日本はICT革命が起きなかったのか．その疑問への1つの解答として，日本では，特に，流通業などICTを利用する産業においては，十分にICTへの投資が行われなかったことが挙げられる．

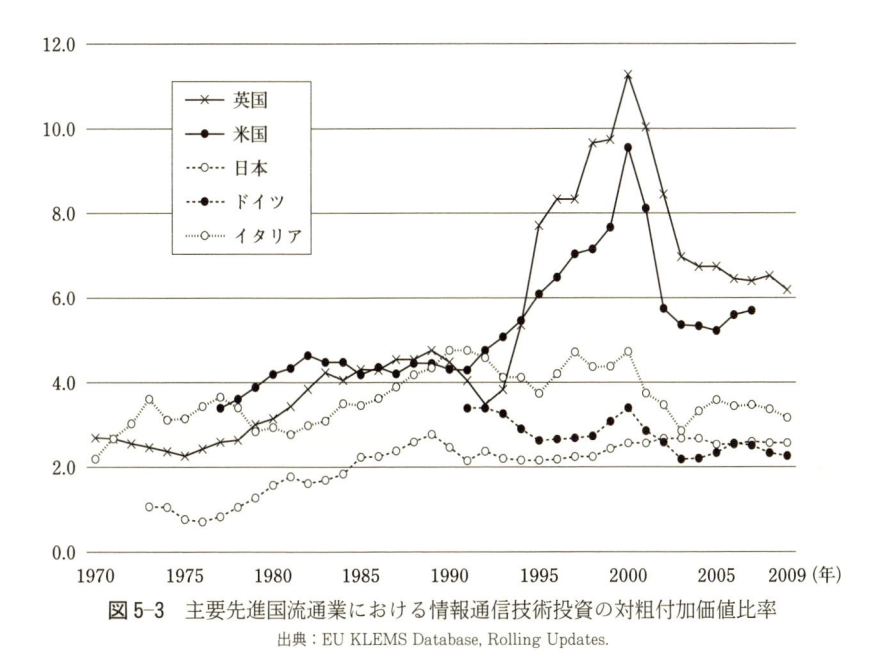

図5-3 主要先進国流通業における情報通信技術投資の対粗付加価値比率
出典：EU KLEMS Database, Rolling Updates.

　こうした状況を踏まえ，Fukao, Ikeuchi, Kim, and Kwon（2015）では，日本ではなぜICT投資が低調だったのか，その理由を明らかにするため，企業レベルのミクロデータを用いて分析を行った．以下ではその主な結果を紹介しよう．

　海外の先行研究において，企業規模と社齢がICT投資と密接に関係していることが明らかになっているため，この論文では，これら企業規模と社齢の効果に注目して分析を行った．なお，それらの先行研究によれば，規模の大きい企業や若い企業ほどICTを採用しやすいことがわかっているが，日本では，規模の小さい企業や社齢の高い企業が経済に占める割合が諸外国に比べて高いことが知られている．そのため，日本のデータを用いて，企業の規模と社齢がICT投資とどのように関係していたかを調べることが，1990年代以降に日本においてICT投資が低調であった原因の究明に向けた第一歩であると考えられる．

　Fukao, Ikeuchi, Kim, and Kwon（2015）では，日本の企業レベルのミクロ

表 5-1 企業規模とICT集約度

企業規模グループ	企業数	従業者数（人）中央値	従業者数（人）平均値	ICT集約度（%）中央値	ICT集約度（%）平均値
第1グループ（最大規模）	5,935	3,565	1,783	6.6	3.8
第2グループ	6,070	584	472	5.7	2.8
第3グループ	5,985	242	201	5.4	2.2
第4グループ（最小規模）	6,175	103	89	5.0	1.9
全体	24,165	1,108	307	5.7	2.6

表 5-2 社齢とICT集約度

社齢グループ	企業数	社齢（年）中央値	社齢（年）平均値	ICT集約度（%）中央値	ICT集約度（%）平均値
第1グループ（最も社齢が高い）	5,480	65	62	6.2	3.3
第2グループ	6,163	49	51	5.4	2.7
第3グループ	6,136	39	40	5.3	2.3
第4グループ（最も社齢が若い）	6,346	22	22	5.8	2.2
全体	24,125	43	44	5.7	2.6

データを用いて分析を行った．主なデータソースは「企業活動基本調査」（経済産業省）と「情報処理実態調査」（経済産業省）であり，1995年から2007年までのそれぞれの調査の企業レベルの個票データを結合して分析に用いた．サンプルサイズは約2万2000（企業×年）である．本研究では，「情報処理実態調査」で調査されたデータを利用することにより，各企業が毎年の生産活動に用いている「ICT投入額」を測定し，これを粗付加価値額で除することによって「ICT集約度」を定義して分析に用いた．

分析によって得られた主な発見は，以下の3点である．

第1に，企業を規模および社齢に基づいてグループに分けICT集約度を比較すると，大企業ほどICTの活用が多いが，社齢とICTの活用の関係は明らかではない．企業規模と社齢の違いとICT集約度との関係を確認し，企業規模が大きいほどICT集約度（＝ICT投入額÷粗付加価値額）が高い傾向があった（表5-1）．一方，社齢とICT集約度の間には線形の関係性は見られなかった（表5-2）．

第2に，産業特性についてコントロールした上で生産関数を推計し，規模や

社齢で生産関数のパラメーターがどのように異なるかを調べると，大企業や若い企業ほどICT集約的な技術を選んでいる．企業規模と社齢の違いの効果を取り入れた生産関数を推定し，規模が大きい企業や若い企業ほどICT投入の係数が大きいことがわかった．つまり，企業規模と社齢によって生産関数が異なっている．

第3に，上記生産関数の推定結果を用いて，各企業のICTの限界生産力を計算し，企業規模と社齢の異なる企業間で比較したところ，規模の小さい企業や若い企業ほどICTの限界生産力が高いことがわかった．つまり，規模の小さい企業や若い企業ほど，ICT投入が最適水準よりも明らかに過少な水準にとどまっており，何らかの制約に直面している可能性が高い．

それでは，なぜ，規模の小さい企業や若い企業ではICT投入が最適水準よりも過少になっているのだろうか．日本企業におけるICTの活用を妨げている障壁としては，次の点が指摘できよう．まず，小規模企業や若い企業ほど，社内にICT担当部署をフルセットで持つことが困難なため，BPO（ビジネス・プロセス・アウトソーシング）の利用機会が重要であると考えられるが，日本ではBPO市場が極めて未成熟な状態にある．また，これらの企業ほど，ICT専門家の確保が困難と考えられるが，日本では米国と比較してICT専門家が大幅に不足している．また，規模の小さい企業や若い企業が直面する資金制約やICTへの理解（ICTリテラシー）不足もICTの活用を妨げている可能性がある．

また，日本において，規模の小さい企業のみならず，大企業を含む多くの企業でも，平均してみると諸外国と比較してICT集約度が低い原因としては，以下の点が指摘できよう．ICTの導入にともなって仕事を合理化し，労働者を解雇する場合の費用が高いこと，米国などと比べて通信費などICTに関する費用が高いこと，ICTの役割が単に費用削減のツールとして認識されており，ビジネス・モデル変革のツールとして認識されていないこと，組織構造の変革や雇用の調整を避けるため，パッケージ・ソフトよりもカスタム・ソフトウェアを選択する傾向にあること，および，無形資産投資が停滞していることである．

以上の分析結果から，導かれる政策的含意としては次の6点が挙げられる．

(1) 政府がBPOベンダーの認可システムやBPOベンダーの能力をあらわす客観的な指標を導入し，BPOサービスの市場を整備することによって，生産性の高いBPOベンダーの育生とICTサービスのアウトソーシング活性化を進めるべきである．
(2) 大学などでのICTの専門的な教育・訓練を強化したり，海外からのICT専門家の移住に関する規制を緩和したりすることで，ICTの専門家の不足を解消すべきである．
(3) ICTサービスとICTのハードとソフトウェアの市場の競争を活性化するとともに，ICTサービスの国際取引を奨励し，ICT投入の価格を下げることが必要である．
(4) ICTリテラシーの問題を解決するために，特に中小企業を対象として，政府がICTに関連する新しい技術やICTの利活用に関するベスト・プラクティスを紹介するようなキャンペーンを行うことも有効であろう．
(5) 資金制約の緩和のために，ICT投資に関する資金調達を支援する仕組みを設けるべきである．
(6) ICTの活用を促進するためには，ICTに関連する市場やICTの活用方法を変革するだけでなく，日本の幅広い経済システム（たとえば，柔軟性のない労働市場や活発でない企業の新陳代謝のメカニズム）を変革することも重要である．

3 高齢化・地域間生産性格差と産業構造

本節ではまず前半で，1955～2008年を対象として，都道府県別のマクロレベル（全産業計）付加価値と生産要素投入（資本（公共財的な性格が強い一般道路，堤防など狭義の社会資本を除く），総労働時間，労働の質）データベースを利用し，クロスセクションの生産性比較（レベル会計分析）手法を主に使って，戦後の都道府県間労働生産性格差収束の原因を探ってみる．次に後半では，このデータベースを使って，高齢化県で何が起きているのかを分析する[3]．
図5-4は，1955年におけるレベル会計の結果である．当時，労働生産性が

最も高かったのは東京都であり，その労働生産性は全国平均を 72.1% 上回っていた．一方，労働生産性が最も低い鹿児島県では，労働生産性は全国平均を 41.2% 下回った．両者の格差は 113% であった．格差のうち 73% ポイントは，TFP の差に起因していた．図 5-4 から分かるとおり，資本・労働比率も豊かな県ほど高い傾向があり，TFP ほどではないが，労働生産性格差の大きな原因となっていた．また，労働の質も豊かな県ほどやや高い傾向があり，労働生産性格差の一因となっていたが，その寄与は他の 2 要因より格段に小さかった．

次に，2008 年におけるレベル会計の結果（図 5-5）を見ると，トップの県（東京，42.6%）とボトムの県（長崎，−25.1%）との格差は 68% と，1955 年より格段に小さくなった．このうち TFP の差に起因するのは 45% ポイントで，これも 1955 年より格段に小さくなった．

資本・労働比率の寄与を見ると，2008 年の状況は 1955 年と大きく異なっている．2008 年には，労働生産性が全国平均より高い，東京や大阪を含む多くの県で，資本・労働比率の労働生産性格差への寄与はマイナスになった．労働生産性格差の源泉としての資本労働比率の役割は，1955 年より格段に小さくなった．一方，労働の質は，1955 年とほぼ同様に，寄与は小さいものの労働生産性格差の原因であり続けた．

時期別に労働生産性格差の源泉の動向を見ると，1955〜70 年にかけて TFP 格差が大幅に縮小し，また 1970 年以降は資本・労働比率格差が著しく縮小した．一方，労働の質の格差は 1970 年まではほとんど変わらず，それ以降は格差がやや拡大した．

Fukao, Makino, and Tokui（2015）はまた，資本・労働比率と TFP の地域間格差縮小の原因についても調べた．その結果，労働生産性が高い地域では

---

3) 本節前半の分析は Fukao, Makino, and Tokui（2015）および Fukao et al.（2015），後半は Fukao and Makino（2015）に基づく．なお，Fukao, Makino, and Tokui（2015）の研究のため，経済産業研究所の「地域別・産業別データベースの拡充と分析：地方創生のための基礎データ整備」プロジェクトは，一橋大学と共同で新しいデータベース，「都道府県別マクロ労働生産性格差，成長会計分析用データ」を作成した．これは，都道府県産業生産性データベース 2014（R-JIP 2014）のウェブページにおいて公表済みである．また Fukao and Makino（2015）では，一橋大学経済研究所が構築した都道府県別長期経済統計データベース（R-LTES 2015：明治初期からの産業別労働生産性や人口移動が計測できる）も利用した．このデータも近日中に公開予定である．

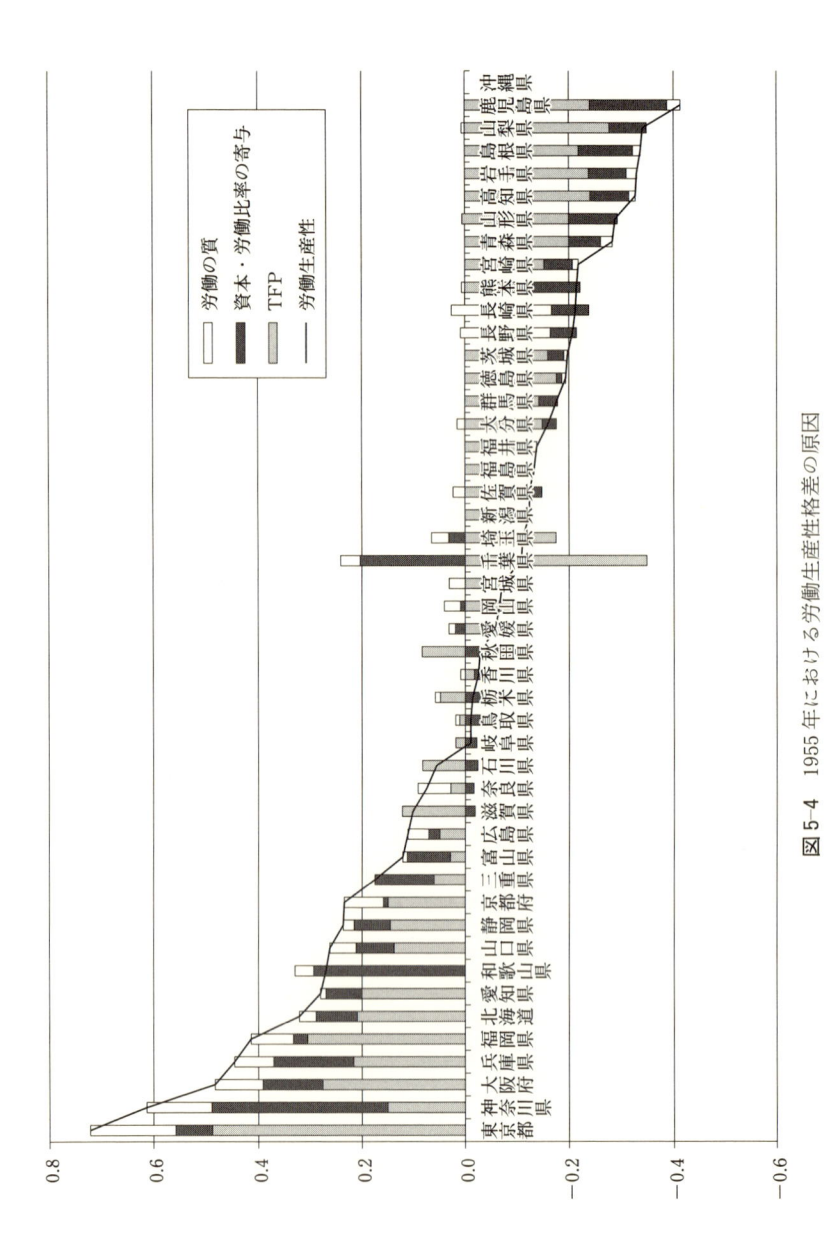

図 5-4　1955 年における労働生産性格差の原因

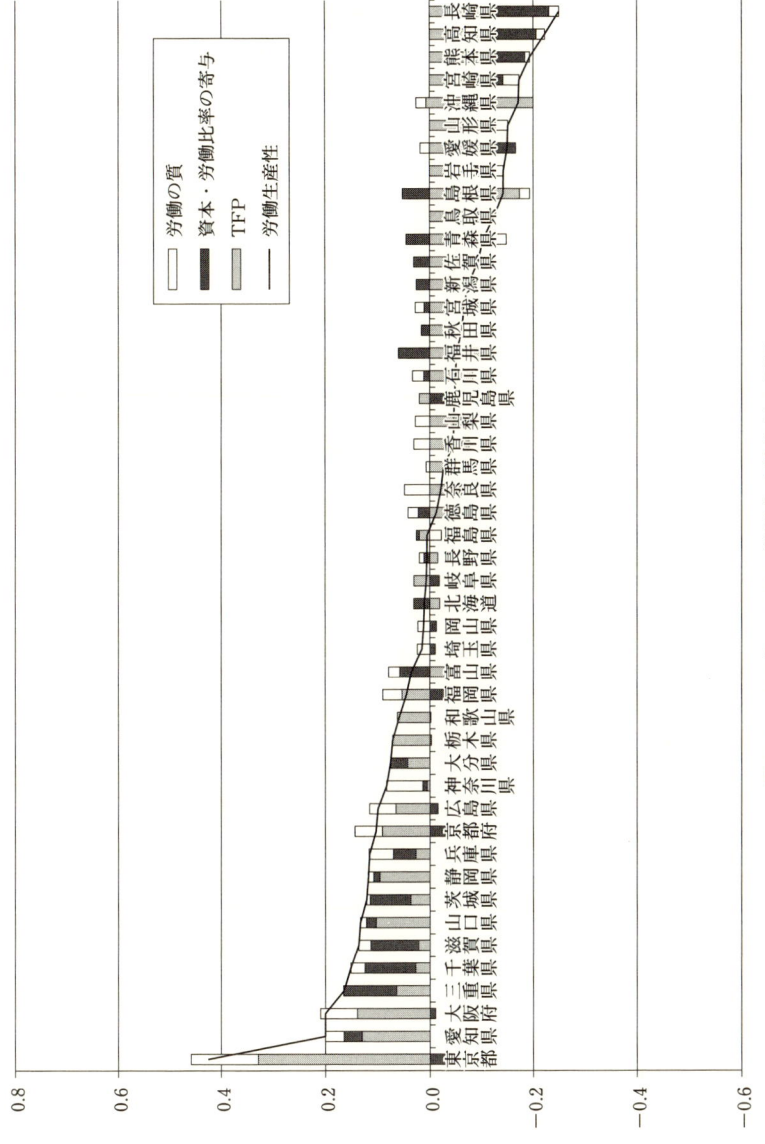

図5-5 2008年における労働生産性格差の原因

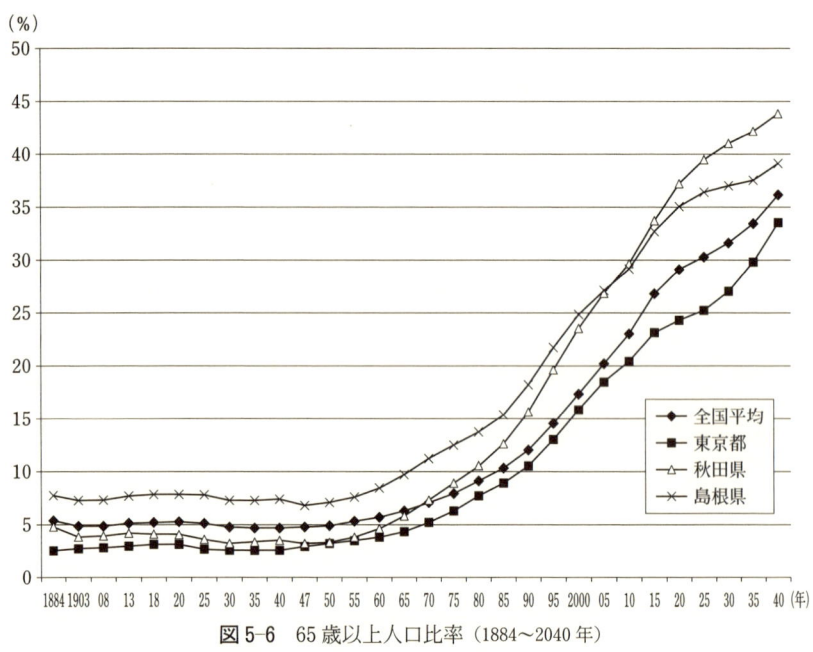

図 5-6 65歳以上人口比率（1884〜2040年）

出典：1918年までは本籍人口、1920年から2010年までは「国勢調査」、2015年以降は「日本の地域別将来推計人口（平成25年3月推計）」。

貯蓄率が高かったものの，政府による貧しい地域への資本移転や資本流出により労働生産性が高い地域での貯蓄が地域内での資本蓄積に直接結びつかなかったこと，労働生産性の低い地域から高い地域に労働が移動したことが，資本・労働比率格差を縮小させたことが分かった．また政府が狭義の社会資本蓄積を労働生産性が低い地域に集中させたことがTFP格差縮小に寄与した可能性が高いことも分かった．1970年代以降，労働の質格差が拡大した原因としては，高い教育を受けた労働者が豊かな県に移動した（Brain Drain）ことに起因するのではなく，豊かな県ほど子供が高い教育を受ける傾向があったことに起因することも分かった．

　高齢化のペースは都道府県間で異なる．図5-6から分かるとおり，たとえば，秋田県や島根県の現在の65歳以上人口比率は，全国平均の15年後，東京の25年後の水準に相当する．現在の高齢化県は，将来日本全体が経験する経済状況を先取りしていると考えられる．以下では，(1)なぜ一部の県で著しい高齢

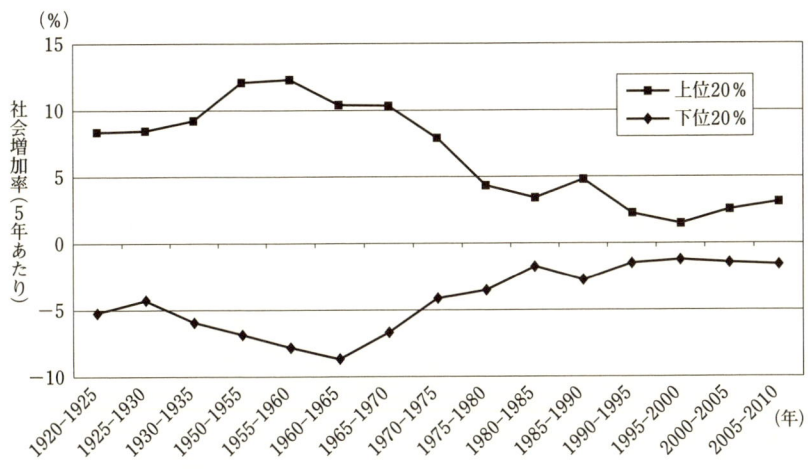

図5-7 人口純流入率が最も高かった地域と人口純流出率が最も高かった地域（それぞれ累積人口20％）の社会増加率

出典：「国勢調査」．

化が進んだのか，(2)高齢化県では，労働生産性やTFPが低いが，それはなぜなのか，(3)日本のように高齢化が進む国では，今後，貯蓄の減少により貿易・サービス収支が赤字化する可能性が指摘されることが多いが，高齢化県を1つの国と見なした場合，その貿易・サービス収支赤字（県の場合には財・サービスの純移入と呼ばれる）は，どれほどの規模で，それはどのようにファイナンスされ，これにより高齢化県の産業構造はどのような影響を受けているのか，について考えてみよう．

現在，一部の県で高齢化率が高いのは，それらの県で数十年前に人口流出が起きていたためである．図5-7には，社会増加率が最も高かった都道府県から順に並べ，人口累積値で見て純流入率トップ20％の都道府県グループ（その多くは東京都など豊かな都道府県である）と，純流出率トップ20％の都道府県グループの，社会増加率が示してある．この図から分かるように，日本国内における人口移動は，1950～70年に最も活発であったが，戦間期においても今日よりずっと活発であったことが分かる．島根県の65歳以上人口比率は，1950年においても全国平均より4割高かったが，その背後にはこのような長期にわたる人口移動の歴史がある．なお高齢化の程度の地域間格差は，低所得

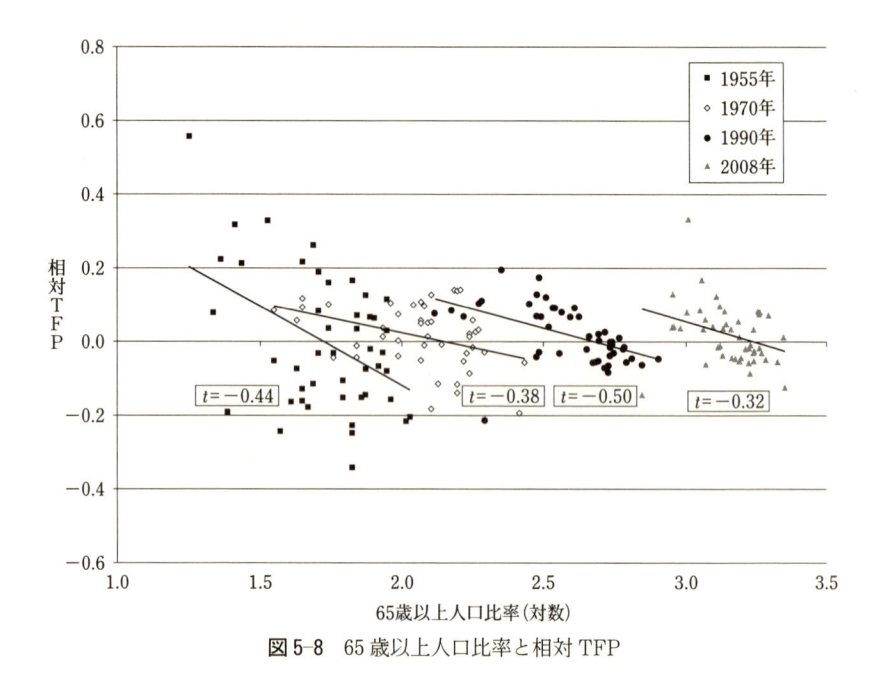

図5-8 65歳以上人口比率と相対TFP

地域から高所得地域への人口移動減少に伴い，今後更に縮小することが予想されるが，人口移動減少の主因としては，人口移動の担い手である10代・20代の若者が減少することや，移動のインセンティブとなる地域間所得格差が低下傾向にあることが指摘できる．

　高齢化県は労働生産性が低い傾向がある．低い労働生産性の最大の原因は低いTFPにある．図5-8に示すとおり，高齢化率とTFP水準の間には，密接な負の相関がある．今後日本全体で高齢化が進展するが，これは日本のTFPを停滞させるであろうか．この点を確認するため，Fukao and Makino (2015) では，高齢化県でなぜTFPが低いのか，その原因も探っている．その分析によれば，高齢化がTFP水準を引き下げる，という因果関係は確認されない．むしろ逆の因果関係が働いていると考えられる．TFP水準が低い県では賃金が低く，若年人口の流出が起きる．つまり現在の高齢化県は，30～40年前にTFP水準が低かった．TFP水準は持続性を持つため，都道府県間TFP格差は安定的に推移し，その結果，現在のTFP水準と65歳以上人口比

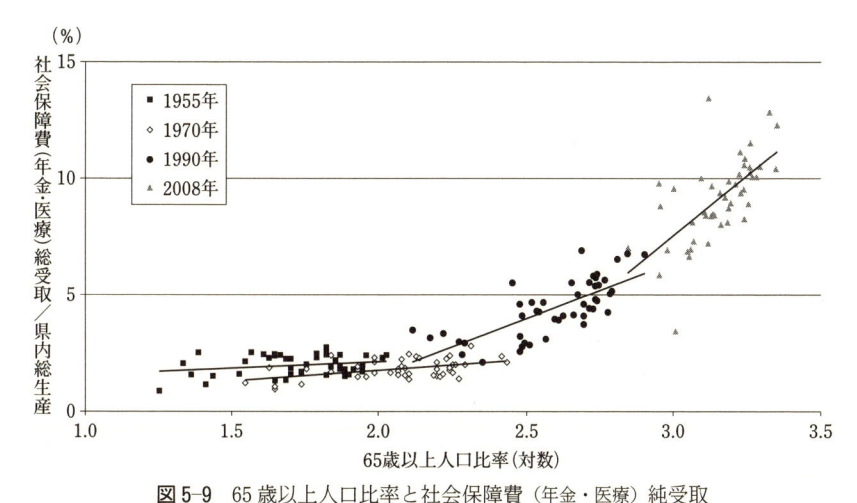

図 5-9　65 歳以上人口比率と社会保障費（年金・医療）純受取
出典：「県民経済計算」，「平成 23 年度版都道府県別経済財政モデル」（内閣府経済社会総合研究所），「国勢調査」，深尾・岳（2000）より推計.

率に負の相関が観察される．このような視点から見れば，今後，高齢化の進展が全国平均の労働生産性を低下させる可能性について，恐れる必要はないと考えられる．

　高齢化県は財・サービスの純移入率が高い．たとえば 2011 年度において，通常の国の場合なら貿易・サービス収支赤字の対 GDP 比にあたる，財・サービス純移入／県内総生産比は，秋田県で 18%，鳥取県で 20% にも達した．これは，政府による豊かな都道府県から高齢化県への所得移転によって支えられている．特に高齢化県は，膨大な社会保障費（年金・医療）を受け取っている．図 5-9 は，65 歳以上人口比率と社会保障費（年金・医療）純受取の関係を示している．高齢化県では，県内総生産の 15% 近い社会保障費純受取を得ていることが分かる．

　15 年後の全国平均 65 歳以上人口比率は現在トップの秋田県や島根県と同水準になる．しかし，現在高齢化県が享受している財・サービスの純移入や年金・医療費の純受取を，日本全体が享受することは不可能であろう．日本の対外純資産は GDP 比でたかだか 60% であり，10% の純輸入率を 10 年間維持することさえ難しい．また，（現在の高齢化県にとっての東京のような）他の国

からの巨額な所得移転も期待できない.

東京のように高齢化が遅れている地域は TFP 水準,資本係数ともに高いため,高齢化地域より労働生産性が高い.しかし,現在高齢化県が享受している所得移転の水準を将来も維持することは不可能であり,高齢化が遅れている地域の居住者が今後経験する老後は,現在の高齢化県より厳しいものになると考えられる.

4 中国の構造改革と日本経済[4]

近年,中国における成長率低下と対中国輸出減少のため,世界的な不況が心配されている.

中国の経済発展は,日本や韓国等,他の東アジア諸国の経験と比較しても,著しい特徴を持っている.(1)驚異的な高成長を長期間保ってきたこと,に加え,(2)他の途上国と比較して資本分配率が高いこと,(3)高額の資本分配を原資とした国営企業等による多額の企業貯蓄や比較的高い家計貯蓄率を背景に,マクロ経済の粗貯蓄率が 50% 超と著しく高いこと,(4)膨大な国内貯蓄を背景に,活発な資本蓄積と巨額の経常収支黒字を計上してきたこと,等の特徴を持っている.特に 2008 年のリーマン・ショック以後は,世界的な需要不足と先進国向け輸出不振の下で,中国は果敢な公共投資拡大や民間投資促進により内需を拡大し,世界の成長を牽引してきた.

しかし,GDP の 50% を占める膨大な粗投資は,バブル経済発生が危惧される過熱した住宅投資や地方における過剰とも思える公共投資に基づいており,低い限界資本係数(資本ストック増加に対する GDP 増加の比率)が示すように,資本の限界生産性逓減と資本収益率の低下,これが引き起こす不良債権問題や財政赤字の累積,資産価格下落,等を通じて,今後維持することが難しいと考えられる.

また,リーマン・ショック以前のように輸出主導の成長経路に戻ることも,先進諸国における技術革新や投資機会の低迷,小さな池に囚われた鯨のように

---

[4] 本節の分析は,深尾と復旦大学の袁堂軍教授が WIOD を活用して執筆した Fukao and Yuan (2015) に基づく.

世界経済の中で中国の比重が大きくなりすぎたこと,から判断して現実的ではない.

従って,中国の高成長維持のためには,単に需要の総額をいかに回復させるかだけでなく,需要面では投資主導や輸出主導に代わる,家計消費を中心とした内需主導成長への移行,供給面では資本蓄積や輸出産業のTFP上昇のみに依存した成長から,サービスを含めた幅広い産業におけるTFP上昇に基づいた成長への移行が欠かせない.そのためには,Wu(2015)が示したとおり,国営企業の改革が重要であろう.また家計消費拡大のためには,労働分配率の引き上げや,深刻な所得・資産不平等の是正も必要であろう.

中国が構造改革に成功し,比較的高い成長率を維持することは,今後の日本の景気回復にとっても重要であろう.ただし,仮に中国が以上のような改革に成功し,経済成長を維持するとしても,改革自体が日本経済にマイナスの効果を持つ可能性があることに注意する必要がある.Wolf(2015)も指摘するように,日本,ドイツ,韓国等は,中国に対して機械類や高度な素材など,資本財や資本財の原材料を中心に輸出している.このため,中国の資本蓄積主導の成長から消費需要主導の成長への移行は,経済成長の減速以上に日本等にとって打撃となる可能性がある.

第1節でも述べたように,WIODを用いて,グローバル・ヴァリュー・チェーンの視点から,この問題を分析してみよう[5].

まずWIODについて簡単に説明しよう.WIODの中核は,41カ国(その他世界を含む),35産業に関する年次名目産業連関表である(1995〜2011年暦年).図5-10は,WIOD各年表の概念図である.

ある国のある産業(例えば日本国内の電機産業)についてこの表を横に見れば,日本の電機産業のアウトプットの用途(各国各産業でどれほど中間投入されたか,または各国の最終需要を満たすために使われたか)が分かる.また,日本の電機産業についてこの表を縦に見れば,この産業の生産コストの内訳(各国各産業のアウトプットがどれだけ中間投入されたか,また日本における電機産業生産においてどれだけの付加価値が生み出されたか)が分かる.

---

[5] WIODについて詳しくは,Timmer et al.(2015)参照.

図 5-10　WIOD の概念図

			中間投入需要部門		最終需要		総生産
			日本	中国	日本	中国	
			1 2 … n	1 2 … n	消費 … 政府支出	消費 … 政府支出	
中間投入供給部門	日本	1 2 ⋮ n	A^*		F		q'
	中国	1 2 ⋮ n					
付加価値		雇用者所得 営業余剰 ⋮	V				
総生産			q'				

　従来の1国レベルの産業連関表と比較すると，国際産業連関表では，各国・各産業の生産を支えるために，各国の中間生産物がどれだけ使われたか，また各国・各産業の生産がどの国の最終需要を満たすために生産されているかが一目瞭然で分かるところが新しい．

　今，世界全体で供給能力と比較して需要が不足している状況を想定し，また生産技術に関する一定の仮定を置くと，Leontief（1941）が示したとおり，最終需要（図 5-10 の F の部分）が与えられれば，この需要に直接対応した生産と，この生産増が生み出す中間財需要に対応した生産によって，各国・各産業の生産額 q と付加価値 V がどれほどになるかを，この表から算出することができる．同様に，最終需要が変化したとき，中間財への国内・国際派生需要を含めて，各国の生産額や付加価値がどのように変化するかを試算することができる．また，WIOD には各国・各産業の総生産額1ドルあたり就業者数のデ

ータがあるため，この比率が不変と仮定すれば，最終需要変化が雇用に与える影響も知ることができる[6]．

以下の分析では，2015年から2020年の中国経済の成長について，3つのケースを比較することにする．

(1) 楽観的シナリオ

　　IMFは，2015〜20年の中国の実質経済成長率を年率6.22%と想定している（International Monetary Fund, World Economic Outlook Database, April 2015）．本シナリオでは，この楽観的と思われる成長が達成され，中国の各最終需要項目（家計最終消費，政府最終消費，総固定資本形成，在庫投資）も，同率の6.22%で成長すると仮定する．なお，各最終需要項目の内訳（各国・各産業アウトプットに対する需要の構成）は，不変とする．

(2) 成長減速シナリオ

　　2015〜20年の経済成長率が減速し，中国の各最終需要項目の成長率が4.0%であると想定する．なお，各最終需要項目の内訳（各国・各産業アウトプットに対する需要の構成）は，不変とする．

(3) 構造改革シナリオ

　　中国が構造改革に成功し，国内アブソープション（家計最終消費，政府最終消費，総固定資本形成，および在庫投資の和）に占める家計最終消費

---

[6] 具体的には，以下のように分析を進める．投入係数行列をA（全部でn国m産業あるとすると，これは$n\times m$行，$n\times m$列行列），全世界の最終需要行列Fを行方向に合計した縦ベクトルをfとあらわす．Aとfは外生的に与えられ，生産は最終需要に基づいて決まると仮定すると，fが変化した時の各国・各産業の総生産量縦ベクトルの変化Δqは次式で与えられる．

$$\Delta q = A\Delta q + \Delta f$$

従ってLeontiefが示した通り，次式が成り立つ．

$$\Delta q = (I-A)^{-1}\Delta f$$

ただしIは単位行列である．-1は逆行列を表す．次に，対角要素が各国・各産業の単位総生産額あたりの就業者数，他の要素はゼロとする行列をZとすると，各国・各産業の雇用の変化を表す縦ベクトルΔeは，次式で計算できる．

$$\Delta e = Z\Delta q = Z(I-A)^{-1}\Delta f$$

と政府最終消費の和の割合が，2015年から2020年にかけて，2011年実績の49.9%から70%に上昇し，他方，国内アブソープションに占める総固定資本形成と在庫投資の割合が50.1%から，30%に下落すると仮定する．なお，国内アブソープション全体の成長率は，(1)楽観的シナリオと同じく，年率6.22%で成長すると想定する．また，政府最終消費と在庫投資は(1)楽観的シナリオと同一と仮定し（国内アブソープションに占める割合は13.8%と3.1%），上記の変化は全て，民間最終消費の増加と総固定資本形成の減少で生じるとする．なお，各最終需要項目の内訳（各国・各産業アウトプットに対する需要の構成）は，不変とする．

(3)の構造改革シナリオでは，2020年に総固定資本形成と在庫投資の国内アブソープションに占める割合が30%になると仮定しているが，これは第一次オイルショック後の1975〜84年における日本の値（31.1%）にほぼ匹敵する[7]．なお，日本では高度成長期もこの比率は現在の中国ほど高くなく，1960〜69年の平均値は，34.8%であった．

現在公表されているWIODデータは2011年までをカバーしている[8]．2015年を起点として試算を行うため，2011年から2015年にかけてのデータを外挿した．中国の各最終需要項目（家計最終消費，政府最終消費，総固定資本形成，在庫投資）については，IMFが報告・推計している2011〜15年の中国の実質経済成長率7.41%（International Monetary Fund, World Economic Outlook Database, April 2015）で，それぞれ成長したと仮定した．各最終需要項目の内訳（各国・各産業アウトプットに対する需要の構成）は，2011年のままとした．中間投入行列（A^*）から計算される投入係数（各国・各産業の生産1単位に必要な各国・各産業のアウトプット）についても，2011年のままで不変とした．

---

[7] 1990年基準68SNAの値．内閣府のホームページ（http://www.esri.cao.go.jp/jp/sna/data/data_list/kakuhou/files/h10/12annual_report_j.html）からダウンロードした「国内総生産と総支出勘定」のデータを用いた．

[8] WIODは同プロジェクトのホームページ（http://www.wiod.org/new_site/home.htm）からダウンロードした．なお，Leontief逆行列については，フローニンゲン大学のGaaitzen J. de Vries准教授より提供いただいた．深く感謝したい．

表 5-3 中国の成長減速および投資比率の低下が主要先進国の雇用に与える影響（千人）

		日本	米国	ドイツ
2015-20 年における中国の経済成長率が年率 6.22% から 4% に下落することによる 2020 年における各国雇用の変化（シナリオ 1 とシナリオ 2 の比較）	a	−204	−211	−174
2020 年における中国の国内アブソープションに占める投資の割合が 50.1% から 30% まで下落することによる各国雇用の変化（シナリオ 1 とシナリオ 3 の比較，経済成長率は年率 6.22% で同一と仮定）	b	−302	−135	−225
中国が経済改革（消費拡大と投資縮小，6.22% 成長維持）に成功した場合の，改革をせず成長率が 4% に下落した場合と比較した各国雇用の変化（シナリオ 2 とシナリオ 3 の比較）	b−a	−98	76	−51

　以下の分析では，2011 年の WIOD（名目値，米国ドル換算額）を 2011〜20 年の実質成長率で外挿して計算を行っているため，分析は全て，2011 年価格，米国ドル表示に基づくと解釈できる．なお，WIOD はサービス貿易をカバーしており，中国の経済状況変化の波及経路としては，財貿易だけでなく，サービス貿易も含んでいる．

　表 5-3 には，中国の成長減速および投資比率の低下が主要先進国（日本，米国，ドイツ）の雇用に与える影響に関する分析結果がまとめてある．

　中国の経済成長率低下（シナリオ 1 と 2 の比較）の各国国内雇用への影響を見ると，中国への輸出額の順位と同様に，米国，日本，ドイツの順に大きい．米国がその輸出額の割に雇用の減少が少ないのは，農産物など労働集約的でない財の輸出が大きいためと考えられる．

　一方，中国が，最終需要の構成を投資中心から民間消費中心に転換する経済改革に成功し，高成長を維持する場合と中国が現状の最終需要構成を保ちながら高成長を維持する場合を比較すると（シナリオ 1 と 3 の比較），日本の雇用の減少が 30 万人と最も大きく，次がドイツの 23 万人で，米国は 14 万人と，雇用の減少が 3 カ国中最も小さかった．

　興味深いことに，中国が経済改革に成功せず成長率が 2.22% ポイント下落する場合よりも，中国が経済改革に成功し高成長を維持する場合の方が，雇用減少で見た日本やドイツへの打撃が大きいと予想される．成長率減速による雇用減と比べ，経済改革成功による雇用減は，日本の場合 1.5 倍（10 万人分），

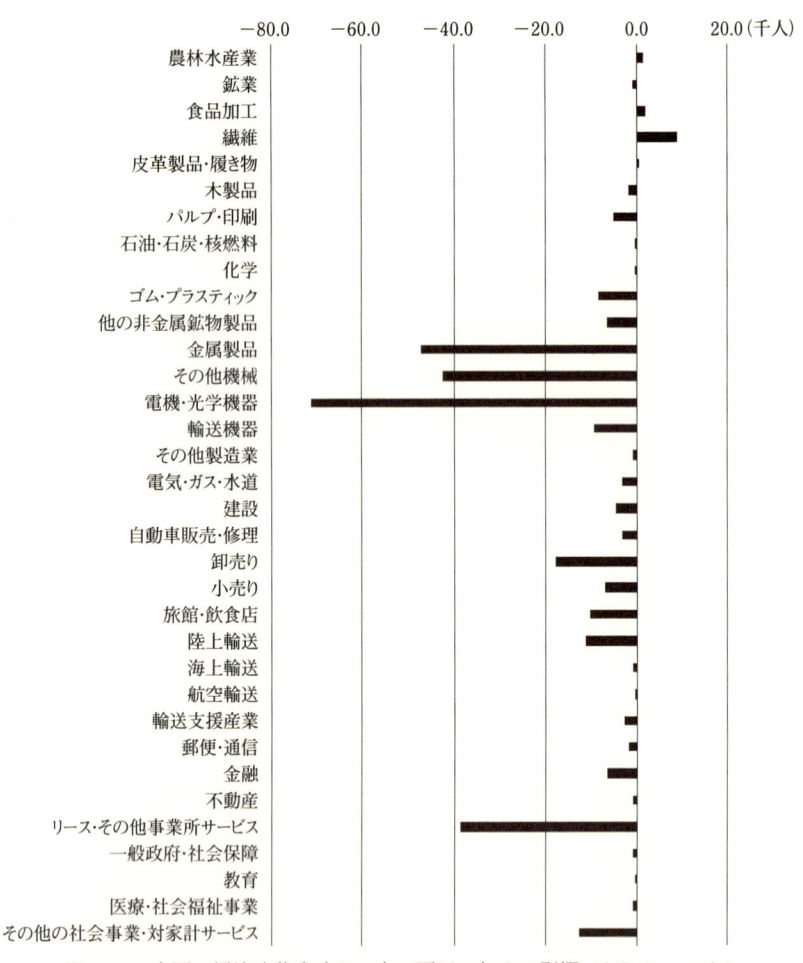

図 5-11 中国の経済改革成功が日本の雇用に与える影響（産業別・2020年）
注：シナリオ1とシナリオ3の比較，経済成長率は年率 6.22% で同一と仮定した．

ドイツの場合 1.3 倍（5万人分）大きい．一方米国の場合には，消費財を中心に中国に輸出していることを反映して，成長率減速による雇用減と比べ，経済改革成功による雇用減は，4割（8万人分）少ない．

次に日本経済への産業別影響について見てみよう．図 5-11 には，中国の内需構成の投資から消費へのシフトが日本の雇用に与える影響が，産業別に示し

てある（シナリオ1とシナリオ3の比較，従って経済成長率は年率6.22％で同一と仮定）．最も打撃が大きいのは，予想通り，電機・光学機器，金属製品，その他機器などの資本財生産産業であり，リース・その他事業所サービスも大きな打撃を受ける．これらの4産業では，雇用の減少は約4万人ないしそれ以上に達する．4産業あわせた雇用減少は約20万人と，日本全体の雇用減少（30万人）の3分の2を占める．一方，雇用が増加するのは，農林水産業，食品加工，繊維などの消費財産業に限られ，その雇用増加は極めて小さい．この産業別の分析結果は，日本が中国に対して比較優位を持ち対中国輸出を主導している産業が，消費財である自動車を除けば，機械類や金属製品などの資本財であるために，中国内需の投資から消費へのシフトが日本経済に大きな打撃を与えることを示している．

5 おわりに

本章では，RIETIの「産業・企業生産性プログラム」の活動を簡単に紹介した上で，その代表的な3つの成果について報告した．主な分析結果は次の通りである．

第2節では，日本がなぜICT革命に出遅れたかについて，企業ミクロデータを用いた実証結果に基づいて考察した．その結果，規模の小さい企業や若い企業ほど，ICT投入が最適水準より過小な水準に止まっており，なんらかの制約に直面している可能性が高いことが分かった．この原因としては，これらの企業では，社内にICT担当部署をフルセットで持つことが困難なため，ICTに関するBPOの利用機会が重要であると考えられるが，日本ではBPO市場が未成熟な状態にあることが指摘できる．また，日本では米国と比較してICT専門家が大幅に不足している上，労働者が大企業を志向する傾向が強いため，小さい企業や若い企業ほど，ICT専門家の確保が困難であり，これがICT投入を阻害している可能性が高い．

戦後の日本では，地域間の労働生産性格差が大幅に縮小した．第3節前半では，1970年から2008年の時期について，R-JIPデータベースを用いてサプライサイドの視点から，労働生産性格差縮小の原因を調べた．その結果，1955～

70年にかけてTFP格差が大幅に縮小し,また1970年以降は資本・労働比率格差が著しく縮小したことが,労働生産性格差縮小に大きく寄与したことが分かった.一方,労働の質の格差は1970年まではほとんど変わらず,それ以降は格差がやや拡大した.

第3節後半では,秋田県,島根県など,他県に先駆けて人口高齢化が進んでいる地域をそれ以外の地域と比較することによって,高齢化県で労働生産性が低いのはなぜかについて分析した.その結果,高齢化県では1950年代からTFPが低いために若年人口が流出し,低いTFPが現在も続いているために,現在も労働生産性が低いとの結果を得た.東京等他の都道府県でも今後急速な高齢化が進むが,高齢化がTFP下落をもたらす可能性について,心配する必要はないと考えられる.

最後に第4節では,「産業・企業生産性プログラム」が日本と中国に関するデータを提供しているWIODを使って,中国における最終需要の成長率減速と,最終需要構成の投資から消費への転換が,日米独に与える影響を分析した.その結果,日本とドイツは投資財を主に中国に輸出しているため,中国における最終需要成長率の低下よりも投資から消費への転換の方が,国内雇用の著しい減少を経験すること,これに対して消費財を主に輸出している米国の雇用は,中国における最終需要構成の投資から消費への転換ではあまり減らないことが分かった.

参照文献

Basu, Susanto, John G. Fernald, Nicholas Oulton, and Sylaja Srinivasan (2003), "The Case of the Missing Productivity Growth: Or, Does Information Technology Explain why Productivity Accelerated in the United States but not in the United Kingdom?" *NBER Macroeconomics Annual 2003*.

Fukao, Kyoji, Jean-Pascal Bassino, Tatsuji Makino, Ralph Paprzycki, Tokihiko Settsu, Masanori Takashima, and Joji Tokui (2015), *Regional Inequality and Industrial Structure in Japan: 1874–2008*, Maruzen Publishing Co., Ltd.

Fukao, Kyoji, Kenta Ikeuchi, Hyeog Ug Kwon, Young Gak Kim, Tatsuji Makino, and Miho Takizawa (2015), "Lessons from Japan's Secular Stagnation," RIETI Discussion Paper Series 15-E-124.

Fukao, Kyoji, Kenta Ikeuchi, Young Gak Kim, and Hyeog Ug Kwon (2015), "Why Was Japan Left Behind in the ICT Revolution?" RIETI Discussion

Paper Series 15-E-43.

Fukao, Kyoji and Tangjun Yuan (2015), "Structural Causes of China's Slowdown and Its Expected Impacts on Japanese Economy," mimeo, Asian Development Bank Institute.

Fukao, Kyoji and Tatsuji Makino (2015), "Aging, Interregional Income Inequality, and Industrial Structure: An Empirical Analysis Based on the R-JIP Database and the R-LTES Database," RIETI Discussion Paper Series 15-E-22.

Fukao, Kyoji, Tatsuji Makino, and Joji Tokui (2015), "Regional Factor Inputs and Convergence in Japan: A Macro-Level Analysis, 1955-2008," RIETI Discussion Paper Series 15-E-123.

Leontief, Wassily (1941), *Structure of the American Economy, 1919-1929*, Harvard University Press.

Timmer, Marcel P., Erik Dietzenbacher, Bart Los, Robert Stehrer, and Gaaitzen J. de Vries (2015), "An Illustrated User Guide to the World Input-Output Database: the Case of Global Automotive Production," *Review of International Economics*, 23: 575-605.

Wolf, Martin (2015), "A New Chinese Export: Recession Risk," Financial Times, September 15.

Wu, Harry (2015), "On China's Strategic Move for a New Stage of Development: A Productivity Perspective," in Dale W. Jorgenson, Kyoji Fukao and Marcel P. Timmer, eds., *The World Economy: Growth or Stagnation?* Forthcoming, Cambridge University Press.

深尾京司（2012），『「失われた20年」と日本経済：構造的原因と再生への原動力の解明』日本経済新聞社．
深尾京司・岳希明（2000），「戦後日本国内における経済収束と生産要素投入：ソロー成長モデルは適用できるか」『経済研究』52(2): 136-151．
徳井丞次・牧野達治・深尾京司・宮川努・新井信幸・新井園枝・乾友彦・川崎一泰・児玉直美・野口尚洋（2013），「都道府県別産業生産性（R-JIP）データベースの構築と地域間生産性格差の分析」『経済研究』64(3): 240-255．

第6章
「新しい産業」政策と新しい「産業政策」
「新しい産業政策」プログラムからの知見

大橋　弘

要　旨

　「新しい産業政策」プログラムは，経済の新陳代謝を後押しし，イノベーションの芽を育てるための政策的な対応をアカデミックな観点から模索すべく研究を行った．これらの研究は2つの視点――既存産業の再生（新しい「産業政策」）と新産業の創出（「新しい産業」政策）――に整理される．既存産業の再生では，これまで規制などが理由で十分な生産性の向上が見られなかった産業に対して，新たな改革の視点を取り込む研究を行った．特に焦点をあてたのは，農業とエネルギー産業である．加えて中小企業政策や独占禁止法などの企業法制度も研究の射程に入れた．

　新産業の創出については，経済成長の原動力となることが実証的にも明らかだが，事業が独り立ちするまで息の長い取り組みが必要とされる．経済協力開発機構（OECD）主要国の中で国民1人あたりベンチャー投資額を比較すると，わが国は最下位に近く，起業数も国際的に精彩を欠いている．この状況を打開するため，需要・供給双方の面からイノベーションの活性化を「産業政策」として取り組むことは意義がある．本プロジェクトでは多角的な観点から新産業創出の土壌となるプロダクト・イノベーションの活性化について分析を行った．本章では，まず「産業政策」の定義を紹介し，その歴史的な変遷を概観する．その上でイノベーションの観点から「新しい産業政策」プログラム全体を横断的に俯瞰しつつ，知的財産や企業合併などを含む企業法制度についても言及する．各論では，エネルギー・農業・中小企業政策の3つのテーマを取り上げ，最後に今後の「新しい産業政策」の方向性を論じる．

第 6 章 「新しい産業」政策と新しい「産業政策」

1　はじめに

　戦後 70 年を振り返ると,「産業政策」ほど,時代や識者によってその評価が異なる政策も珍しいのではないだろうか.「産業政策」が最初に脚光を浴びたのは,1970 年代頃である.戦後 20 年余りにおける日本の他国に類を見ない経済成長と,その後の貿易や投資を通じた日本経済の国際的な影響力の高まりを反映して,その原因を政府による政策的な介入に求める見方が急速に広まった.経済学に関連する分野でも小宮他編『日本の産業政策』(1984),伊藤他著『産業政策の経済分析』(1988),さらには世界銀行による『東アジアの奇跡』(1993) などに代表されるような研究が盛んに行われた.しかし 90 年代に入ると,規制緩和・構造改革のなかで「産業政策」に対する関心は薄れることになる.三輪・ラムザイヤーによる『産業政策論の誤解』(2007) を初め,産業政策の効果や有効性に対して懐疑的な見方が広く共有されるようになった.

　2008 年秋のリーマン・ショックとそれに続いて世界経済危機を迎えてから,「産業政策」に対する関心は再び高まっている.「産業政策」は,欧米のみならず新興国でももてはやされるようになり,海外では「産業政策」に関する著作が多く出版されるようになった[1].東日本大震災と津波による未曾有の被害を受けたわが国でも,産業政策という用語は政府の施策メニューの 1 つとして確固たる位置を占めつつあるように見える.

　「産業政策」は,日本経済の発展段階やそれを取り巻く国際情勢に応じてその内容と性格を変えながら,それぞれの時代に適応した役割を果たしてきたと評価できるだろう.そして今後もわが国を取り巻く経済・社会環境に対応して,「産業政策」は発展・深化を続けていくことになると思われる.

　東日本大震災直後の 2011 年 4 月に開始された「新しい産業政策」プログラムは,こうした経済社会情勢の環境変化を背景として,経済の新陳代謝を後押しイノベーションの芽を育てるための政策的な対応をアカデミックな観点から模索すべく研究を行った.これらの研究は概ね 2 つの視点——既存産業の再生と新産業の創出——に整理することができる.既存産業の再生では,これまで

---

[1] 例えば Buigues and Sekkat (2009) や Stiglitz and Lin Yifu (2013) など.

規制などが理由で十分な生産性の向上が見られなかった産業に対して，新たな改革の視点を取り込む研究を行った．特に焦点をあてたのは，農業と電力を初めとするエネルギーである．加えて中小企業政策や独占禁止法などの企業法制度に考察を加えた．

新産業の創出については，経済成長の原動力となることが実証的にも明らかだが，事業が独り立ちするまで息の長い取り組みが必要とされる．経済協力開発機構（OECD）主要国の中で国民1人あたりベンチャー投資額を比較すると，わが国は最下位に近く，起業数も国際的に精彩を欠いている．この状況を打開するため，需要・供給双方の面からイノベーションの活性化を「産業政策」として取り組むことは十分意義がある．本プロジェクトでは多角的な観点から新産業創出の土壌となるプロダクト・イノベーションの活性化について分析を行った．本章の構成は以下の通りである．次節では「産業政策」の定義を紹介した上で，第3節にて産業政策の歴史的な変遷を俯瞰する．第4節ではイノベーションの観点から「新しい産業政策」プログラム全体を横断的に議論する．この中で知的財産や企業合併などを含む企業法制度についても言及する．その上で，エネルギー（第5節）・農業（第6節）・中小企業政策（第7節）の3つのテーマを各節にて概観する．第8節はまとめとして，今後の「新しい産業政策」の方向性を占ってみたい．

2 「産業政策」の経済学的な位置づけ

ここまで本章では，産業政策に定義をあたえずに，「かぎ括弧」をつけて表記をしてきた．不思議なことに，産業政策については多くの場合，その言葉の定義が明確に規定されずに政策的な議論がなされてきたように思われる．実際に経済学のテキストを見ても，産業政策の定義はまちまちであることが分かる．例えば，今井他による『価格理論Ⅲ』（1972: 283-286）では，産業政策は主に(1)産業保護政策，(2)公益事業の規制，(3)産業の必要とする社会的基礎資本への投資，(4)独占禁止政策の4つの領域に分類されるとする．最近では，例えばMankiwによる *Principle of Microeconomics*, Fifth Edition（2007: 209）では，産業政策を「技術に特化した産業を振興するための政策」と定義し，Rodrik

(2008) は,「特定の経済活動を惹起し,経済の構造変化を促す政策」としている.こうした様々な定義を許してきたことが,「産業政策」に対する支持が広範に得られた理由なのかもしれないとのうがった見方もできるが,他方で冒頭でも概観したように,産業政策は時代の局面に応じてその内容と性格を変えてきたことを振り返れば,産業政策に複数の定義が提示されることもそれほど不思議ではない.

本章では「産業政策」を「産業間あるいは産業内の資源配分(産業構造の転換を含む)を行うために有用なあらゆる政策」と定義したい.ここには次節で触れるような合理化カルテルなどといった伝統的政策や,1990年代からの規制緩和・構造改革も含まれることになる.またベンチャー育成のための教育や金融といった分野の制度改革も産業政策として扱われることになろう.つまり産業政策とは,異なる業種や省庁の垣根を超えた政策だということになる[2].経済協力開発機構(OECD)の2013年のレポート("Beyond Industrial Policy")でも,企業の事業環境を改善する政府の取り組み全般を産業政策と定義しており,本章でのそれに近いと思われる.今後,ICT(情報通信技術)やロボット関連技術のさらなる飛躍的な革新を背景とする産業構造転換が予想される中で,産業政策の捉え方もこれまで以上に包括的な観点が求められることになる.本章での産業政策の定義は今の時点で予想されるそうした将来の変化も捉えようと試みているものの,将来における経済社会の動きによっては産業政策の定義も大きく変わりうる.本章で扱う産業政策とは,そうしたある種の「生き物」であることを頭の片隅に置いておくべきだろう.

3 産業政策の変遷[3]

産業政策の歴史的な変遷を概観するときに,経済学の視点を意識することが有用である.歴史的には,政策実務が経済学よりも常に先を進みながらも,両者は互いに影響を受けつつ産業政策の歴史は築かれてきたといえる.本節では,

---

2) 貝塚(1973)は産業政策を「通商産業省が行うあらゆる政策」としており,チャーマーズ・ジョンソンが1982年に記した『通産省と日本の奇跡』も同様の定義をしている.
3) 本節は,大橋(2013b; 2015a)を参考にしている.

産業政策の変遷を3つの歴史的な段階に区分して説明を試みたい．最初の段階は，1940年から60年代までであり，この時期は国内市場を軸とする規模の経済性を生かすための幼稚産業保護と重工業化に向けての政策資源の重点配分が行われた時期であった．第2の段階は，1970年から2008年秋のリーマン・ショックまでであり，貿易や為替の自由化や日米構造協議などの国外からの圧力を通じた構造改革・規制緩和の時期である．そして第3段階がリーマン・ショック以降，今日に至るまでの時期である．この時期には，2011年3月11日に起きた東日本大震災と福島第1原子力発電所事故における政策対応が含まれる．なおICTやロボットセンサー技術などの指数級数的な発達によって，今後わが国は第4次産業革命に向かうとの指摘がある．この点については第8節で試論を述べることにしたい．

3.1 貿易保護と重工業化の道（1940〜60年代）

敗戦後，占領下のわが国産業が歩むべき方向に対して，2つの政策的立場があった（隅谷，1994）．1つは，資源確保がわが国を軍事的侵略に向かわせたとの反省から，国内の資源開発と市場拡大を主眼にして自立的な経済循環の途を拡大すべきとする立場である．規模の経済性を生かすために産業再編を推し進めることで，特定産業の合理化や産業構造の高度化を促すものであり，伝統的に産業政策と評されていたものはこの部類に属する．他方で，資源の貧困なわが国は，戦前と同じく貿易を中核として産業を形成する以外にないとする立場があった．貿易・資本の自由化はこの立場を代表する施策だが，海外企業を含めた競争メカニズムによる自然淘汰によって，国内産業が鍛えられて産業構造も適正化されると見込まれていた．わが国のその後の産業政策は，この2つの立場が相互に絡み合う形で形成され，今日に至っているとみなすことができる．その代表的な例が，第4節3項にて取り上げる企業合併である．

高度成長期におけるわが国は，豊富な労働力に恵まれながらも，資本は過少であった．戦後の経済再建を担った繊維や機械など労働集約的な産業に対して，政府は補助金や行政指導などの政策手段を用いて，先進技術の導入など資本蓄積を促し，同時に余剰となった労働力を新たな産業へと移行させることで，産業構造のさらなる高度化を目指した．こうした特定産業に対するターゲッティ

ング政策は，当時においては幼稚産業保護や過剰設備の廃棄（合理化カルテル）などの形で見られた．

なお経済学の観点からみると，産業政策は市場の失敗を補正する政策の1つとして議論されてきた．情報の非対称性や外部性の存在などの理由から，産業や市場には様々な形で古典的な数理経済学が仮定する市場機能が効率的に働かない状況が考えられる．こうした民間の主体性だけでは対処できない市場の失敗が顕在化するとき，産業政策に代表されるような政府介入を行うことが経済学的に正当化されうる．もし市場の失敗が存在しないときには，産業政策は単純に民間活動を減退させる（つまりクラウドアウトさせる）ことになるからだ．資本蓄積が優先的な課題であったこの時期のわが国において，規模の経済性が働く資本集約的な産業に比較優位を移していく上で，市場の失敗が妨げになる蓋然性が高かったと思われる．欧米資本に対抗するために，重化学工業のような規模の経済性をもつ産業を国内に育成することと，国内産業の再編・最適化を通じて「過当競争」[4]を防止するという観点から，産業政策は一定程度の役割を果たしたと定性的には評価ができるのではないかと思われる．

3.2 外圧による産業構造転換（1970〜90年代）

特定産業に対する産業政策は，高度成長期の貿易・資本の自由化の進展や日米構造協議などを通じて大きく後退することになった．この背景には，日本経済が成熟するにつれて，成長する産業と衰退する産業との明確な区別が難しくなり，産業単位で振興策を図ることが困難になったという事情がある．産業構造の高度化が一段落し，欧米の背中が見えるくらいにまで資本蓄積が進むと，規制緩和や公的部門の民営化といった構造改革へと産業政策の舵が切られることになった．民間の設備過剰感がなかなか解消されないなかで，蓄積された資本の稼働率を高めて新たな成長に繋げようする世界的な動きの一環であるといえる．これまで競争原理が必ずしも十分に働いていなかった航空・通信分野などで自由化が進められ，また国鉄や日本郵政公社などの「三公社五現業」が民営化されて，サービスが向上し経営の自立化が目指された．市場機能を強化し

---

[4] 「過当競争」については経済学の分野でも大きな論点となっていた．この点については，例えば大橋（2013a）を参考のこと．

て競争環境の整備をすることが政府の仕事となり，伝統的な産業政策の手法は陰を潜めた．それと同時に，産業政策は競争政策を主軸とする「企業・事業」政策の色合いが濃くなっていった．

こうした理念の変遷には，経済学研究からの影響も無視できない．従来の産業政策の効果を事後的に評価すると，政策の有効性が一般に信じられていたほど鮮明に表れてこなかったのだ[5]．こうした研究結果は，政府が市場の失敗に対して適切に対応できるのかという疑問を生むことにもなった．特に，(1)市場が失敗するのと同様に政府も失敗を犯す可能性があり，後者の社会的なコストも無視し得ないのではないか，(2)振興すべき特定産業を政府が適切に選べるのか——という批判に対して有効な反論がなかったことも，伝統的な産業政策に対する悲観論を加速化させる一因になった．産業政策によって振興されるべき産業が，市場の失敗以外の理由（政府介入の影響や官による天下りなどの目的）で選択されるのではないかとの疑念が払拭されず，「失われた20年」に突入するなかで，産業政策に対する関心が世界的にも失われることになった．

3.3 世界経済危機と東日本大震災後の緊急避難的な措置（2000年代以降）

産業政策が再び脚光を浴びるようになったのは，2008年秋の世界経済危機においてである．まずは，想定外の外生的な需要ショックが原因で企業が経営危機に陥ることを避けるための措置が，わが国や欧米諸国で繰り広げられた．エコカーに対する支援など特定分野に対する内需拡大策や，米国ゼネラル・モーターズ（GM）など個別企業に対する経営支援などがその一例である．これらの措置を実施することは，本来衰退すべき産業や退出すべき企業の延命策との区別が曖昧になるとして懸念する声が多く聞かれた．しかし想定外の外生的な需要ショックは，その需要ショックの大きさによっては健全な企業も経営危

[5) なお技術的な点として，産業政策の定量的な効果をどのように計測するかが論点として存在する．産業政策の評価においては，実験群（treatment group）に対応する対照群（control group）が必ずしも明確に存在し得ない場合があり，そのときにDID（difference-in differences）手法に代表されるような誘導推定を用いることが適当とはいえない場合がある．こうした場合には，構造推定と呼ばれる手法が適当であるが，この手法を用いた分析は本章で紹介する研究を除いてはまだ研究の蓄積が乏しい．これについては例えば大橋（2012; 2014）を参照のこと．]

機に陥れることを考えれば負の外部性であり，そうした企業を時限的に救済する措置は一定程度の効果を持つ政策として評価ができるだろう[6]．しかし，2011年3月の東日本大震災と津波の被害によって，中小企業に対する企業金融政策などの政策は延長されるに至った．

また福島第1原子力発電所事故とその後の東京電力管内における計画停電をきっかけとして従来のエネルギー供給体制に疑問が投げかけられ，電力・ガスシステム改革や，福島・被災地の復旧・復興と並行して，固定価格買い取り制度（FIT）などの再生可能エネルギーの導入促進政策が進められた．

中国などの新興諸国の中には，国策企業による欧米企業の買収やダンピング輸出が行われるなかで，わが国においてもクールジャパンやインフラ輸出などにおいて官民ファンドが日本企業の海外等での事業展開を支援するなど，少子高齢化や人口減に伴う国内市場の縮小を補うために，海外市場へと展開する動きが加速化することになった．

欧米の背中を追っていた時代と異なり，現在の日本では将来の産業構造や成長産業のビジョンを描くことは容易でなく，産業単位にターゲットを絞った政策は過剰供給設備の解消などを除けば行き詰まりを見せている様に感じられる．不採算事業の縮小や事業統合による新陳代謝を進めるために，さらなる構造改革・規制緩和の推進は有効であり，TPP（環太平洋経済連携協定）はその意味で有効な産業政策への一歩と評価できる．同時に，日本経済を取り巻く環境が劇的に変化する中で，産業政策が対処すべき「市場の失敗」も変容している点に注意すべきだろう．

とりわけ加速度的なICTの発達とインターネットの普及により，技術が容易に国境を越えて模倣・伝搬されるようになったことは，日本企業の技術力と収益性の確保に対して新たな課題を提起している．また生活必需品への需要が一巡したのち，新興国においても消費者が求める付加価値が個に応じて多様化し始めており，新たな需要を創出するためのビジネスモデルの模索が続いている．

---

[6] Arata et al. (2015) はマクロショックに対する政策的な含意を理論的に分析している．Mizuno et al. (2015) は流通ネットワーク上でのショックの波及がマクロの景気循環をもたらす仕組みについて検討している．

4 イノベーションと産業政策[7]

　イノベーションを推進する上で，政策に対する期待が近年，国内外を問わず高まっている．この背景として，持続可能な経済成長や雇用の拡大を実現するためには科学技術やイノベーションを活性化することが不可欠であり，そのための有効な手立てを政策が与えるとの認識があるのであろう．大橋編（2014：第8章）によるとイノベーションと雇用との関係には相関関係があることが見て取れる．因果関係の精査は必要だが，雇用拡大を促す政策にイノベーションがなんらかの役割を持ちうる可能性が示唆される．

　Arrow（1962）は，知識を市場で取引することができない理由として，情報の非対称性と専有可能性の2つを挙げた．「知識」を生み出した当事者のみしかその「知識」の内容を知ることができない（つまり情報に非対称性が存在する）とき，内容のわからない「知識」を市場で購入しようと思う人はおそらくいない．かといって知識の内容を事前に知らせてしまうと，知識の価値はなくなり市場での価格はゼロになってしまう．科学技術によって生み出された知識は，自由に無料で利用されることが社会的に望ましいが，自由に無料で利用されるようになると知識を生み出す誘因が削がれ，知識の供給が過少（場合によっては供給されないこと）になってしまう．つまり知識の供給においては市場がうまく機能しない（いわゆる「市場の失敗」が起こる）可能性があるというのである．

　それでは知識をイノベーションに置き換えると，いかなることが言えるだろうか．イノベーションは知識と違い，新商品の内容を事前に知ることが可能な点で，情報の非対称性は若干ながらも緩和されていると思われる．しかし知識の場合と同様に，イノベーションに技術的な波及効果（「スピルオーバー」ともいう）が伴い，イノベーションを生み出した企業がそのイノベーションが社会にもたらす便益を利潤の形で専有できないという，専有可能性の問題が発生するときには，イノベーションの創出においても知識の創出と同様に「市場の失敗」が存在する可能性が出てくる．大橋編（2014）では，画期性のあるプロ

---

7) 本節は大橋編（2014）を参考にしている．

ダクト・イノベーションに専有可能性の問題があることを文部科学省による「全国イノベーション調査」から明らかにした．専有可能性に起因する「市場の失敗」の観点からすれば，市場に任せておくだけでは民間部門におけるイノベーション活動が過少となることから，それを補うための政策的な関与が正当化される．

イノベーションを推進するために政策が必要だとしても，どのような政策が効果的かつ効率的なのかについての知見は，経済学の分野においてもいまだ十分な蓄積がない．イノベーション政策の論点は多岐にわたり，その論点を漏れなくカバーすることは，本章の取り扱う射程を遥かに超えてしまう．本章ではイノベーション政策の体系的な俯瞰を試みたうえで，本プログラムで行われた研究を中心に紹介をしたい．

4.1 市場の失敗

イノベーション政策に限らず，政策一般が経済学的に正当化される理由は，政策を行うことが行わない場合と比較して，社会厚生を向上させるからである．そして市場メカニズムに委ねる以上に政策介入が社会厚生を増大させうるための必要条件とは，市場の失敗が生じる場合である．本節冒頭で指摘した専有可能性の問題は，市場の失敗を引き起こす原因として伝統的に議論されてきた．

イノベーションを創出する経済主体が，そこから生み出される社会的な付加価値に対する対価を十分に得ることができないことを，専有可能性の問題と呼んだ．この問題は専門的な言い方をすれば，イノベーションの社会的限界純便益が私的限界純便益[8]を上回るために，イノベーションへの投資が社会的に見て過少となるという点を指している．Arrow (1962) や Nelson (1959) 以降の経済学研究の発展によって，こうした専有可能性に代表される市場の失敗が，様々な形で現実の事象となって現れていることが指摘されてきた．特にイノベーション政策との関わりで重要な論点は，「人的資本」と「情報の非対称性」の存在である．

人的資本は，内生的成長理論との関係でも注目された論点だ．人的資本の蓄

---

[8] ここでいう純便益とは，イノベーションを創出する費用を便益から差し引いたものを指す．

積を通じた技術進歩によって経済成長が持続的になされうるという内生的成長理論は，1960年代にソローを中心とする新古典派的成長理論に基づく外生的な技術進歩の見方を大きく覆すものであった．教育や職業訓練などを通じて蓄積される人的資本は様々な生産活動に汎用的に利用可能であり，企業が自ら人的資本に対する投資を行ったとしても，労働市場を通じた人の移動によって，そうした人的投資のメリットを競合企業が享受できる可能性がある．こうした外部効果の存在は，人材育成を通じたイノベーション投資への私的誘因を低減させる効果を持つ．近年ではグローバルな企業間競争の中で，研究者・技術者の引き抜きも産業分野によっては激しくなっており，社内の若手人材の育成もかねて人的資本を社内にとどめる工夫をする企業が増えてきている現状にある．

経済主体の間で保有する情報が遍在するという情報の非対称性も，政策的な対応を必要とする経済学的な理由の1つである．イノベーションの文脈で重要な論点の1つとして資金制約がある．企業の持つ技術開発やイノベーションの能力について，その企業は認識しているものの資金の出し手は正確に判断できない場合が往々にしてある．資金は研究開発能力の高い企業に本来供給されるべきところ，企業と資金供給者との間で情報が完全に共有されていない（つまり情報に非対称性がある）場合には，資金供給者は企業の正確な研究開発能力を見極めることができず，本来資金が供給されるべき企業に金融機関等の民間経済主体からの資金が円滑に供給されない可能性がある．これは第7節で議論する中小企業においては深刻な問題になる．

4.2 イノベーション政策体系

青木（2011）やSteinmueller（2010）は，科学技術イノベーション政策を(1)需給施策，(2)補完財供給，(3)組織改革という3つのアプローチに分類している．本項ではこれらのアプローチを簡単に紹介して，イノベーション政策の枠組みについて概観しておきたい．

「需給政策」とは，市場の失敗によるイノベーションの過少供給を補正するために，需要者・供給者の両主体に対して直接的な介入（例えば減税や補助金などの施策）を行うアプローチである．他方で，「補完財供給」とは，イノベーションが活性化されるような土壌（インフラ）を整備するアプローチである．

前項で触れた人的資本の高度化を目指すような学校教育・職業訓練の充実や，情報の非対称性を解消するための施策はこの分類に属するだろう．特に後者の情報の非対称性に対しては，個別のケースごとにその施策の内容は大きく異なりうる．例えば安全・衛生に関しては，認証制度の確立や基準・ガイドラインの策定が考えられるだろうし，前項で取り上げた資金制約に対しては，金融機関の審査能力の充実・向上などの対応が含まれる．

最後の「組織改革」とは，イノベーションを生み出す社会制度システムの補完性を高めるような取り組みを指す．伝統的には，産学連携を深化させることによってイノベーションのシーズとニーズとの効率的なマッチングを促し，或いはアライアンスやコンソーシアムを形成することによって研究開発の効果的な取り組みを行うことが例として挙げられる．また近年見られるオープンソース化への取り組みは，イノベーションを積極的に提供することによって標準化・規格化を図ろうとする新たな企業戦略の試みとして，イノベーションを生み出す企業組織の改革と捉えることができるだろう．

これら3つに分類されたアプローチは互いに関連しあっている．例えば，専有可能性を高めるための「需給政策」の1つに，企業連携・合併を促すような「組織改革」がふくまれるだろうし，また人的資本の高度化という「補完財供給」は，労働市場の流動化などを含む「組織改革」を伴う必要がある．既存文献にある上記のような政策アプローチに基づく分類は，あくまで便宜的なものであり，実際の政策を考えるときには市場の失敗の発現の仕方に応じて個々別々に最適なアプローチが選択されるべきであろう．上記の枠組みを念頭に置きながら，以下ではイノベーション政策にかかわる論点を提示してみたい．

4.3 イノベーション政策：3つの論点

専有可能性に由来するイノベーションの過少供給を回復するための政策には概ね2つのアプローチがある．イノベーションを行う私的誘因を回復するために，誘因の「漏れ」（リーケージ）を防ぐこと，そして「漏れ」の分だけ補てんをすることである．ここでは，「漏れ」を防ぐ政策として知的財産権と企業提携・合併を論じ，次に「漏れ」を補てんする政策として公的助成を議論する．なお前項の政策アプローチに基づく分類に照らすと，知的財産権と公的助成は

需給政策，企業提携・合併は組織改革に該当する．

知的財産権

　イノベーション創出に伴う専有可能性の問題に対する1つの対処方法は，イノベーションの成果を秘匿してブラックボックス化することで，競合企業が模倣できないようにすることである．また特許などの知的財産権を利用することは，技術情報を公開することにはなるが，法定保護期間中は当該技術を独占的に利用する権利を保有・行使できる点で，専有可能性の問題に対する1つの解決方法かもしれない．こうした保護手段が想定通り有効に機能するならば，これらの手段を利用することによってイノベーションがもたらす利益の専有可能性を高め，イノベーションの過少供給を緩和することが期待できる．

　画期的なイノベーションによってもたらされる新しい知見は，後続の改良された新商品を生み出し，こうした積み重ねを通じてイノベーションの経済的・社会的価値も高まっていくことにもなる．特許を含む知的財産権の強化は，こうした後続の改良を権利の侵害と見なし，むしろスムーズなイノベーションの進展を阻害することにもなりかねない[9]．他方で，知的財産権等による保護がなければそもそもの「オリジナル」なイノベーションを生み出す誘因が減殺される可能性がある．イノベーションの累積的な性質に鑑みれば，「オリジナル」のイノベーションを生み出す開発者だけでなく，後続の改良者に対しても研究開発の誘因を適切に与えるべきだが，両者に付与する誘因をどう割り当てるかは自明ではない．

　同様のトレードオフは，標準必須特許にも見られる．最近のデジタル化やICT化に伴い，様々な電子・家電製品には，その製品を生み出すために利用せざるを得ない特許（標準必須特許）が多数含まれているが，そうした特許に

---

[9] 先行するイノベーションに与えられた特許が，後続の改良を妨げた古典的事例として，しばしば取り上げられるのはワットの蒸気機関である．ワットが開発した技術よりも優れ，のちに広く普及したホーンブロワーの蒸気機関も，そのアイデアの一部がワットの蒸気機関に由来することからワットの特許（1769年取得）に抵触するとされ，その開発・発展がワットの特許期間の満了（1800年）まで遅れることになったとの指摘がある（Boldrin and Levine, 2008など）．ただしこの事例については，特許権の問題というよりも，技術的な不確実性の方が発展を遅らせた主因であったという見方も近年提示されている（Selgin and Turner, 2011）．

対しては標準化団体が特許保有者に対して公正且つ合理的で被差別な条件でのライセンスを確約する FRAND[10] 宣言を求めることが普通になっている．ところが近年，FRAND 宣言がなされた特許の行使に関して紛争が相次ぐようになった．標準必須特許については，標準実施者が投資を行ってから高額ロイヤルティの支払を余儀なくされるといういわゆるホールドアップ問題や多数の特許が個別に行使されると，ロイヤルティが不相当に高額化するロイヤルティスタッキングの問題が生じることから，その行使に一定の制約が必要であることは広く知られている．標準必須特許の濫用の危険性を重視する立場と，特許の尊重も重要だという立場の間での対立点は，知財高裁で 2014 年に判断が下されたアップル対サムスン事件で一躍脚光を浴びることになった．川濵 (2015) は両者の立場は相反するものではなく，むしろ具体的にどのような競争制限を問題とすべきかという競争法の問題として捉えることができることを法学的な観点から明らかにした．

企業提携と合併

企業合併は，経済学的に 2 つの相反する効果を社会厚生にもたらすことが知られている．(Williamson, 1968)．まず 1 つの側面として，合併は企業の生産・経営の効率性を向上させる効果を持つ．この「効率性向上効果」は，規模の拡大や部門間の相乗効果を通じた生産・販売・流通部門の生産性向上を通じて，製品をより安価に需要者に提供できる可能性を高める点で社会厚生上好ましい効果であるといえる．プロセス・イノベーションはまさに「効率性向上効果」の典型である．

他方で合併を通じて企業数が減少することから企業間の競争が緩和される懸念がある．この「競争制限効果」には大まかに，企業単独で行われる形態（unilateral effect）と企業間での協調・共謀を促すことによる形態（coordinated effect）との 2 つがあると考えられる．いずれの形態も市場が不完全競争の場合でのみ見られる現象であり，市場競争が緩和されることによって需要者は高い価格や低い品質を甘受せざるを得ないことが見込まれる点で，

---

[10] 非差別的で合理的な条件．Fair, Reasonable And Non-Discriminatory terms and conditions の略．

社会厚生を悪化させる効果を持つ．

　競争法をもつ180を超える国々では，ある一定規模以上の企業同士が合併するときに事前審査を設けている．その理由は概して言うと，企業合併における「効率性向上効果」の便益よりも「競争制限効果」の弊害を競争法が問題視しているからに他ならない．これは伝統的に競争法が大企業による市場支配力を問題視してきた歴史的な背景に由来するものと思われるが，他方で「効率性向上効果」が「競争制限効果」と比較してどの程度の大きさなのか，定量的な学術研究はいまだに乏しい．明示的にイノベーションの観点を判断要素の1つとして企業合併審査を行った事例が米国では見られ始めているものの[11]，わが国を含め多くの国ではイノベーションに対する考え方が定まっていない．過去の企業合併事案にイノベーションを活性化させる効果があったのか，あったとすればその効果はどれだけの大きさでどのような経済的なメカニズムを通じて見られたのかを事後的に評価することは，企業合併審査の判断要素にイノベーションの観点を考慮する上で重要な知見となる．本プログラムでは，大橋・遠山（2012）が韓国における現代・起亜自動車の合併をグローバル競争の観点から定量的に評価を行っており，またDoi and Ohashi（2015）では2002年における日本航空の日本エアシステムの合併が国内航空市場に与えた影響を評価している．今後のさらなる定量的なケーススタディの蓄積が待たれるところである．

公的助成

　プロダクト・イノベーションの創出に伴う専有可能性の問題を企業連携や合併によってある程度内部化できても，なおイノベーションの私的誘因が過少である場合には，イノベーションの私的供給に対する公的助成が正当化されうる．五十川・大橋（2012）ではイノベーションが創出される動学的なプロセスを構造形推定モデルにて記述し，公的助成によってどれだけ民間企業のイノベーションが活性化して企業価値の向上につながるかを分析している．最初のステップとしてイノベーション活動における企業の意思決定を内生化したモデルを構

11）　海外の事例については，Shapiro（2012）を参照のこと．

築し，その構造モデルのパラメータを推定している．これによってプロダクト・イノベーションの波及効果を定量化することが可能となる．次のステップでは，シミュレーション分析を行うことによって，波及効果と企業間の相互依存関係を考慮しつつ，わが国における公的助成の効果を評価している．

彼らの分析を通じて次の2点が明らかになった．第1に，民間企業のプロダクト・イノベーションには波及効果が存在し，その影響は競争激化による負の効果を上回っている点である．プロダクト・イノベーションが活性化されると，その商品市場に企業が参入する結果として市場競争が活発になり，イノベーションが持つ正の波及効果を減殺する可能性がある．企業の参入プロセスを明示的に推定することにより，イノベーション創出に伴う競合企業への波及効果が有意に存在することが構造形推定に基づいて明らかになった．

第2に，イノベーション活動への公的助成はプロダクト・イノベーションを活発化することを通じて社会厚生を増大させうる点が示された．補助金による便益の上昇幅は配分された補助金の1.4倍程度となり，イノベーションへの公的助成に経済的に無視しえない経済効果をもたらすことが分かった．第3に，現状の補助金配分は必ずしも効率的に行われていない可能性が示唆された．補助金を受けた企業のうち4割程度は，仮に補助金を受給しなくともイノベーション活動を同等に実施したであろうことが定量分析の結果から推測される．

つまりわが国における現状の公的助成は必ずしも効率的に付与されておらず，効率的に付与されれば公的助成が民間のイノベーション活動を完全にクラウド・アウト（代替）しないことが示唆されている．公的助成を行うことの是非ではなく，公的助成のやり方が重要である点は，今後の実証分析の方向を考えるうえで1つの重要な指摘になりうるだろう．

国内外の研究においても，最適な公的助成の付与方法にまで踏み込んだ実証研究は今のところなされていないように思われる．イノベーションの成果を完全に専有できなければ政策の関与する余地があるとはいえ，その政策の関与が過ぎればイノベーションの「過大な」供給に繋がることになる．例えば次々と新商品が生み出されるような社会においては，消費者は新商品の購入を控える傾向が強くなり，イノベーションの普及が阻害されるかもしれない[12]．消費者は少し待てばすぐに新しい商品が出ることを見越して，買い控えをしてしま

うからである．国内外の政策パッケージに「イノベーション」という用語を目にしないことがない「イノベーション崇拝（innovation fetish）」(David, 2012) が蔓延する昨今において，イノベーションの普及も含めた社会厚生の観点から最適といえるように，イノベーション活性化に向けた公的助成のあり方を考えることは，効果的・効率的な科学技術イノベーション政策の制度設計において欠かすことのできない視点のはずである．

あわせて公的助成における政策効果の観点で考えると，企業の海外展開が進む中で政策効果が国内にとどまらず海外に漏れ出してしまう問題がある[13]．日本で行われる研究開発の成果が，外国企業に波及（スピルオーバー）することを経て海外の市場により大きな利益をもたらすことになった場合に，研究開発に対する公的助成を政府はどの程度行うべきなのだろうか．もちろん日本企業が海外企業からスピルオーバーを享受して国内経済に利益をもたらすこともあり得るという点で，グローバル化に伴うスピルオーバーは日本経済にとって必ずしも損失とは言えない側面がある．国境を越えた知識のスピルオーバーが，国内におけるスピルオーバーに比べてその程度が弱いという研究[14] や，頭脳流出が必ずしも流出元の国において損失にはならず，中長期的に国際間のネットワークを通じて流出元にメリットをもたらす[15] など，実証研究がいくつか存在するが，政策的な含意はいまだ確たるものが得られていない．今後の研究が待たれるもう1つの分野である．

4.4 プロダクト・イノベーションの定量分析

イノベーションの成果や価値をどのように定量的に捉えるかは，経済学でも重要な課題の1つである．イノベーションと聞けば多くの人がプロダクト・イノベーションを思い浮かべる中で[16]，これまでの経済学の定量分析がプロセ

---

12) 理論的には「コースの推論」といわれる現象である．
13) 例えば Havranek and Irsova (2011) では，直接投資によって海外に進出した企業から現地企業への波及効果が見られることがサーベイされている．
14) Branstetter (2001) や Jaffe and Trajtenberg (2002) を参照のこと．
15) 例えば Docquier and Rapoport (2012) を参照のこと．
16) 例えば古くは Mansfield (1968) を参照のこと．Nagaoka and Walsh (2009) によれば，研究開発プロジェクトの8割はプロダクト・イノベーションに係るものとの結果がある．

ス・イノベーションに偏重してきたことは否定しがたい事実である．吉川他（2013），吉川・安藤（2015）はそうした問題意識からプロダクト・イノベーションに注目した研究を，事例に基づきながら行っている．

　経済学においてこれまで分析対象がプロセス・イノベーションに偏ってきた大きな理由の1つは，経済学の既存の分析枠組みにてプロセス・イノベーションは容易に捉えられることができるからである．プロセス・イノベーションによる生産性の向上は，既存製品やサービスを産み出す生産関数の上方シフトと解釈され，その推定値は生産関数の定数項や残差を計算するという計量経済学における基本的な手法によって求めることが可能である．他方でプロダクト・イノベーションは，従来なかったような製品・サービスが新たに登場することを指す．プロダクト・イノベーションの定量分析においてまず考えるべきは，このイノベーションが生み出す成果にどのような指標を用いるかである[17]．

　例えば科学技術を例に取り，その活動が知識を創出することだとみれば，どれだけの知識が科学技術によって生み出されたかが成果とされるべきである．つまり経済理論的にいえば科学技術によって新しく生み出された知識の量に，新しい知識1単位あたりが持つ潜在価値（いわゆる機会費用）を掛け合わせたものが科学技術の価値だとみなせる．もちろん知識そのものをみることができず，ましてや1単位などと数える形では存在しないことから，多くの過去の研究では創出された知識の近似として特許数や論文数等に関するデータを用いて科学技術の成果指標とみなしてきた．さらに創出される知識の異質性の程度を反映するために，特許や論文の被引用回数を用いるようにもなったというのが

---

[17] プロダクト・イノベーションとプロセス・イノベーションとの区別を概念として最初に明確に提示したのは Fisher and Shell（1998）である．彼らの議論は解析的ではあるものの，直感的には以下のように解釈ができる．つまりイノベーションの結果による品質の向上を実質的な価格の低下として表現できる場合にはプロセス・イノベーションと分類でき，そうでない場合にはプロダクト・イノベーションと考えることができる，というものである．具体的には，品質向上と価格の上昇とが等価関係で示される場合においてのみ，品質の向上はプロセス・イノベーションと同値と考えることができるとされる．そうした例として Nordhaus（1997）が分析した電球を取り上げることができるだろう．初期のイノベーション測定の定量研究は，品質と価格との間に等価関係が存在するとの仮定のもとにしたものが多く，例えば Mansfield（1977）は17のイノベーション事例について，Bresnahan（1986）はコンピュータについて，価格の下落を通じたイノベーションの社会厚生への影響を調べている．しかし品質と価格とを等価とみなせるようなイノベーション事例は極めて限られるのではないかと思われる．

学術上の系譜である．こうした科学技術の成果指標に対して，古くから多くの批判がなされてきた．そもそも科学技術で生み出された知識の全てが特許や論文の形で公開されるわけではなく，秘匿情報として企業内に蓄積されることも多くあることから，特許数や論文数を知識の代理変数として用いることの問題点が指摘されてきた（Levin et al., 1987）．また知識には大きな異質性が存在するが，その異質性を特許・論文の数（被引用回数も含む）という尺度で捉えられるのか，という疑問も提起されてきた．

イノベーション測定においても，知識創出活動と同様の困難が成果指標を考える上で存在する．つまり科学技術と同様に，イノベーションの成果として創出される付加価値そのものは客観的なデータで確認をすることはできず，また創出されるイノベーションには異質性の大きな分散が存在する．しかしイノベーション測定における指標には，科学技術の成果指標とは異なるアプローチが必要と思われる．なぜなら特許や論文，それらの被引用回数が多いことが経済的・社会的な付加価値を創出するわけではないからだ．そもそも優れた科学技術の成果がいつも高い社会的・経済的な価値を生むイノベーションの創出に繋がっているわけではない．特許や論文の関連指標が示す成果は，イノベーション活動から見れば中間投入の１つであると考えるのが適当である．

現にイノベーションを科学技術の成果とは異なる方法で測定する必要性については古くから指摘がある．例えば，当時のイノベーション測定の現状に対してArrow（1984）は「あまりにも研究者の多くのエネルギーが別の目的で収集された伝統的なデータに固執し過ぎている」と指摘し，またGriliches（1987）は「（イノベーションを捉える）視点からのデータ収集があまりになされていない」と苦言を呈している．

それではプロダクト・イノベーションの価値はどう考えられるべきか．経済学的に考えると，プロダクト・イノベーションの価値は新しい商品を企業が製造・販売し，それらを消費者が購買・需要することによって生み出される．具体的には，新商品を企業が製造・販売するときに生産者が得る利潤に加えて，そのイノベーションの成果を購買・需要することによって消費者が得る便益（あるいは効用）がその価値として挙げられる．ハイビジョンテレビを例にとれば，市場にハイビジョンテレビが登場することによって旧来型ブラウン管テ

レビ以外の選択肢が消費者に与えられ，消費者の便益が向上することになった．あわせてハイビジョンテレビの登場によって，ブラウン管テレビからの買い替えが促されて家電企業は利潤（生産者厚生）も増加した．つまりハイビジョンテレビというイノベーションの経済・社会的な付加価値とは，消費者厚生と生産者厚生との和（社会厚生）として表現されることになるのではないか．ハイビジョンテレビの普及が進むにつれて社会厚生が拡大し，経済・社会にもたらされるイノベーションの価値も高まるのである．

なお当然のことながらイノベーションによってもたらされる付加価値は，経済的な側面に限定されない．例えば，画期性をもつ新薬が市場に投入されることによって，患者の死亡リスクが減少して寿命が延びることになれば，それもイノベーションの成果として定量的に補足されるべきだろう．

プロダクト・イノベーションの評価対象を社会厚生の推定と捉えることによって，イノベーション測定に関していくつかの含意が得られる．1つは，費用が莫大にかかるイノベーションが必ずしも社会的に有益なイノベーションとは言えないという点である．イノベーションの社会・経済的な価値とは社会厚生をベースとして考えるべきであり，イノベーションを生み出すための事業規模や費用総額の多寡で決まるわけではない．

つまり単に技術的側面が向上するだけで，イノベーションが価値を生み出すと考えることはできない．仮に自動車を例に取り上げれば，あるイノベーションによって自動車のスピードが飛躍的に向上したとしても，渋滞のひどい社会にあっては自動車のスピードを上げるような技術の向上は需要家にとってあまり意味のあるイノベーションとは言えない．つまりスピードの向上という技術的な観点からのみでイノベーションの価値を評価することは正しいアプローチとは言えず，需要家のニーズからの視点がイノベーションを評価する観点として不可欠であると思われる．

もちろん，需要家の視点をイノベーションが創出する価値の判断基準とするという経済学的な考え方は，残念ながら社会科学分野の世界でもまだ広く共有されているとは言い難いのが実情である．イノベーションによって生み出される価値の指標には，供給者側の視点のみならず，そのイノベーションを享受する需要家の視点も勘案されてしかるべきであり，今後ますますそうした需要家

目線でのイノベーションの評価が重要になる．そのように考えれば，供給側の視点だけでなく需要側の視点も併せもつ社会厚生の概念は，イノベーションの測定における定量的な指標として適切な視座を与えるものと考えられよう．こうしたプロダクト・イノベーションの分析手法は大橋編（2014）を始め，本プログラムでも様々な形で取り組まれている．

5 エネルギー政策：電力システムを中心に [18]

英国の電力自由化から4半世紀以上が経過して，わが国でも電力システム改革が進められた．各国で行われている電力自由化の共通する目的は，電力事業が持続可能な形で「国民経済」に資することにある．この改革では，競争的な卸電力市場を通じて与えられる誘因が重要となる．市場のシグナルを通じて，電源は効率的に建設・運用され，系統運用者は電気の品質を保ち，供給事業者は技術革新を行うことになる．事業者が行う技術選択や運用の「過ち」に起因する損失やリスクは，消費者が負担するのではなく事業者が負担する．一方で，優れた選択・運用を行う事業者に対しては相応のリターンがもたらされる．消費者は小売事業者を選択でき，小売事業者は様々なマーケティング手法を用いて消費者のニーズに合ったサービスの差別化を行うことになる．

電力自由化で先行する先進国の経験から明らかにされたのは，わが国が過去に経験した通信や航空での自由化と異なり，電力の自由化には規制の緩和のみならず，新たな再規制を必要とするという点である．そしてこの再規制のあり方には複数の均衡解が存在しうる．どの解を目指すかは各国の電力産業の辿ってきた歴史的背景や，その背景に裏付けられた国民の許容性に依存するものと思われる．こうした問題意識に基づき，以下ではまずわが国の電力産業について振り返ってみよう．

5.1 わが国における「電力システム改革」の背景

戦後のポツダム政令によって1950年に日本発送電が解体され，発電設備を

---

[18] この節は大橋（2015b; 2015c）を参考にしている．

9配電会社に移管して以来，わが国の電力事業は垂直一貫体制による地域独占と総括原価方式による投資回収を保証することで，大規模電源の確保を実現してきた．供給力に対する投資が一巡し，安定的な電力供給が保証されるようになると，電力価格の内外価格差が問題になり，欧米で先行していた電力自由化がわが国でも話題に上るようになった．1995年以降，4次にわたる制度改革がはじまり，発電部門への競争原理の導入や小売部門の段階的な自由化がなされた．供給が十分にある中では，市場メカニズムを導入すれば，需給の関係から（少なくとも当初の供給力が維持される短期には）価格は低下することになる．実際に，制度改革を通じてわが国の電力料金は3割程度低下した．自由化の過程では，垂直一貫体制を維持しながら，代わりに送配電部門の公平性と透明性を確保することで事業者間の競争条件の平等化を図った．

この垂直一貫体制のメリットを享受しながら自由化の便益を高めようとする「日本型自由化モデル」は，東日本大震災とそれに伴う原子力発電所の事故によって大きな変容を迫られることになった．具体的には，震災で人的・物理的なダメージがほぼなかった首都圏に大規模な計画停電が約2週間にわたって行われたことの影響が大きかった．この計画停電は主に以下の3つの論点を提起し，その後の電力システム改革へと繋がることになった．(1)連系線を通じた広域融通によって計画停電が解消しない点に不満が高まった．(2)個人・商店などの規制需要家に，一般電気事業者以外の電気を購入したいとの意識が高まった．(3)首都圏の電力需要は大規模電源からの供給に依存していた点が明らかになり，分散型電源の導入拡大への必要性の認識が高まった．これらの論点は，その後の「電力システム改革」の方向性を強く決定づけることになる．具体的には，論点(1)は広域系統運用の拡大，そして論点(2)は小売全面自由化へという電力システム改革の第1段階・第2段階へと繋がった．論点(3)は再生可能エネルギー（以下，再生エネ）普及を促進するための固定価格買い取り（FIT）制度の導入と共に，再生エネの接続を公平に行うために，送配電部門の中立性を一層確保し，第3段階における法的分離が求めることになった．

5.2 電力システム改革が持つべき視点

電力自由化の難しい点の1つは，電力という財が経済学の一般的に想定する

財とその性質を大きく異にしていることに起因している．それをひと言で表現すれば，電気には物理的な所有権を設定することができない点にある．例えばある消費者が北海道で発電された風力の電気を購入したいと思っても，電気は同じ周波数と電圧をもつ他の電気と送電途中で混在してしまうので，特定地域の特定電源から発電された電気を購入・消費することはできない．一般に取引とは所有権の交換を意味するが，物理的な所有権を設定できず公共財的な側面をもつ電気では，アダム・スミスが言うように自立的・分権的に市場均衡が成立することは自明ではなく，需給調整において深刻な「協調の失敗」(coordination failure) が起こる可能性がある．電気の場合，協調の失敗は停電を引き起こすことから，その社会的なコストは甚大である．分権的に達成できない協調を可能にするために，発電量と消費量とを能動的に合致させる系統運用者（経済学での「競り人」に相当するが，その業務はもっと複雑である）の役割が重要となる理由がここにある．

　系統運用者の役割に対しては，どれだけの権限を与えるかに関して考え方に違いがある．系統運用者に集権的な権限を与えることは，一般的に民間事業者の利潤機会が縮小されることを意味する．そこでパワープールのような制度は，民間事業者の市場支配力を抑止できるとの見方がある一方で，系統運用者という非営利主体に権限が集中することから生じる非効率性に懸念する見方もある．この2つの見方は，いずれも本質を衝いており，どちらが正しいかを定性的に結論づけることはできないことから丁寧な議論が必要とされる．八田・三木 (2013) は，電力の最終需給調整に対して市場メカニズムを導入するための制度設計についてスウェーデンを例にして専門的な分析をしている．自由化の下では，発電・小売分野に様々な経済主体が参入し，送配電網を「プラットフォーム」（出会いの場）として電気の擬制的な取引が行われる．Amazonや楽天などの提供する「プラットフォーム」が電子商取引でなくてはならない存在であるのと同様に，系統運用者の「プラットフォーム」も電力市場が機能する上で不可欠なものである．電子商取引と異なる点は，電気事業では系統運用者はしばしば独占であり，プラットフォーム間の競争が見られない点にある．そこで系統運用者には，独占に伴う弊害を抑止するための規制が課せられるのが通常である．なお「プラットフォーム」間の競争が近年のわが国経済のイノベー

ションを牽引していることを鑑みると，系統運用者に対する規制のあり方には慎重な検討を要する．パフォーマンス評価に基づく規制を導入するなどして，いかに「プラットフォーム」を通じたイノベーションを促すかが中長期的な課題になるのであろう．

5.3 再生エネが提起する問題

エネルギーコストの上昇と温室効果ガスの排出量の増大が，わが国の経済・産業活動や地球温暖化対策への取り組みに深刻な影響を与えている．特に震災後のエネルギー政策の大転換のなかで，エネルギー需給の見通しが立たないままに様々な緊急的対策が同時並行して進められたことで，エネルギー政策に明確な優先順位が失われ，エネルギーを取り巻く事業環境の不確実性が大きく増した．

具体的に見てみよう．震災前に3割だった原子力発電の比率がゼロとなり，代わりに火力発電が大きくシェアを伸ばすことになった (Hosoe, 2015)．FIT制度の影響もあって，再生エネの中でもとりわけ太陽光発電の導入量が飛躍的に増えたものの，わが国のエネルギー自給率は震災前の約20%から6%近くにまで低下している．火力発電への依存度が高まることで，化石燃料の輸入増と円安の影響を受けて電力料金も上昇し，特に産業用では平均で30%もの電力料金の上昇となっている．

こうした中でCOP21 (国連気候変動枠組み条約第21回締約国会議) にて2015年12月にパリ条約が採択され，新たな地球温暖化対策の枠組みができた．わが国は，長期エネルギー需給見通し（エネルギーミックス）を踏まえて，温室効果ガス（CO_2）を「2030年度に，2013年度比で26%削減」する目標を掲げた．今後は，この目標をいかに達成するかに政策の焦点が移っている．

電力の安定供給を支えるために必要なのは，自然条件によらずに安定的な運用ができる電源を確保することである．今回のエネルギーミックスにおいて肝となっている点は，自然変動再生エネとそれ以外の再生エネに区分けをした上で，原子力などのベースロード電源と代替となり得る再生エネを，地熱・水力・バイオマスのような自然条件によらず安定的な運用な可能な再電源だと定義をした点である．

他方で，太陽光や風力のような自然変動再生エネは調整電源として火力を伴うことから，原子力ではなく火力と代替すべきものとした．この区分けを前提とすれば，原子力と太陽光発電とは競合することはなく，ベースロード電源を拡充するためには，地熱や水力ばかりでなく，相対的にポテンシャル制約が少ないバイオマスに大きな期待が寄せられるシナリオとなっている．

単純に再生エネの「量」を増やすという政策から，長期にわたり安定的に低コストで発電する社会システムを支える自律電源として，再生エネの「質」も伸ばしていく政策へと，新エネ政策のかじ取りも再調整をするステージに入ったといえるだろう．この点は，日引・庫川（2013）がFITとの比較で，再生可能エネルギー利用割合基準（RSP）を理論的に分析している．

再生エネの「質」を高めていくにあたり，地域間連系線を増強して再生可能エネルギーの量を増やしていくという政策に対しても，国民に対する負担と便益との観点から見直していく必要がある．東日本大震災後，大規模な電源を集中的に1つの地域に立地することのリスクや問題点が顕在化し，分散型電源を地産地消するスマートコミュニティー（次世代社会インフラ）を形成する取り組みが様々な自治体で試みられた．再生エネを需要家側で無駄なく効率的に活用するこの試みは，系統への負荷を低減することで将来的な送電設備への投資を抑制し，電気料金の節減に資する重要な取り組みであるはずであった．

しかしFIT制度が12年7月に開始されると，再生エネを地産地消しようとするインセンティブが働きづらくなり，結果として再生エネが大規模に建設・立地されるような状況となった．再生エネの大規模化は送電線の新たな増強を必要とし，その増強費用は最終的に電気料金の上昇となって国民負担となる．分散型電源のメリットを再認識し，再生エネを通じたわが国の社会システムの「質」を高めていくためにも，地産地消に適した再生エネに対してもっと政策的な目が向けられるべきとの意見も傾聴に値する．

エネルギーミックスにおいては，原発比率を20〜22%とした点が注目されている．原子力の比率を高めていくにあたっては現在も続く福島第一原発事故に対する救済状況を踏まえて，原子力賠償（原賠）制度を適正化していく議論を避けて通ることはできない．その際には原賠制度を原子力事業者だけに委ねたままにしておいて良いのか，あるいは原子力の公益的な部分活用も視野に入

れて，国民経済的なメリットとリスクとを国策として再配分することが望ましいのか．原子力の事業環境整備をどのように考えて電力システム改革との整合性を確保するのかが議論の俎上に載せられることになるだろう．

わが国の「電力システム改革」の貢献の1つは，これまで一般電力事業者にのみ与えられていたようなサービス提供の機会が，他の事業者にも開かれることにある．その結果，需要家にとってはサービス購入先を選択できるような世界が訪れる[19]．こうした選択肢の拡大は新たな市場の創出を意味しているが，他方でこれによって電力供給の社会コストが低減するかどうかは，市場支配力や送電混雑などいまだ「電力システム改革」において議論されていない制度設計いかんに大きく依存することになる．冒頭で述べた電力自由化の目的を達成するために，開かれた電力市場に経済性の視点がきちんと反映されるようにしなければならず，2015年4月に設立された電力広域的運営推進機関や，9月に発足した電力取引監視等機関に大きな期待がかかる．電力の経済学については，今後も制度改革の進捗に合わせて進めていくべき重要なテーマである．

6　産業政策としての農政改革

農業政策は，産業として農業を強くしていく政策（産業政策）と国土保全といった農業のもつ産業以外の多面的な機能を発揮するための政策（地域政策）との車の両輪であると言われている．グローバル化の進展に伴う市場原理のいっそうの導入を目指す政策体系への変換を図りながら，他方で環境と農業とのかかわりを重視し，水田の有する環境保全機能の維持・増進を目指すことの必要性が背景として強く意識されている．TPPをはじめ経済のグローバル化が進むなか，農業改革はもはや農業を所管する省庁の政策を超えて，国益を代表する政策として重要性が増してきている．

わが国の農業は，従事者の高齢化が著しく後継者不足が深刻化しており，関税や国境措置に頼らなくとも自立できる国内農業を確立することが急務になっている．グローバル化と整合的な国内農業をいかに育成するのか，国内消費市

---

[19]　森田・馬奈木（2013）は東日本震災後，消費者の再生エネに対する支払い意思額が高まっていると指摘する．

場が縮小する可能性に対して海外輸出を含めてどのように持続可能な形で農業を産業として育てていくのか，そうした道筋を農業改革のなかで見せていく必要がある．論点の1つは，国内における主食用米価を維持するための政策の是非である．

一般的に，ある財の国内価格を高位に維持するためには，政策的に(1)供給を減らすか，(2)需要を増やすかのいずれかの方法を取ることになる．主食用米を取り上げてみれば，私たちの食卓には米以外にも様々な食材が満ちあふれていることを考えると，(2)の米の需要をふやす戦略にはかなりの工夫と戦略が求められる．その点では，政策としては(1)に着目する方が費用対効果が高いと考えられる．国境を越えた財の輸出入が自由な世界において，供給を減らすためには，国外からの輸入を減らすと共に，国内の供給力を減少させることが求められる．主食用米については，関税を含む国境措置が前者に，後者には減反政策を含む農地政策が該当することになる．

わが国では主食用米に対して700％以上の禁止的に高い関税を課しており，その代わりに関税率ゼロの輸入枠を設定するミニマムアクセス（MA）米を導入することを受け入れている．もっともMA米の多くは，飼料や海外への援助として用いられているが，そのうち10万トンを上限として輸入をしているSBS（Simultaneous Buy and Sell）米については，オークション方式によって売買が行われる形態が取られている．このSBS米の入札については，2012年から入札の不成立の割合が急増している点が指摘されている．この理由として，国内におけるSBS米（および主食用米）の需要がさらに低迷している可能性に加えて，主食用米の内外価格差が縮小していることが背景にあると考えられる（慶田，2014）．基調として上昇傾向にある海外米の価格が今後も引き続き上がっていくとすれば，わが国の国内価格を逆転することも現実味を帯びており，山下（2013）も指摘するように，MA米のように輸入枠を設けて高関税を課していることの意義があらためて問い直されるべきである．TPP協定が署名された今，こうした主食用米を取り巻くグローバルな環境変化を十分に意識する必要がある．

高米価を維持するためのもう1つの手法が生産調整政策であり，いわゆる「減反政策」である．生産調整政策は，1960年代後半に顕在化した米の生産過

剰と古米在庫の累積を背景として1969年度に試験的に実施されたのが最初と言われている．翌年には，生産調整目標を100万トンとする緊急避難的な措置が取られた．その後，1971年度以降は，米の生産過剰が一過性ではなく構造的であるとの判断から，中長期的な視点による生産調整目標量と一定の実施期間を定めた対策として本格的に進められた．

生産調整に対しては様々な財政による補助金支出が行われ，生産調整を遵守しない者に対しては補助金対象外にするなどペナルティーを課すなど厳しい締め付けを行ったことから，農業者と市町村などの間や同一集落内などで軋轢を生じさせることにもなった（荒幡，2015）．また米価が高いことから，零細小規模な兼業農家も農業を辞めることがなく，主業農家の規模拡大・コストダウンは進まなかった．

そうしたなかで2013年11月26日に政府は，5年後の2018年産を目処に，主食用米の生産調整を見直し，行政による生産調整目標の配分に頼らずとも，生産者が自ら経営判断・販売戦略に基づいて需要に応じた生産ができるようにすることを決定した．齋藤・大橋（2015）では，個票データを用いた離散選択モデルの推定を通じて，転作補助金の政策評価を実施し，消費者に過大な負担を強いる制度であることを定量的に明らかにしている．

山下（2015）は，南北に長く標高差が存在するというわが国の国土の特性を生かして，今のJA（農業組合）に代わる新たな組織が，南北に展開する農家をフランチャイズ化して，これに種子の供給，労働者の派遣，機械のリースを行うことが有効であると主張する．日本の農地面積が小さいことを考慮すると，環境に優しい農業を行い，作業を平準化しながら，農地を有効に活用するという観点から，大規模な複合経営を推進すべきであり，その際にはGPSやセンサーなどの最先端技術やビックデータの活用も有効であろう．

これまでのように消費者に負担を強いる農業から，真に競争力のある生産者を育てる農業へと生まれ変わるために，農地集約の加速化，農業の輸出産業化，農業の企業経営化などTPP協定を踏まえた総合的な政策対応が強く望まれる．

7 中小企業政策

わが国の中小企業（本節では小規模事業者も含む）は，企業数では99％，雇用数では7割近くを占めているとされ，中小企業の活性化を抜きに日本経済の成長戦略を議論するのは難しい．

わが国の中小企業政策は，1948年に設置された中小企業庁を中心に展開がされてきた．1963年に制定された中小企業基本法では，中小企業を「弱者」と捉え，政策目的を「大企業と中小企業の格差の是正」としていた．この政策理念を実現するために，①中小企業構造の高度化（生産性の向上），②事業活動の不利是正（取引条件の向上）が重視されていた．しかし1999年の改正法では，中小企業は「成長の担い手」として捉えられ，多様で活力ある中小企業の成長発展を支えるために，①経営の革新及び創業の促進，②経営基盤の強化，③経済的社会的環境の変化への適応の円滑化の3つが政策の柱とされた．青山他（2012）の分析においても，とりわけ製造業においては中小企業の労働生産性は高く，産業成長のインキュベーター的な役割を果たしているとの結果が得られている．こうした実態にあわせるように，中小企業政策は，取引条件の不利な企業を保護する社会経済政策から，(1)創意工夫を凝らし技術を磨くような起業家精神をもつ企業を育てるベンチャー政策，そして(2)地域社会や住民生活に貢献する地域活性化政策と結びつくようになった．

近年では，これまでの長引く不況と国内需要の減少，さらには進展するグローバル化や大企業の海外進出をきっかけとした取引形態の変化など，わが国の中小企業は厳しい環境変化に直面している．さらにリーマンショックと東日本大震災の発生は，中小企業政策の経営環境を大きく悪化させることになった．こうしたなかで，中小企業基本法で謳われた「創業の促進」は大きく後退しており，悪化した経営基盤の強化も急務となった．それを受けて，創業支援を目的とする「新事業創出促進法」と経営革新を図る中小企業を支援する「中小企業経営革新支援法」を整理統合した「中小企業新事業活動促進法」が2005年に制定された．またリーマンショックによる経営悪化を緩和する金融支援策として，「緊急保証制度」，「中小企業金融円滑化法」等の施策が講じられた．次節では，これらの金融支援策の政策効果について定量的な分析結果を紹介する．

7.1 中小企業のイノベーション活動[20]

　五十川他（2012）では，2006年から2008年までの期間で実施したイノベーション活動にて企業が直面したボトルネック（隘路）について調査をし，2つの特徴を浮き彫りにした．第1に，企業規模を問わず，有能な人材や技術に関するノウハウ，市場に関する情報の不足が隘路になりやすい点である．第2は，特に小規模企業において資金的な制約がイノベーションの隘路となりやすいと考えられる点である．イノベーションを生み出す際の大学・高等教育機関や特許情報の重要性を調べると，中小企業の大学・高等教育機関との提携や特許情報へのアクセスは低調な状況にある．市場を創出するような画期的なプロダクト・イノベーションを中小企業が生み出すためには，企業と大学などの高等教育機関の間を取りもてる人材を育成することが重要な政策課題であろう．

　2番目の特徴は，小規模企業において資金的な制約が隘路となりやすいという点である．研究開発費とプロダクト・イノベーションの確率をプロットしてみると，研究開発支出を増やすと，画期性の有無を問わずプロダクト・イノベーションの確率が高まることが分かる．とりわけ企業のほぼ8割を占める研究開発支出5000万円までの範囲においては，飛躍的にイノベーションの起こる確率が高まるものの，それを超えると頭打ちになる様相が見て取れる．公的支援の制度設計を考えるうえで中小企業に対して手厚い支援を行うことが費用対効果の観点から適当である可能性が示唆される．9.3では中小企業金融についての成果を紹介する．

　ところで，公的助成を行わずとも，資金制約におけるイノベーションの隘路を解決する方法に，技術力のある中小企業が資金力のある大企業と事業提携することがあげられる．第4節3項の「企業提携と合併」で議論したように，この方法は専有可能性の問題を緩和するばかりでなく，大企業と中小企業とがそれぞれ得意・不得意を補い合うことで，相乗効果を生み出す可能性を持つ．こうした関係は海外におけるメガファーマとバイオベンチャーとの関係にも見られており，他にもこうした手法がなじむ分野があるか検討する余地はあるだろ

---

20) ここでの内容は大橋編（2014）を参照している．

う.

　なお，雇用吸収力や経済成長の原動力として起業・ベンチャーの重要性が常に指摘され，また海外の実証研究においても確立した知見として存在する．わが国では起業や新産業の育成についての取り組みが様々なされてきたが，この分野での成果が上がっていない．起業・ベンチャーは独り立ちするまで長い年月を要し，息の長い取り組みが必要とされている（Lerner, 2009）．2008年のリーマン・ショック以降，民間のベンチャーキャピタル（VC）の世界的な減退を経験し，VCが長期的な資金提供者としてその役割を果たせるかに大きな疑問が呈されることとなった．国際的にも精彩を欠く日本の起業状況を改善するためにも，国が補完的な取り組みを行うことが不可欠である．政策的に主導すべき3つの点として，起業家や新産業を育成するための環境作り，VCの需要創出，そしてVCの供給拡大があるだろう．ともすれば，政治的にはどれだけお金をつけるかという3番目の点に関心がいきがちであるが，起業や新産業の創出にもっとも重要な点は，起業しやすい環境づくりをいかに整備するかだといわれている．細野・滝澤（2015）は，未上場企業を中心としたIPOの状況を分析している．これまでもマッチングファンド[21]の利用や海外人材の活用など，成功事例から様々な指摘がなされているが，今後の体系的な研究が待たれるところである．

7.2　中小企業金融政策

　わが国では，日本政策投資銀行，国際協力銀行，日本政策金融公庫，商工中金など政府系金融機関が企業向けの貸し出しを行っている．Sekino and Watanabe（2014）及び植杉・内田・水杉（2014）は，日本政策金融公庫中小企業事業本部（旧中小企業金融公庫．以下，公庫）の中小企業向け政府系金融機関の貸し出しの決定要因とその効果について定量的な分析を行っている．Sekino and Watanabe（2014）では，わが国では不良債権問題が深刻化した1997年以降を分析期間とし，植杉・内田・水杉（2014）はリーマン・ショックが起きた2008年秋以降を分析している．この2つの時期は，深刻な景気後

---

[21] 企業・大学・行政等が資源を持ち合い，それらを基盤としてより規模の大きい事業を実現させる連携手法のこと．

退や金融機関の貸し出し態度の厳格化に伴う危機が発生した経験が広く知られている興味深い事例研究となっている．分析の結果，公庫は1997年以降における民間金融機関による貸し渋りを代替する効果を持つと共に，リーマン・ショック以降においても公庫との取引関係によって企業の資金調達環境は改善することが明らかになっている．これらの研究は公庫のみに焦点を当てた研究であるものの，情報の非対称性が深刻になりやすい経済危機下において，政府系金融機関が市場の失敗を回復する働きをすることが明らかになった．

またリーマン・ショック後には，緊急保証制度や金融円滑化法を初めとする様々な中小企業金融支援策が講じられた．緊急保証制度とは，信用保証協会を活用した資金繰り支援である．信用保証協会の保証は，通常は責任共有制度を採用しているために，信用保証協会の保証付き融資であっても，20%は民間金融機関がリスクを負担する仕組みになっている．しかし金融機関には，経済環境が悪化すればたとえ20%であっても融資リスクを避ける可能性があることは否定できないことから，リーマン・ショック時の10月31日より信用保証協会が返済を100%保証する「緊急保証制度」を新たに導入した[22]．制度導入後には，金融危機の影響が更に深刻化したとの判断から，対象業種を545業種から781業種に拡大したり，保証枠を当初の6兆円から30兆円まで拡大したりするなどの追加措置が取られた．

2009年12月からは「中小企業者等に対する金融の円滑化を図るための臨時措置に関する法律」（以下，金融円滑化法）が施行された．その主な内容は，中小企業などの借り手から貸付条件の変更などの申し込みがあった場合には，金融機関はできる限りこれに応じるよう努めることを義務付けるものである．この法律は，企業と金融機関との間で自主的に交渉されるべき契約条件の変更を政府が促す異例の措置であり，当時からそのプラス面とマイナス面について様々な指摘が存在した．

植杉他（2015）では，企業向けアンケート調査に基づいて，金融円滑化法施行に伴う心理的な効果と，条件変更に伴う資金繰りの改善効果について定量的

---

[22] この20%の負担では，民間金融機関の逆選択（リスクの高い中小企業に保証付き融資を行うこと）とモラルハザード（保証付きで融資した中小企業が事後的に代位弁済に陥りやすいこと）を回避できていないと斉藤・鶴田（2014）は結論づけている．

な評価分析を行っている．回答企業6000社の約1割が，法施行以降に金融機関に対し資金繰りの相談をすることへの抵抗感が弱まったと回答しただけでなく，法施行以降に条件変更を受けた企業の半数以上が「条件変更がなければ資金繰りに窮して倒産，廃業していた」と回答している．さらに事後的な業況感の変化をみると，条件変更を受けた企業における業況感の改善度合いは，条件変更の必要を感じなかった企業における改善度合いと遜色がない．これまでの分析結果をみる限り，中小企業に対する金融支援策は企業の資金繰りを改善する効果を有している．

緊急保証制度や金融円滑化法などの施策に対しては，取引先企業の倒産に巻き込まれるなどして，本来であれば倒産するはずのなかった優良企業までもが連鎖的に倒産するという市場の失敗を回避したという評価がある一方で，淘汰されるべき企業を存命させ，新たな企業の参入を妨げるなど，競争企業の公平な競争基盤を崩すことになるのではないかという批判もある[23]．とりわけ本来緊急避難として時限的に導入された公的支援の中には，延長に次ぐ延長を繰り返して，半永久的に続くことも貿易・関税の分野では過去に見られたことだ．緊急保証制度にしても金融円滑化法にしても，終了後にソフトランディング措置が取られており，制度の実質的な延長が行われていることから今後の動向に注視していく必要があるだろう．

8 今後の「新しい産業政策」に向けて[24]

安倍政権も4年目に入り，需要不足の解消に重きを置いてデフレ脱却を目指すステージから，人口減少や高齢化に伴う供給制約を乗り越えるための対策を講ずる新たなステージへと移行しつつある．産業構造がトレンドとして製造業からサービス業へとシフトしてきた中で，インターネットやロボット技術などの活用範囲が拡大・深化するにつれて，第4次産業革命による新たな産業構造

---

[23] 内田他（2014）では，大規模な自然災害の発生時における企業の存続・退出において，自然淘汰が働いているかどうかを東日本大震災と阪神淡路大震災の双方において分析を行い，そうしたメカニズムが見られることを検証している．

[24] ここでの内容は大橋（2015d）を参照している．

の転換が起こりつつある．わが国企業の「稼ぐ力」を将来にわたって確実なものにするためにも，わが国の産業構造の方向性や，それに対応した政策のあり方について分析・考察を深める必要性が高まっている．

　例えば，製造過程を丸ごと「見える化」しようとするジェネラル・エレクトリック（GE）社の「産業インターネット」やドイツでの Industry 4.0 の試みは，製造業の生産性を劇的に向上させる可能性を有している．第2節での産業政策の変遷でも振り返ったように，わが国を始め先進国は，市場競争を通じた資本稼働率の向上のために競争政策を重視してきた．これは市場への企業参入を促すことによって，同一市場にて企業を互いに競争させることを通じて市場や産業全体の資本効率を高めようとする政策と捉えることができる．しかし「第4次産業革命」の時代には，極論すれば市場競争がなくても「見える化」を通じて資本効率を高めることが可能になる．「見える化」をすることによって企業は，自らの過去や将来をベンチマーキングすることができるからである．いわば企業は，過去の自らと競争することで資本効率を高めることができるのだ．従来の市場競争では，競争を行う上で同業他社の生産設備の存在が不可欠であり，その点で産業全体としては過剰な資本をもつことが競争政策による資本効率を高める上で不可欠であった．「見える化」による第4次産業革命では，他社の生産設備を不要とする点で資本はさらにスリム化され，市場・産業として資本稼働の格段の効率化が可能になると考えられる．もちろん，こうした「見える化」はメリットばかりではない．製造過程の「見える化」とはコア技術のオープン化に一歩近づくことを意味するからだ．これまで営々と築いてきた「匠の技」がデジタル化されれば，その技術を伝搬・再現することはきわめて容易になる．技術をキャッチアップすることのコストが大幅に低減すると共に，キャッチアップされる側としては技術力を高める誘因が減殺されることになる．

　IoT（モノのインターネット）や AI（人工知能）がビジネスのコアにいよいよ入ってくると，これまでの企業競争のあり方が大きく変わることになる．インターネット以前の時代には，競争する企業は，多少の差こそあれ同じビジネスモデルをもって消費者に対して訴求性の高さを競っていたといえる．それがインターネット後の世界になると，グローバルな市場を見据えて競争の土俵

（プラットフォーム）をデザインする者が勝者になる時代となっている．個々の企業としては，プラットフォームを外注（アウトソース）した方が研究開発費を省くことができ，経営的にも楽になるが，一度プラットフォームを外注すれば，その競争の土俵で「コモディティ化」の路を辿ることになる．自社仕様のプロダクト・イノベーションを目指すのか，他社仕様によるプロセス・イノベーションを目指すのか．取るべきイノベーションによって企業経営の将来像が大きく変わる事態になっている．消費者によっては価格の安いコモディティ化された商品が望ましいかもしれないが，そうしたプロセス・イノベーションに偏った戦略は，企業の目指すイノベーションや国の目指す雇用促進，経済成長と必ずしも整合しない．わが国のものづくりの凋落とはまさに他社仕様によるプロセス・イノベーションを選択した結果として生じたとの仮説も説得力を持つ．

　ここでの問題は，社会にとって望ましい競争の土俵が市場メカニズムによって自律的に確立するとは限らないという点である．これは Rodrik（2011）による「政治経済学のトリレンマ」――民主主義，国家主権，グローバル化の3つは両立し得ない――として説明される．企業がグローバル競争の中で自らの経営判断として選択した結果が，必ずしも雇用促進や経済成長といった国益に資さないケースが出てくる．こうしたプラットフォーム競争の時代に必要とされるのは，規制緩和というよりは，社会システムの再設計（再規制）である．勝つための競争の土台をいかに作るのか，ルール・メイキングの構想力が問われているのである．「政治経済学のトリレンマ」を乗り越えるために，今後の産業政策はどうあるべきなのか．「新しい産業政策」のプログラムに求められる課題はまだ尽きそうにない．

参照文献

Arata, Yoshiyuki, Yosuke Kimura and Hiroki Murakami (2015), "Macroeconomic Consequences of Lumpy Investment under Uncertainty," RIETI Discussion Paper Series 15-E-120.

Arrow, Kenneth J. (1962), "Economic Welfare and the Allocation of Resources for Invention," in R. R. Nelson ed., *The Rate and Direction of Inventive Activity: Economic and Social Factors*, Princeton University Press, pp. 609-

第6章 「新しい産業」政策と新しい「産業政策」

626.
Arrow, Kenneth J. (1984), *The Economics of Information*, Harvard University Press.
Boldrin, Michele and David K. Levine (2008), *Against Intellectual Monopoly*, Cambridge University Press.
Branstetter, Lee (2001), "Are Knowledge Spillovers International or Intranational in Scope? Microeconometric Evidence from the U.S. and Japan," *Journal of International Economics*, 53(1): 53–79.
Bresnahan, Timothy F. (1986), "Measuring the Spillovers from Technical Advance: Mainframe Computers in Financial Services," *American Economic Review*, 76(4): 742–755.
Buigues, Pierre-Andre and Khalid Sekkat (2009), *Industrial Policy in Europe, Japan, and the USA: Amounts, Mechanisms, and Effectiveness*, Palgrave Macmillan.
David, Paul A. (2012), "The Innovation Fetish Among the Economoi: Introduction to the Panel on Innovation Incentives, Institutions, and Economic Growth," in J. Lerner and S. Stern eds., *The Rate and Direction of Inventive Activity Revisited*, University of Chicago Press, pp. 509–514.
Docquier, Federic and Hillel Rapoport (2012), "Globalization, Brain Drain, and Development," *Journal of Economic Literature*, 50(3): 681–730.
Doi, Naoshi and Hiroshi Ohashi (2015), "An Airline Merger and its Remedies: JAL-JAS of 2002," RIETI Discussion Paper Series 15-E-100.
Fisher, Franklin M. and Karl Shell (1998), *Economic Analysis of Production Price Indexes*, Cambridge University Press.
Griliches, Zvi (1987), *R&D, Patents, and Productivity*, University of Chicago Press.
Havranek, Tomas and Zuana Irsova (2011), "How to Stir Up FDI Spillovers: Evidence from a Large Meta-Analysis," Discussion Paper at the William Davidson Institute, University of Michigan.
Hosoe, Nobuhiro (2015), "Nuclear Power Plants Shutdown and Alternative Power Plants Installation: A Nine-Region Spatial Equilibrium Analysis of the Electric Power Market in Japan," RIETI Discussion Paper Series 14-E-069.
Isogawa, Daiya, Kohei Nishikawa and Hiroshi Ohashi (2012), "New-to-Market Product Innovation and Firm Performance: Evidence from a Firm-Level Innovation Survey in Japan," RIETI Discussion Paper Series 12-E-077.
Jaffe, Adam B. and Manuel Trajtenberg (2002), *Patents, Citations, and Innovations: A Window on the Knowledge Economy*, MIT Press.
Lerner, Josh (2009), *Boulevard of Broken Dreams: Why Public Efforts to Boost Entrepreneurship and Venture Capital Have Failed–and What to Do About It*,

Princeton University Press.

Levin, Richard C., Alvin K. Klevorick, Richard R. Nelson, Sidney G. Winter, Richard Gilbert and Zvi Griliches (1987), "Appropriating the Returns from Industrial Research and Development," *Brooking Papers on Economic Activity*, 3: 783-831.

Mankiw, N. Gregory (2007), *Principles of Microeconomics*, Fifth Edition, South Western Publication.

Mansfield, Edwin, John Rapoport, Anthony Romeo, Samuel Wagner and George Beardsley (1977), "Social and Private Rates of Return from Industrial Innovations," *The Quarterly Journal of Economics*, 91(2): 221-240.

Mansfield, Edwin (1968), *Industrial Research and Technological Innovation: An Econometric Analysis*, W.W. Norton & Company.

Mizuno, Takayuki, Wataru Souma and Tsutomu Watanabe (2015), "Buyer-Supplier Networks and Aggregate Volatility," RIETI Discussion Paper Series 15-E-056.

Nagaoka, Sadao and John P. Walsh (2009), "Who Invents? Evidence from the Japan-U.S. Inventor Survey," RIEITI Discussion Paper Series 09-E-034.

Nelson, Richard R. (1959), "The Simple Economics of Basic Science Research," *Journal of Political Economy*, 67(3): 297-306.

Nordhaus, William D. (1997), "Do Real-Output and Real Wage Measures Capture Reality? The History of Lighting Suggests Not," in T. F. Bresnahan and R.J. Gordon eds., *The Economics of New Goods*, University of Chicago Press, Chapter 1.

OECD (2013), "Beyond Industrial Policy-Emerging Issues and New Trends," OECD Science, Technology and Industrial Policy Papers.

Rodrik, Dani (2007), "The Inescapable Trilemma of the World Economy," Dani Rodrik's weblog.

Rodrik, Dani (2008), "Normalizing Industrial Policy," Commission on Growth and Development Working Paper No. 3.

Rodrik, Dani (2011), *The Globalization Paradox: Why Global Markets, States, and Democracy Can't Coexist*, Oxford University Press.

Saito, Kuniyoshi and Daisuke Tsuruta (2014), "Information Asymmetry in SME Credit Guarantee Schemes: Evidence from Japan," RIETI Discussion Paper Series 14-E-042.

Sekino, Masahiro and Wako Watanabe (2014), "Does the Policy Lending of the Government Financial Institution Substitute for the Private Lending during the Period of the Credit Crunch? Evidence from Loan Level Data in Japan," RIETI Discussion Paper Series 14-E-063.

Selgin, George and John L. Turner (2011), "Strong Steam, Weak Patents, or the

Myth of Watt's Innovation-Blocking Monopoly, Exploded," *Journal of Law and Economics*, 54(4): 841-861.
Shapiro, Carl (2012), "Competition and Innovation Did Arrow Hit the Bull's Eye?," in J. Lerner and S. Stern eds., *The Rate and Direction of Inventive Activity Revisited*, University of Chicago Press, pp. 361-410.
Steinmueller, W. Edward (2010), "Economics of Technology Policy," in B. Hall and N. Rosenberg eds., *Handbook of the Economics of Innovation*, 2, Elsevier, Chapter 28.
Stiglitz, Joseph E. and Justin Lin Yifu (2013), *The Industrial Policy Revolution I: The Role of Government Beyond Ideology*, Palgrave Macmillan.
Williamson, Oliver E. (1968), "Economies as an Antitrust Defense: The Welfare Trade-offs," *American Economic Review*, 58(1): 18-36.

青木玲子 (2011), 「科学・技術・イノベーション政策の経済学」『経済研究』62 (3):270-280.
青山秀明・家冨洋・池田裕一・相馬亘・藤原義久・吉川洋 (2012), 「中小企業の労働生産性:労働者数と騒動生産性分布に見る高生産性中小企業」RIETI Discussion Paper Series 12-J-026.
荒幡克己 (2015), 『減反廃止:農政大転換の誤解と真実』日本経済新聞出版社.
五十川大也・大橋弘 (2012)「プロダクト・イノベーションにおける波及効果と戦略的関係:わが国のイノベーション政策への示唆」RIETI Discussion Paper Series 12-J-034.
伊藤元重・奥野正寛・清野一治・鈴村興太郎 (1988), 『産業政策の経済分析』東京大学出版会.
今井賢一・宇沢弘文・小宮隆太郎・根岸隆・村上泰亮 (1972), 『価格理論III』岩波書店.
植杉威一郎・内田浩史・水杉裕太 (2014), 「日本政策金融公庫との取引関係が企業パーフォーマンスに与える効果の検証」RIETI Discussion Paper Series 14-J-045.
植杉威一郎・深沼光・小野有人・胥鵬・鶴田大輔・根本忠宣・宮川大介・安田行宏・家森信善・渡部和孝・岩木宏道 (2015), 「金融円滑法終了後における金融実態調査結果の概要」RIETI Discussion Paper Series 15-J-028.
内田浩史・宮川大介・細野薫・小野有人・内野泰助・植杉威一郎 (2014), "Natural Disaster and Natural Selection," RIETI Discussion Paper Series 14-E-055.
大橋弘 (2012), 「企業結合における効率性:最近の経済分析からの知見を踏まえて」『日本経済法学会年報』33:80-95.
大橋弘 (2013a), 「企業合併の経済学 (1)」『公正取引』758:62-67.
大橋弘 (2013b), 「産業政策を問う:競争促進の視点が不可欠」『日本経済新聞』「経済教室」.
大橋弘 (2014), 「企業合併の経済学 (2)」『公正取引』760:62-67.

参照文献

大橋弘 (2015a),「戦後 70 年産業政策：立案・遂行，行政横断で」『日本経済新聞』「経済教室」.
大橋弘 (2015b),「電力システム改革は何を実現するのか」『電気学会本誌』135 (6)：346-347.
大橋弘 (2015c),「日本国内のエネルギー政策　現状と課題　将来展望」『日刊工業新聞』2015 年 6 月 26 日：9.
大橋弘 (2015d),「イノベーションの芽を育てるために」『生産性新聞』2015 年 3 月 15 日：8.
大橋弘編 (2014),『プロダクト・イノベーションの経済分析』東京大学出版会.
大橋弘・遠山祐太 (2012),「現代・起亜自動車の合併に関する定量的評価」RIETI Discussion Paper Series 12-J-008.
貝塚啓明 (1973),『経済政策の課題』東京大学出版会.
川濱昇 (2015),「標準規格特許問題への競争法的アプローチ」RIETI Discussion Paper Series 15-J-043.
慶田昌之 (2014),「コメの SBS 制度からみた輸入の可能性」RIETI Discussion Paper Series 14-J-043.
小宮隆太郎・奥野正寛・鈴村興太郎編 (1984),『日本の産業政策』東京大学出版会.
齋藤経史・大橋弘 (2015),「稲作生産調整に関するシミュレーション分析」RIETI Discussion Paper Series 15-J-055.
ジョンソン，チャーマーズ著／矢野俊比古監訳 (1982),『通産省と日本の奇跡』ティービーエス・ブリタニカ.
隅谷三喜男 (1994),「序章」通商産業政策史編纂委員会編『通商産業政策史 1　総論』通商産業調査会.
世界銀行 (1993),『東アジアの奇跡：経済成長と公共政策』.
八田達夫・三木陽介 (2013)「電力自由化に関わる市場設計の国際比較研究：欧州における電力の最終需給調整を中心として」RIETI Discussion Paper Series 13-J-075.
日引聡・庫川幸秀 (2013),「再生可能エネルギー普及促進策の経済分析：固定価格買取 (FIT) 制度と再生可能エネルギー利用割合基準 (RPS) 制度のどちらが望ましいか？」RIETI Discussion Paper Series 13-J-070.
細野薫・滝澤美帆 (2015),「未上場企業による IPO の動機と上場後の企業パーフォーマンス」RIETI Discussion Paper Series 15-J-005.
三輪芳朗・J. マーク・ラムザイヤー (2002),『産業政策論の誤解：高度成長の真実』,東洋経済新報社.
森田玉雪・馬奈木俊介 (2013),「東日本大震災後のエネルギー・ミックス：電源別特性を考慮した需要分析」RIETI Discussion Paper Series 13-J-066.
吉川洋・安藤浩一 (2015),「プロダクト・イノベーションと経済成長　Part IV：高齢化社会における需要の変化」RIETI Discussion Paper Series 15-J-012.
吉川洋・安藤浩一・宮川修子 (2013),「プロダクト・イノベーションと経済成長

Part III：TFP の向上を伴わないイノベーションの検証」RIETI Discussion Paper Series 13-J-033.
山下一仁（2013），「食料の輸出数量制限に対する規制の有効性」RIETI Discussion Paper Series 13-J-006.
山下一仁（2015），「新たな農業の展開方向」RIETI Policy Discussion Paper Series 15-P-006.

第7章
雇用制度・人材教育改革に向けて
人的資本プログラムの研究成果と政策インプリケーション

鶴　光太郎

要　旨

　本章は，経済産業研究所（RIETI）人的資本プログラムの下での研究成果を，教育改革，非正規雇用改革と最低賃金改革，正社員改革，ワークライフバランスとメンタルヘルス，女性活躍推進に分けて紹介することを目的としている．

　主な政策的含意としては，以下が挙げられる．就業前の教育については，認知能力のみならず，非認知能力，特に，勤勉性を養うことが将来の人生に向けて重要である．深刻化する労働市場の二極化に対応するためには，非正規労働者の均衡処遇を進め，希望する者には正規雇用の道を開くことが重要だ．貧困対策として最低賃金引き上げが注目されるが，特定の経済主体へのマイナス効果，政策決定プロセスの見直しなどに留意すべきである．一方，正規雇用に対しても，長時間労働の是正，限定正社員の普及，解雇無効の際の金銭解決制度導入が大きな課題となっている．

　ワークライフバランス，メンタルヘルス，女性活躍といった喫緊の課題についても，戦後築かれてきた日本的な雇用システムの根幹にかかわっていることが明らかとなった．今後，システムとしての整合性を考慮しながら，どのような雇用システムを目指すのか．包括的な視点からの分析，政策提言が求められよう．

1　はじめに

　急速な高齢化の進行，グローバル競争の強まり，資源小国である日本が経済活力を維持・強化し，成長力を高めていくためには，人的資源の活用が大きなカギを握っていることは言うまでもない．人的資本プログラムは，上記のよう

な問題意識を背景に，経済産業研究所（RIETI）における9つのプログラムの中の1つとして立ち上げられた．具体的には，労働者のインセンティブや能力を高めるような労働市場制度のあり方，幼児教育から高等教育，さらに，就業期の人材育成，高齢者の活用まで含めた，ライフサイクル全体の視点からの人的資本・人材力強化の方策について多面的，総合的な研究を行うことを目的としている．

人的資本プログラムは，他のプログラムと同様，RIETIのファカルティフェロー，常勤フェローがヘッドになって具体的な研究を進める個別プロジェクトによって構成されている．具体的には，

- 「労働市場制度改革」（プロジェクトリーダー，鶴 光太郎），
- 「企業・従業員マッチパネルデータを用いた労働市場研究」（同，山本 勲），
- 「ダイバーシティと経済成長・企業業績研究」，「ダイバーシティとワークライフバランスの効果研究」（同，樋口美雄），
- 「活力ある日本経済社会の構築のための基礎的研究」，「日本経済社会の活力回復のための基礎的研究」，「日本経済の持続的成長のための基礎的研究」（同，西村和雄），
- 「企業内人的資源配分メカニズムの経済分析：人事データを用いたインサイダーエコノメトリクス」（同，大湾秀雄），
- 「人的資本という観点から見たメンタルヘルスについての研究」（同，関沢洋一），
- 「変化する日本の労働市場：展望と政策対応」（同，川口大司）

などが，挙げられる．

本章では，上記のプロジェクトで行われた研究を，教育改革（第2節），非正規雇用改革と最低賃金改革（第3節），正社員改革（第4節），ワークライフバランスとメンタルヘルス（第5節），女性活躍推進（第6節）といった分野に分けて，選択的ではあるが，研究成果とその政策的インプリケーションを紹介する．終節（第7節）では，今後の課題として特に高齢者雇用を取り上げる．

2 教育改革

　日本が成長力を高めていくためには，女性・若者・高齢者を問わず人的資源の活用が重要であるとの基本的な視点の下，鶴（2014）は人的資本・人材力に関して統合的・包括的な視点から検討するため，ライフサイクル全体を通じた人的資本・人材力に焦点を当てる必要があることを強調している．特に，就業前の教育については産業界・企業が求める人材像（グローバル人材など）を明確化し，そうした人材を育成するための教育のあり方を検討すべきと指摘している．

　教育のあり方を考える際に，就学期に受けた教育がその後の本人の労働市場におけるパフォーマンスや地位にどのような影響を与えるかは重要な視点である．教育の人的資本への影響を考える際には，認知能力と非認知能力がある．IQやアチーブメント・テストに代表される認知能力に対して，非認知能力とは，パフォーマンスに影響を与えるその他の特性，パーソナリティ特性，選好などを指す．本節では，就学期に得られた能力を認知能力，非認知能力に分けて考えてみよう．

2.1 認知能力に着目した分析

　まず，認知能力と将来パフォーマンスとの関係を検討してみよう．浦坂他（2011）は，「日本家計パネル調査（JHPS）」データを利用して，理系出身者と文系出身者との所得差を検討した．男性の場合，文系出身者の平均値が559.02万円（平均年齢46歳）で，理系出身者は600.99万円（平均年齢46歳）と，理系出身者の方が高くなっていることを示した．また，理系出身者の方が文系出身者より，年齢の上昇に対する所得の上昇程度が大きくなっており，理系非国立出身者の所得は，文系出身者よりも，若年期では低くなっているものの，40歳以降では高くなることが示された．

　これらの結果は，所得を規定するさまざまな要因が十分コントロールされていないため，解釈には十分注意する必要があるが，理系科目をより重点的に勉強してきた理系出身者の方が，そうでない文系出身者よりも生産している付加価値額が高いことを示唆している可能性がある．ただし，理系的能力が文系的

能力よりも重要と判断するよりも，今後，社会が複雑化していく中で文理融合が求められることを考えると，文系，理系を早い時期で区分するのではなく，文系理系にかかわらず理系的能力[1]の養成を教育課程の中で重点化して進めていく必要があろう．

また，教育のあり方を考える際に，議論になるのが入試制度である．つまり，1点を争うペーパー試験か，面接・小論文で人物をみる AO 制度のいずれが良いかという議論である．浦坂他（2013）は，インターネット調査を利用して，学力考査を課す入試制度による入学者の平均所得は，学力考査を課さない入試制度による入学者の平均所得よりも，統計的に有意に高くなっていること，理系における格差は文系における格差よりも大きくなっていることを示した．大学入試制度の多様化は，さまざまな観点から検証を行うべきだが，少なくとも学力考査を課さない入試制度で入学した学生は，卒業後も労働市場で高く評価されているとはいいにくい状況がうかがえる．

2.2 非認知能力の重要性と将来パフォーマンスの関係

以上，教育における認知能力と将来パフォーマンスとの関係をみてきたが，近年の研究によれば，学歴や雇用形態，賃金などの労働市場における成果に対して，認知能力だけでなく非認知能力も影響を与えることが明らかになっている（Heckman and Kautz, 2013）．これらの研究は，非認知能力の形成におけるインフォーマルな関与の重要性を示唆している．

日本においては，非認知能力の影響を分析した数少ない研究の1つが，戸田他（2014）であり，具体的には，非認知能力やそれを形成する幼少期の家庭環境が，学歴や雇用形態，賃金といった労働市場における成果に及ぼす影響を分析した．

まず，幼少期の家庭環境として，小学校低学年（7歳時点）および中学校卒業時点（15歳時点）の(1)暮らし向きが良かったか否か，(2)両親は共働きをしていたか，(3)家にはたくさん蔵書があったかといった点に，また，両親の教育

---

[1] 理系科目の中で重要な科目としては，西村他（2012）は，特に，理科の学習の中でも物理学習がどの世代においても所得上昇に寄与することを確認し，稼得能力形成において重要な要因であることを示した．

水準として，父親・母親が大卒か否かに注目した．

　認知能力として，分析対象者が主観的に答えた15歳時点での成績の評価を使った．さらに，非認知能力として，(1)高校時の遅刻があったか否か（勤勉性の変数），(2)子どもの頃に1人遊びをよくしていたか，室内遊びをしていたか（外向性の変数），(3)中学生時代にどの部活・クラブに入っていたか（運動部，文科系，生徒会，帰宅部），団体競技・個人活動か否か，部長やキャプテンを務めていたかに注目した．

　分析結果をみると，認知能力（15歳の成績）について，非認知能力や幼少期の家庭環境をコントロールしてもなお学歴，雇用形態，賃金に対して有意な影響があった．幼少期の家庭環境について，家庭環境が学歴に対して有意に影響するが，就業以降は家庭環境の影響が弱まる．賃金に対しては蔵書の多い家庭で育った人ほど賃金が高いという結果になった．

　非認知能力に関しては，勤勉性を表す高校時の無遅刻は，学歴，初職および現職の雇用形態に対して正に影響していた．内向性を示す室内遊び（15歳時点）については学歴には正の影響を与えるものの，現職雇用形態には負の影響を与えていた．さらに，中学時代に運動系クラブ，生徒会に所属したことのある者の賃金が高まる効果がみられた．これらの結果は，認知能力だけでなく，勤勉性，外向性，協調性やリーダーシップを涵養するような活動・経験が，将来の労働市場での成功に関係することと解釈できる．

　幼少期の家庭環境は，認知能力や学歴に影響を与え，さらに認知能力や学歴がその後の人生に影響を与えることを考慮すると，Heckmanらが主張しているように，幼少期の家庭環境をサポートし十分な教育機会を与えるような政策は日本においても効果が得られる可能性が高い（Heckman and Kautz, 2013）．また，認知能力と並んで高校時の遅刻状況などで表される勤勉性は学歴や就業人生に大きな影響を与えることから，まずは勤勉性を高めることが教育政策の方向として重要であるといえる．さらに，運動系クラブや生徒会に所属する経験が賃金にプラスに働くことから，課外活動を通じて，外向性，協調性やリーダーシップを高めていく取り組みも必要である．

ビッグファイブからみた非認知能力

Lee and Ohtake (2014) は，非認知能力について，人々の性格を形成・規定する Big5 という5つ因子（外向性，協調性，勤勉性，情緒不安定性，経験の開放性）に対し直接着目するアプローチをとった．彼らは，大阪大学が実施した「くらしの好みと満足度についてのアンケート」の日本調査と米国調査の 2012 年データを使用し，認知能力として測定された Big5 や行動特性（平等主義，自信，自信過剰，リスク回避度や時間割引率（せっかちさ）など）が学歴，所得，および昇進に与える影響を男女あるいは日米で検証した．

まず，非認知能力に関して学歴への影響は日本と米国で異なり，日本では教育年数と協調性に正の相関関係が観察されるのに対し，米国では協調性とは負，勤勉性とは正の相関関係が観察された．また，所得や昇進への影響は男女で異なり，所得については，男性は勤勉性と，女性は外向性や情緒安定性と正の相関関係にあり，昇進については男性のみで外向性と正の相関関係が観察された．

行動特性に関しては学歴への影響は日本でも米国でも，平等主義，リスク回避度，およびせっかちさと負の相関関係にあり，自信と正の相関関係にある．性格特性が教育成果や職業上の成功に与える影響が日米および男女で異なるという分析結果は，学校や労働市場で重視する非認知能力が日米間もしくは男女間で異なる可能性を示唆しているといえる．

非認知能力を形成する場所：家庭と学校の役割

非認知能力・スキルを形成する場所として，まず重要なのは家庭であろう．西村他（2014）は，子供の頃になされた躾が，その個人の成人後の労働所得に与える影響を調べることにより，躾が労働市場における評価にどのような影響を与えているかを検証した．労働市場の評価に大きな影響を与える躾は，特に，4つの基本的なモラル（「うそをついてはいけない」，「他人に親切にする」，「ルールを守る」，「勉強をする」）であることが示された．例えば，この4つの基本的なモラルの躾をすべて受けた者と，1つでも欠けた者との間での所得（年収）比較を行うと，基本的なモラルの躾をすべて受けた者はそうでない者よりも約57万円多く所得を得ていることがわかった．このように，家庭における躾が非認知能力を高めることを通じ，将来の労働市場での評価，パフォー

マンスに影響を与え得ることがわかった.

　一方,学校における非認知能力の形成も,戸田他(2014)で示されているように重要である.彼らは,特に,高校時代の遅刻,中学時代の生徒会・部活動に着目したが,Ito et al. (2014) は,グループ学習,二宮尊徳像,運動会における徒競走などの学習指導要領には規定されていないカリキュラムに注目した.彼らはこうした「隠れたカリキュラム」の違いが,生徒のその後の選好形成にどのような影響を与えるか分析を行った.

　まず,公立小学校における隠れたカリキュラムは学校間において大きく異なっており,生徒の選好形成とも関連していることがわかった.特に,参加・協力学習を経験したものは,利他性と互恵性が高くなり,他人への協力を好み,国に対する誇りをもつようになる.これに対し,反競争的な教育慣行の影響を受けている人は,これらの選好をもつ可能性が少なくなっている.早い段階での社会化の場所としての初等教育は,社会的選好の形成を担う役割を果たしているといえよう.

3　非正規雇用改革と最低賃金改革

3.1　非正規雇用改革

　1980年代末には20%を切っていた非正規雇用の比率は,既に4割近くまで高まっている.かつてのように非正規雇用が特別かつマイナーな雇用形態であるというイメージはなく,家計を支える者が非正規雇用であることが珍しくなくなってきた.仕事内容や働き方においても正社員とそれほど変わらなくなっている.にもかかわらず,雇用の安定性や処遇には歴然とした格差が存在したままだ.こうした労働市場の二極化が過去20年ほどの間,静かに進行してきた結果,労働市場を超えて日本の政治・社会・経済の安定性に長らく寄与してきた社会的一体性が大きく揺らいでいる.また,2008〜2009年の世界経済危機のような大きな経済ショックが起こった場合,非正規雇用,特に,派遣労働者に偏った雇用調整が行われることも明らかになった(滝澤他,2014).

　こうした労働市場の二極化や社会的一体性の揺らぎをこのまま放置すれば,

日本の大きな「強み」が失われてしまう．次世代にとって希望の持てる日本を切り開いていくためにも，非正規問題解決に向けた抜本改革は待ったなしの状況である．こうした観点から研究成果をまとめたのが，鶴他（2011）である．以下では，同書に盛り込まれた分析を紹介する．

非自発的非正規雇用の実態

　非正規雇用の問題の1つは，それが必ずしも自らの選択とは限らないことである．本来は正規雇用に就きたかったがさまざまな理由で非正規雇用を選ばざるを得ないケースである．山本（2011）は，そのような不本意型（＝非自発的）非正規雇用に就く者は「慶應義塾家計パネル調査」では多数派ではないものの，契約社員や派遣社員に多く，就業形態の選択行動などむしろ失業と類似していること，失業と並んで他の雇用形態よりも明らかに大きなストレスを持つことを示した．

　また，鶴（2011）は，RIETIが実施した「派遣労働者の生活と求職行動に関するアンケート調査」を使い，やはり，非自発的な非正規雇用の主観的幸福度が他の属性をコントロールしても有意に低いことを示している．同じ調査を使った大竹他（2011）は雇用形態別に分析し，製造業派遣労働者や契約社員は自らが家計を支え，非自発的な非正規雇用労働者が多いが，パート・アルバイト労働者は主婦で家計の補助，自分の都合に合わせて働き方を選んでいる自発的非正規労働者が多く（約5～7割），満足度や幸福度も他の雇用形態に比べて高めであることを明らかにしている．黒田・山本（2011）は，非正規雇用者の深夜就業化の傾向と正規労働者の平日の労働時間の長時間化が，深夜の財・サービス需要を喚起したことが影響していることを指摘しているが，これも増加した非正規雇用の深夜就業がかならずしも自発的な選択ではないことを物語っている．

非正規雇用から正規雇用への転換

　非自発的な非正規雇用の場合，正規雇用への転換が問題解決の方策の1つである．その場合，正規雇用への転換の割合やスピードが問題となってくる．例えば，大竹・李（2011）では2008～2010年（「大阪大学GCOE調査」）の期間

で非正規雇用の9%程度が正規雇用へ転換している．RIETIアンケート調査を使った大竹他（2011）では，2008年末～2009年央の期間で雇用形態別にみると，契約社員では14%程度が正社員化しているが，日雇い派遣や登録型派遣（5～6%程度）やパート・アルバイト（2～5%程度）はむしろ転換率は低くなっている．

しかし，これは上記の特定の雇用形態の中で正社員になりやすい，または，なりにくい特徴を持った人が偶然いたことが影響していたかもしれない．同じ調査を使って上記のような問題をできる限りコントロールした実証分析を行った奥平他（2011）では，派遣労働者（登録型）はパート・アルバイト労働者よりも正社員化率が低くなっており，ヨーロッパを対象にいくつかの既存分析で明らかにされた派遣労働の正社員転換への「踏み石」効果は確認できなかった．

樋口他（2011）は，「慶應義塾家計パネル調査」を使い，異なる手法であるが，正規雇用への転換を分析している．やはり，派遣，契約社員といった雇用形態はパート・アルバイトに比べ，転換確率が有意に高いわけではないという結果を得ている．一方，女性では，自己啓発が正規雇用への転換を高めることを示した（男性では契約・嘱託社員の場合のみ）．

「大阪大学 GCOE 調査」を使った大竹・李（2011）は，派遣労働が正規雇用への「踏み石」になっていないことを派遣労働者が他の雇用形態に比べ，「せっかち」（時間割引率が高い），「後回し行動」をする傾向が強いという分析結果から論じている．つまり，「せっかち」であるため職探しの手間を省ける派遣労働を選んだり，同じ職場でじっくり訓練を受けることを嫌って，やはり，派遣労働を選んでいる可能性があるため，派遣労働に長く留まりがちになるという解釈である．

非正規雇用改革のあり方

非正規雇用の正規雇用への転換が必ずしも容易ではないとすれば，非正規雇用問題の解決のためには制度改革が必要となってくる．しかし，登録型派遣を原則禁止するような派遣法改正案や「専門26業務派遣適正化プラン」は小嶌（2011）でも指摘されているように「行き過ぎた規制強化」である可能性が高い．実際，鶴（2011）は，RIETIアンケート調査結果を引用し，登録型派遣

労働者の 3〜4 割が原則禁止に反対し，1 割前後の賛成派を大きく上回っていることを示した．

したがって，非正規雇用改革に当たっては，派遣労働だけではなく，さまざまな雇用形態に共通した有期労働契約とそれに付随する雇用不安定，待遇格差に着目するべきである．その場合，有期雇用改革を論じた鶴（2011），小嶌（2011），島田（2011）いずれもが，有期雇用を臨時的・一時的な業務に限定したり，労働契約の無期原則を明示化したりすることに対してはかなり否定的である．

具体的な改革への提言としては，鶴（2011）は，特に，(1)契約終了手当・金銭解決導入等の雇用不安定への補償，(2)有期労働契約においても期間に比例して処遇が増すような仕組みの導入（期間比例原則への配慮），(3)有期雇用，無期雇用両サイドでの多様な雇用形態の創出と，さらには両者が連続的につながる仕組みを挙げている．島田（2011）では，雇用不安定に対しては，有期労働契約の締結時および更新時に更新可能性を明示した上で，更新可能性のある場合の雇い止めについてはその理由に客観的合理性と社会的相当性を求める立法化を提案している．また，待遇格差問題への対応については，水町（2011）が，現在のパートタイム労働法の延長で考えるのではなく，働き方の多様化・複線化という日本の実情も考慮し，ドイツやフランスにおける実際上の運用方針である客観的理由のない不利益取り扱い禁止原則をベースに考えるべきと主張している．この主張は，現実には，労働契約法の改正（第 20 条）に繋がった．

3.2 最低賃金改革

2012 年末に発足した第 2 次安倍政権は，デフレ脱却を経済政策の最重要目標に掲げ，大胆な金融，財政政策を矢継ぎ早に実施した．そうした中で，2013 年 2 月には，安倍総理は経済界との意見交換の場で労働者の賃金引き上げを要請した．デフレ脱却，円高是正により日本経済が成長の軌道に乗るためには，やはり，こうした動きが働く人の所得の増大につながる必要があるからだ．その後も，「経済の好循環実現に向けた政労使会議」でもこうした政策要請は続き，春闘における賃上げ率も 2014 年以降，高まりがみられる．

こうした中で，政府が主体的に賃金引き上げを行う手段として注目されてい

るのが,最低賃金である.特に,非正規労働者の賃金底上げの効果が期待できる.第2次安倍政権になってからも,最低賃金は全国加重平均ベースで,2013年15円上昇,2014年16円上昇,2015年18円上昇と,引き上げ幅は大きくなっている.

一方,政策的な注目度とは裏腹に,分析対象としての最低賃金への関心はこれまで限定的であった.海外の研究成果についての紹介,日本における最低賃金に関わる経済分析の蓄積,最低賃金を巡る政策論議はいずれも十分とはいえない状況であった.そのため,政策決定に当たって,エビデンスに基づいた綿密な議論が必ずしも行われてこなかったのも事実である.

大竹他(2013)は,こうした状況を打破するため,内外の最低賃金に関する理論的,実証的な研究を包括的に紹介し,こうした研究の到達点がどこにあるのかを明らかにした.その上で,近年の政策変化の影響を分析することが可能な,いくつかの異なる大規模なミクロ・パネルデータを使って,最低賃金に関する包括的な分析を行い,日本の最低賃金およびその政策のあり方について正面から政策提言を行っている.

最低賃金引き上げの雇用への影響

同書の分析で明らかになった主要なポイントは以下の通りである.まず,第1に,最低賃金の影響を受けやすい労働者(10代若年)に限れば,最低賃金上昇の雇用への負の効果は明確であることだ.川口・森(2013)は,厚労省「賃金構造基本調査」,総務省「労働力調査」などの個票データを用いて,2006~2010年までの県別パネルデータを構築し,2007年の最低賃金法改正以降の最低賃金引き上げの労働者への影響を分析した.

特に,最低賃金の影響を最も強く受ける10代男女労働者に焦点をあて,(1)賃金については,最低賃金の10%の上昇が下位分位の賃金率を2.8~3.9%引き上げること,(2)雇用については,最低賃金の10%の上昇は10代男女の就業率を5.25%ポイント減少させる効果があることを示した.10代男女の平均就業率は17%であることと比較すると,これは約30%の雇用の減少効果であり,若年労働者に対する雇用減少効果は大きいといえる.

最低賃金引き上げの企業への影響

第2は，最低賃金引き上げの企業収益への負の効果も明確であることだ．奥平他（2013）は最低賃金の引き上げと企業の負担との関係をみるために，大規模な事業所ベース（経済産業省「工業統計調査」）の個票データを用いて，各事業所の労働に関する限界生産物価値を推定し，その限界生産物価値と賃金率の乖離である「ギャップ（＝労働の限界生産物価値－賃金率）」が最低賃金の変動によって，どのような影響を受けるかを検証した．

分析の結果，(1)最低賃金が上昇した場合，企業は雇用量の削減か負のギャップの拡大という形で対応し，(2)負のギャップの拡大はその後，4年程度は持続していることが分かった．最低賃金の増額によって企業内部の資源配分の効率性が阻害されている点で企業の負担は増加しているといえる．

また，森川（2013）は，企業パネルデータ（経済産業省「企業活動基本調査」）を用いた推計から，(1)最低賃金が実質的に高いほど企業の利益率が低くなる関係があり，この影響は平均賃金水準が低い企業ほど顕著である，(2)産業別に分析すると，サービス業において最低賃金が企業収益に及ぼす影響が大きい，との結果を得ている．また，地域別の最低賃金水準の違いを人口の多い大都市ほど生産性も賃金も高いという「集積の経済性」と地域別の物価水準から検証し，(1)近年，物価水準の地域差を補正した実質最低賃金の格差は縮小しているが，(2)人口密度の低い地域では最低賃金が相対的に割高となっていることを示した．これは高めの最低賃金が経済活動の密度が低い地域の活力に負の影響を持つ可能性を示唆しているといえよう．

貧困対策としての最低賃金引き上げの評価

第3は，最低賃金引き上げは比較的裕福な世帯主以外の労働者にも恩恵があるという意味で，貧困対策としては漏れがあるということだ．大竹（2013）は，最低賃金水準で働いている労働者の多くは，500万円以上の世帯所得がある世帯における世帯主以外の労働者であるため，最低賃金引き上げは貧困対策としてはあまり有効でない政策であることを強調している．

分析から得られた政策的インプリケーション

こうしたエビデンスから得られる政策的インプリケーションとして，鶴（2013）は，海外や日本において行われてきた最低賃金に関する理論的，実証的な研究をも踏まえた上で，(1)最低賃金変動の影響を受けやすい労働者へ絞った分析は，ほぼ雇用へ負の効果を見出していることから，最低賃金を引き上げる際にも，なるべく緩やかな引き上げに止め，特定のグループが過度な負担を負うことがないようにすること，(2)雇用のみならず，所得分布，労働時間，収益，価格，人的資本への影響を分析し，総合的な評価を行うこと，(3)日本においてもエビデンスに基づいて最低賃金に関わる政策判断を行うような専門組織を検討すること，などを挙げている．

また，最低賃金決定を巡る政策プロセスにもメスを入れる必要がある．玉田・森（2013）は，最低賃金制度の歴史の概観，中央最低賃金審議会が示す最低賃金の目安額，各都道府県の地方最低賃金審議会が決定する引き上げ額の決定要因について分析を行い，引き上げ額は，地域別の消費支出額，賃金上昇率などには影響を受けないが，目安額におおむね従っていることを明らかにした．これは，地域別最低賃金は地方最低賃金審議会で決定されているが，目安額に引きずられ，必ずしも地方の状況を反映した引き上げ額が決定されていない可能性を示唆している．地方最低賃金審議会の活性化が求められる．

さらに，大竹（2013）は，深刻化する子供の貧困に対応するためには，最低賃金引き上げよりも子供にターゲットを絞った，給付付き税額控除や保育・食料・住居などの現物給付の充実が効果的と結論付けている．

確かに，給付付き税額控除は大きな利点を持つが，その導入のためには財源などいくつかの課題があるのも事実である．日本の税制は1980年代後半からフラット化したが，高額所得者への累進課税を強化し，その税収で対貧困政策を行うことも選択肢の1つだ．一方，他の対貧困政策に対する国民の抵抗が大きいのであれば，やはり最低賃金の引き上げに戻ることもありうる．いくつかの対貧困政策と比較し，その効果と政治的実現可能性をセットで考えることが重要であろう．

4 正社員改革

　前節でみた非正規雇用改革が成功するためには，正社員に対する改革も合わせて行う必要がある．日本の場合，正社員の賃金は年功の影響をより強く受けるため，中高年の正社員の割高感，過剰感が生まれ，非正規雇用活用によるコスト低下が必要な要因となっている．したがって，非正規雇用改革と正社員改革は「コインの表と裏」である．そのための仕組みが，次に示す限定正社員である．限定正社員の普及は，あらゆる雇用制度改革の出発点になりうる．以下では，鶴（2015）に基づいて，正社員改革のあり方を考えてみよう．

4.1 正社員の無限定性とその問題点

　限定正社員とは何かを考えるために，そもそも正社員とは何だろうか考えてみたい．その定義は，(1)無期雇用，(2)フルタイム勤務，(3)直接雇用（雇い主が指揮命令権を持つ）の3点に集約できる．日本の場合，これらに加え，無限定正社員（正社員の「無限定性」）という傾向が顕著である．無限定正社員は，将来の勤務地や職務の変更，残業を受け入れる義務があり，使用者側は人事上の幅広い裁量権を持つ．

　こうした正社員の無限定性は，現在の日本人の働き方にいくつかの問題を引き起こしてきた．まず，第1は，雇用の不安定な有期雇用が大幅に拡大したことである．無限定正社員の場合，雇用保障や待遇が手厚い分，1990年代以降，経済成長が鈍化する中で企業は正社員採用に慎重になってきた．

　第2は，女性の労働参加，活躍を阻害していたことである．一家の大黒柱である夫が転勤，残業なんでもありの無限定正社員であれば妻は必然的に専業主婦として家庭を守ることが求められてきた．また，子育てや介護を考えると女性が無限定正社員のままキャリアを継続させることが依然として難しい状況だ．これが，30～40代の女性の労働参加率を下げる（いわゆるM字カーブ）の一因となっている．

　第3は，正社員の「無限定」という特質が「無制限」にすり替わってしまえば，ワークライフバランスが守れないばかりか，ハラスメント，過労死，ブラック企業といった状況にも繋がりかねないことである．企業の広い人事裁量権

は手厚い処遇や雇用保護との見合いであり，抑止力の観点から日本の企業別労働組合が機能してきたともいえる．

第4は，無限定正社員の場合，どんな仕事でもこなさないといけないため必然的に「なんでも屋」になり，特定の能力や技能を身に付けにくいという問題があることだ．1つの企業や組織に一生勤めることが前提であればかまわないかもしれないが，転職を妨げ，経済メカニズムに応じた労働移動・再配分を抑制し，成長にマイナスの影響を与えてきた可能性も否定できない．以上をみると，日本の働き方の問題を解決するためには，正社員の無限定性にメスを入れる必要があることが分かる．

4.2 限定正社員のメリットと課題

一方，限定正社員とは，勤務地，職務，労働時間，このいずれかが限定された正社員を指す．なかでも職務限定型が中心であることから，「ジョブ型正社員」とも呼ばれている．無限定正社員と比べ，同じ仕事をしていたとしても，処遇はやや低くなる．限定正社員を採用するのに法律上の規制があるわけではなく，また，大企業の約半数がすでに導入しているという調査もある．

それでは限定正社員のメリットは何であろうか．まず，職務限定型正社員の場合，職務が限定されていることで，自分のキャリア，強みを意識し，価値を明確化できることが挙げられる．これは，外部オプション，転職可能性を拡大させるとともに，それが，現在の職場での交渉力を向上させることも期待できよう．さらに，ジョブ・ディスクリプションが明確で自律的な働き方が可能になることで，長時間労働抑制にもつながる．また，勤務地限定型や労働時間限定型正社員の場合は，男女ともに子育て，介護，ライフスタイルに合わせて勤務可能となるメリットがある．特に，労働時間限定型はワークライフバランスに最も効果的といえる．

非正社員の中には正社員への転換を望む者も多いが，必ずしも従来型の無限定正社員になりたいと考えているわけではない．非正規雇用からの転換の容易さと雇用の安定確保という視点からも非正規雇用からの転換の受け皿として限定正社員の役割は大きい．改正労働契約法（2013年4月から施行）では有期契約（2013年4月開始）が通算で5年を超えれば労働者の申し込みにより無

期労働契約に転換可能となるが，これは限定正社員を新たに制度的に作り出す仕組みと評価できる．

限定正社員におけるスキル形成の課題

限定正社員の普及において留意が必要なのは，スキルや能力開発の視点である．久米他（2015）は，RIETI が行った「多様化する正規・非正規労働者の就業行動と意識に関する調査」（2012 年度）を使い，業務内容や勤務地を限定された正社員（いわゆる限定正社員）の活用は，限定的な働き方がスキルの成熟度を低下させる場合があるとともに，スキルを高める機会がないことは，仕事満足度と生活満足度の両方を毀損することを示した．その大きさ（金銭換算した補償額）はそれぞれ 1233.3 円／時（平均時給の 72.4%），808 円／時（同47.4%）と残業や異動・転勤のある働き方に対する補償額の 2～3 倍にもなり，デメリットはかなり大きいこともわかった．また，残業や異動・転勤といった，生活面での変更を余儀なくされる働き方は，男性よりも女性の，仕事満足度よりも生活満足度をより損ねることが明らかになった．

これらの結果は，限定正社員の普及に際しては同時にスキルを高める機会を増やすことが重要であり，限定的な働き方のメリットが相対的に大きい女性への普及も政策的課題として重視すべきことを示している．本田（2014）は，労働政策研究・研修機構が実施した「30 代ワークスタイル調査」を用いて，女性のキャリア形成にとって，「スキル・資格」という「強み」の自認が有効であることを見出したが，この点からも，スキル向上とワークライフバランスが両立できる限定正社員の働き方を確立させる必要がある．

4.3　金銭解決制度導入に向けた検討：解決金水準のあり方を巡って

正社員改革のもう 1 つの視点は，成熟産業から成長産業への「失業なき労働移動」をいかに実現させていくかである．そのための手段として，個別労働紛争の解決手段の多様化，とりわけ，金銭解決制度（解雇無効を前提として，労働契約関係を金銭と引き換えに解消する制度）が注目されている．こうした中で，解雇無効時における金銭解決の選択肢を労働者に付与することなどを盛り込んだ「労使双方が納得する雇用終了の在り方」に関する意見（平成 27 年 3

月 25 日規制改革会議）に掲げられた課題等について今後検討を進めることが閣議決定された．

　金銭解決制度の導入に当たって，今後議論の焦点になるのは，解決金水準の決定の仕方である．鶴他（2015）は，「多様化する正規・非正規労働者の就業行動と意識に関する調査」（2012 年度）を使い，解雇された場合に要求する解雇補償額を仮想的に質問して，金銭解決制度に関する潜在的なニーズを把握するとともに，要求金銭補償額の決定要因を実証的に明らかにした．その結果，勤続年数が長く，現在の賃金水準が高く，事前の主観的な失業確率が低い人ほど，要求金銭補償額が大きくなることがわかった．また，労働組合への加入の有無などの制度的要因も関係していた．

　これらの結果は，金銭解決制度を導入する際，欧州諸国のように現在の賃金や勤続年数が解雇補償金水準の重要な決定要因になることに一定の合理性を与えると考えられる．ただし，日本の場合，中高年の賃金はそもそも諸外国よりも勤続年数による影響をより強く受けて既に高くなっていることも考慮すべきである．

　今後の課題としては，鶴（2015）が指摘するように，解決金制度導入に反対する中小企業使用者側や労働者側の納得感をさらに作る必要があること，また解決金を一律に決めることは難しいことが挙げられる．労働者側からの申し立てのみを認めるとともに，労使協定を活用することが課題解決のためのカギとなる．制度適用の要件や解決金の水準決定（国による最低基準の提示と労使協定による上乗せ）に労使協定を前提とすることによって，当事者の実情や多様性を反映した柔軟性の確保，さまざまなニーズへの対応が可能となるであろう．

5　ワークライフバランスとメンタルヘルス

　前節でも論じた通り，正社員改革の大きなポイントとしては，正社員の無限定性に由来する長時間労働であり，その対策については，鶴他（2010）でも詳しく論じた．また，労働時間のみならず，より幅広い観点から，ワークライフバランス（WLB）を達成することは，無限定正社員を前提とした従来型の雇用システムではなかなか難しいことも指摘した通りである．本節では，そうし

た中でワークライフバランスを実現するためのヒント，さらには働き手の長時間労働，責任・負担の重さから社会問題化しているメンタルヘルスについての研究を紹介したい．

5.1 WLB施策導入と処遇のバランス

企業がWLB施策の重要性は理解しても実現に及び腰であるのは当然，導入に当たってのコスト増が関係している．しかし，従業員がWLB施策導入との引き換えに賃下げを受け入れるとすれば，企業側の対応も変わってくるかもしれない．黒田・山本（2013）は，WLB施策の導入によって賃金がどの程度低く抑えられているか（つまり，同施策と賃金との間に補償賃金仮説を想定した場合の負の賃金プレミアム）を企業・従業員マッチデータを用い計測した．実際に観察データにもとづく推計では，フレックスタイム制度を利用している男性従業員で補償賃金仮説が成立しており，最大で9％程度の負の賃金プレミアムが検出されることがわかった．

一方，「仮に施策が導入されたならばいくらの賃下げが必要か」という仮想質問データにもとづく推計では，従業員側は「施策導入の代わりの賃下げは受け入れられない（0％の賃金プレミアム）」あるいは「10〜20％程度の賃下げなら受け入れる」とする回答が多かったのに対して，企業側は「導入は一切考えられない（−100％の賃金プレミアム）」という回答が圧倒的多数であった．

もっとも，ある程度の賃下げで施策を導入してもよいとする従業員と企業のみにサンプルを限定した場合には，フレックスタイム制度などの柔軟な働き方の賃金プレミアムは，従業員で−25％程度，企業側では−12％程度であった．つまり，企業は施策導入には1割程度の賃下げが必要と考えているが，労働者は平均で2割以上を引き下げてでも柔軟な働き方を希望していることを示している．

これらの結果は，企業と従業員との認識に大きなギャップがあることを示している．逆に，企業が労働者の潜在的なニーズをうまく汲みとることができれば，フレックスタイム制度などのWLB施策導入により従業員の厚生を高めることができるだけでなく，人件費の大幅削減が実現可能となるケースもあることを示唆しているといえる．

5.2 メンタルヘルスの決定要因と企業への影響

メンタルヘルスがいかなる要因で悪化するのかという問いに対しては，労働者を対象にした場合，長時間労働がもちろん有力な候補であるのだが，従来の研究では，労働者に固有の効果をコントロールしたり，労働者属性や職場環境などの詳細な情報をコントロールしたりしたものが少ないため，長時間労働がメンタルヘルスの毀損につながるのかどうか，必ずしも明確な知見が得られていなかった．

企業レベルでみたメンタルヘルスの決定要因

こうした問題を克服するため，黒田・山本（2014a）は，従業員を追跡したパネルデータを用いて，労働時間の長さとメンタルヘルスとの関係を検証する際に，パネルデータを活用して逆の因果性を考慮するとともに，仕事の特性や自律性，残業時間，不払い残業時間などの要因とメンタルヘルスの関係を分析した．その結果をみると，メンタルヘルスの状態は同一労働者でも経年的に大きく変化することが確認された．次に，労働時間の長さはメンタルヘルスを毀損する要因となりうることが実証的に認められたほか，特にサービス残業という金銭対価のない労働時間が長くなるとメンタルヘルスが悪化する危険性が高くなることも明らかになった．

ただし，属性別にみると，男性・40歳未満・大卒といったグループではサービス残業がメンタルヘルス悪化の要因として挙げられる一方，女性や大卒以外の層では金銭対価の有無にかかわらず時間的な拘束が長くなるほどメンタルヘルスが悪化する要因となることも示唆された．

黒田・山本（2014b）は，そうした労働者を取り巻く環境からの影響をさらに検討するために，企業パネルデータを用いて，企業における従業員のメンタルヘルスの状況を明らかにするとともに，メンタルヘルスの不調を理由に休職する従業員がどのような要因で増加しやすいのか，また，従業員のメンタルヘルスの不調によって企業業績が悪化することはあるのか，といった点を分析した．

まず，従業員300～999人規模や情報通信業，週労働時間が長い企業でメン

タルヘルスの不調がみられることや，産業保健スタッフの雇用やストレス状況の把握など高いコストが予想されるメンタルヘルス施策の導入率は相対的に低い傾向にあることがわかった．次に，メンタルヘルス休職者比率の規定要因を検証すると，時期によって結果が異なるものの，休職者比率は長時間労働によって高くなる一方で，フレックスタイム制度やWLB推進組織の設置によって低くなる可能性が一部でみられた．

また，メンタルヘルス施策については，休職者比率を低める大きな効果はみられなかったものの，衛生委員会などでのメンタルヘルスの対策審議やストレス状況などのアンケート調査，職場環境などの評価および改善など，個別施策によってはメンタルヘルス対策として有効なものもあった．最後に，メンタルヘルスの不調が企業業績に与える影響を検証したところ，メンタルヘルス休職者比率は2年程度のラグを伴って売上高利益率に負の影響を与える可能性が示された．

以上，上記2つの関連研究のインプリケーションをまとめると，メンタルヘルスの毀損は個人の問題に帰するものとはいえず，仕事の進め方や職場環境・風土によって大きく左右される．したがって，労働時間の長さや職場環境の改善が一次予防対策として有効となりうることを企業側は認識することが重要だ．メンタルヘルスの休職者比率は労働慣行や職場管理の悪さの代理指標あるいは先行指標になっていると解釈すれば，メンタルヘルスの問題は企業経営にとって無視できないし，行政による企業のメンタルヘルスチェックも重要と結論できる．

メンタルヘルスと初職の関係

一方，メンタルヘルスを規定する要因として，改善が期待しにくいものがあることも事実である．Oshio and Inagaki（2014）は，大学や高校を卒業した後に最初に就く職（初職）が正規雇用かそうでないかで，その後の人生やメンタルヘルスにどのような違いが出てくるかを，30〜60歳の男性3117人，女性2818人の個票データに基づいて分析した．それによると，初職が正規雇用以外であれば，現時点における職業も正規雇用以外になり，所得が低く，未婚にとどまり，心理的なストレスを抱えやすい傾向が明らかになった．しかも，初

職がメンタルヘルスに及ぼす影響は，とりわけ男性の場合，社会経済要因や婚姻要因によって完全には媒介されず，直接的に作用する傾向がある．このように，日本では初職で躓くとそこからの巻き返しが難しく，メンタルヘルスにも悪い影響が及ぶことになることがわかる．

高齢者のメンタルヘルスと資産・所得の関係

メンタルヘルスの問題を抱えるのは，若年，壮年期の労働者ばかりではない．高齢者にとっても深刻な問題だ．関沢他（2013）は「くらしと健康の調査（JSTAR）」のデータを使って，50代から70代の中高齢者について，基本属性や経済的社会的地位や身体的健康の状態が，抑うつ度（うつっぽさ）とどのように関係しているかを検証した．年齢・学歴・就労状況などをコントロールすると，男女間で異なる結果となった．世帯収入については，男性では，世帯収入が最も低い層（214万円以下）に比べて，それ以上の層は抑うつ度が低い傾向があるのに対して，女性の場合，男性ほど明瞭ではない．これに対して，預金額については，世帯収入とは反対に，男性では抑うつ度と有意な関係が存在しないのに対して，女性では，預金額が最も少ない層（預金額100万円以下）に比べて，預金額が100～400万円以下の層では有意な抑うつ度の差はないが，それ以上の層になると，抑うつ度が有意に低下している．

男性は，収入の大小によって自分の価値を判断し，収入が下がると自分の価値が下がったように感じられて抑うつ度が上がる（うつっぽくなる）．一方，女性は，（多くの場合には主たる働き手は夫であることもあって）一時的な所得の変動には影響を受けにくいが，預金額の大小は将来不安に影響を及ぼして，不安と密接な関係を有する抑うつ度にも変化が起きるということを示しているかもしれない．中高齢の男性については，世帯収入と抑うつ度の関係が明瞭に存在することを考慮すると，身体が健全である間は抑うつ度を下げるという意味でも労働参加を促進させる政策が重要であるといえる．

6 女性活躍推進を目指して

本節では，現政権での最重要政策課題の1つとなっている女性の活躍につい

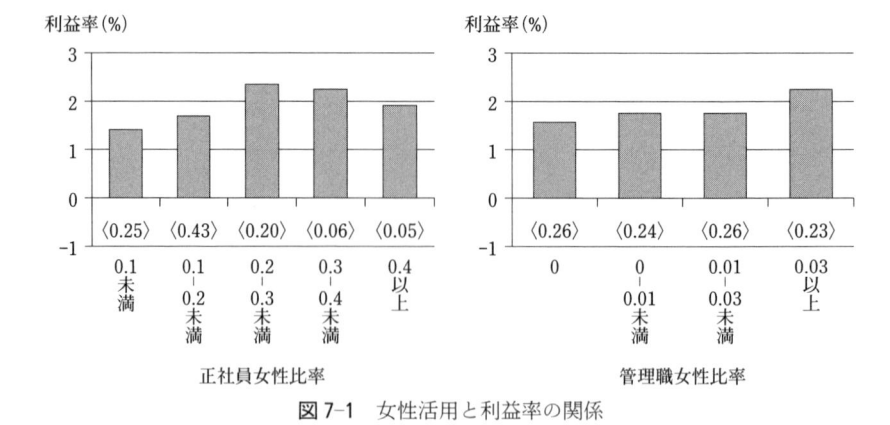

図 7-1 女性活用と利益率の関係
注:〈 〉内は構成比.
出典:山本 (2014a).

ての分析を紹介し,その政策的インプリケーションを考えてみたい.

6.1 女性の活躍と企業パフォーマンスの関係

　女性の活躍はそもそも企業にとってどのようなメリットがあるのであろうか.山本 (2014a) は日本の上場企業のパネルデータを用いて,企業における女性活用の状況や女性活用の企業業績へ影響を検証している.まず,正社員女性比率が高いほど企業の利益率が高まる傾向がある (図 7-1).特に,正社員女性比率が 30〜40% の企業で利益率が高くなっているほか,年齢層別にみると結婚・出産・育児などで正社員女性が激減する 30 代の正社員女性比率が高い企業ほど,利益率が高くなっている.また,中途採用の多い企業や WLB 施策が整っている企業では,正社員女性比率の影響がより顕著であった.

　一方,管理職女性比率については全般的には利益率との明確な関係性は見出せなかった.ただし,中堅企業や中途採用の多い企業,あるいは,新卒女性の定着率が高い企業では,管理職女性比率が利益率にプラスの影響を与えている.こうしてみると,雇用の流動性が高い企業や WLB 施策など女性が働きやすい環境が整備されている企業では,女性の高い潜在的な能力やスキルが活用され,女性活用の企業業績への効果がはっきり出てくると評価できる.

　それでは,女性活用と企業のパフォーマンスについて,日本だけでなく,海

外ではどのような状況であろうか．石塚（2014a; 2014b）は日中韓3カ国の企業の調査を行い，中国・韓国における，収益や生産性の高い企業の共通点について，管理職の女性割合が高いこと，女性の就業継続傾向が確認できることを指摘した．一方，育児休業の取りやすさは，収益性とは相関は認められなかったが，生産性とは正の相関があること，"CSR部門設置企業"は，産業や企業規模によっては，生産性が高いことを指摘している．

また，大沢・金（2014）は，韓国では2006年3月に積極的雇用改善措置制度が施行された結果，積極的雇用改善措置対象企業の方が，女性雇用率が高くROAも高いことを示した（ただし，後者は統計的に有意ではない）．

6.2 女性活躍に必要な環境整備

それでは，女性活用を進めるために企業はどのような環境整備が必要であろうか．山本（2014b）は，山本（2014a）と同様の企業パネルデータを用いて，どのような企業で女性活用が進んでいるのかを検証し，職場の労働時間の短い企業，雇用の流動性の高い企業，賃金カーブが緩く賃金のばらつきの大きい企業，WLB施策の充実している企業では，正社員女性比率や管理職女性比率が高くなっていることを明らかにした．このことは，男性の長時間労働，長期雇用慣行，年功的賃金制度による大きい労働の固定費用，画一的な職場環境といったものが，企業における女性活用の阻害要因になっていることを示唆している．これは，女性活用を進め，女性活用が企業にとってもメリットになるためには，従来型の日本的雇用システムをそのまま維持できないことをも意味している．

また，Kato et al.（2013）は，日本の製造業企業1社の人事データを用いて[2]，(1)女性の場合，年間労働時間と昇進率の間には統計的にも経済的にも有意な正の関係が観測できたが（図7-2），男性の場合には確認できなかった，(2)出産は将来所得を最大2, 3割減少させるが，その減少幅は大卒女性においてとりわけ高かった，(3)上記出産ペナルティは，育児休業から短期間で復帰しかつ，労働時間を減らさないことで回避できることを示した．こうした結果は，

---

[2] こうした秘匿の人事データを使った研究は日本ではこれまでもあまり例がなく，画期的な取り組みである．同様の人事データを使った分析としては，Araki et al.（2013）などがある．

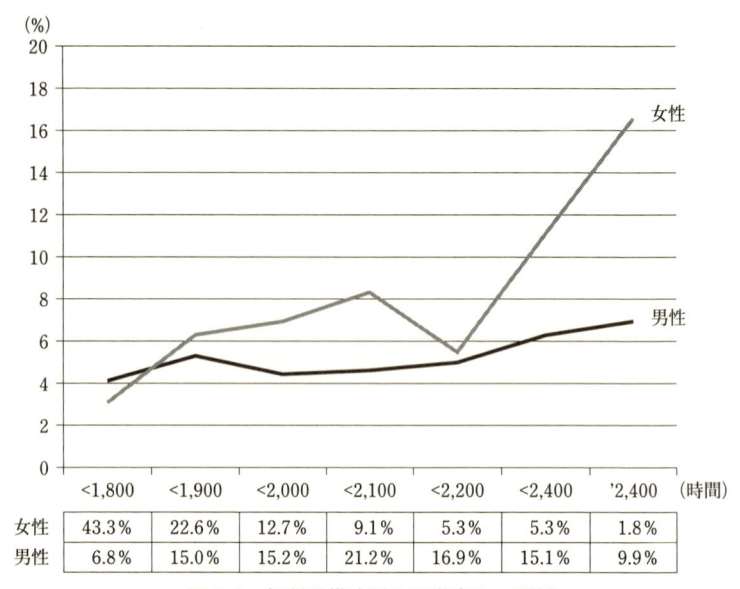

	<1,800	<1,900	<2,000	<2,100	<2,200	<2,400	'2,400
女性	43.3%	22.6%	12.7%	9.1%	5.3%	5.3%	1.8%
男性	6.8%	15.0%	15.2%	21.2%	16.9%	15.1%	9.9%

図7-2　年間労働時間と昇進率との関係

長時間労働や短い育児休業を厭わず，男並みに働けるという仕事へのコミットメント（あるいは受けられる家族のサポート）をシグナルしていくことができなければ，女性がキャリアを高めていくことは難しいことを示している．

雇用システムの見直しが女性活用促進の本丸であることは間違いないが，女性の能力発揮の事例として，牛尾・志村（2014）はITが女性の継続就業を後押しする事例[3]，組織の情報化が女性の能力発揮を推進する事例[4]を報告している．また，牛尾・金（2014）は，企業のグローバル化に伴い，海外赴任やそこでのマネジメント経験の蓄積が社員の能力開発・キャリア形成に重要な要素となってきており，女性社員を積極的に海外に赴任させ，企業の中核的人材として育成・登用を図る企業が増加していることを指摘している[5]．

---

3) 例えば，育児休業中のコミュニケーション（wiwiw），業務の効率化（第一生命保険，りそな銀行），テレワーク（グーグル，日本IBM），サテライト・オフィス（アクセンチュア），ホーム・オフィス（アクセンチュア，テレワークマネジメント）など．

4) e-ラーニング（第一生命保険），ナレッジ・マネジメント（アクセンチュア），社内SNSでネットワーキング（日本IBM），グローバルで統一的人事管理システム（アクセンチュア）など．

女性が取締役,起業家として活躍するためには

女性活用においては,管理職のみならず,企業の経営の意思決定を行う取締役会における比率を高めるべきとの議論もかなり盛んだ.米国や北欧については取締役会の女性比率と企業パフォーマンスの因果関係に関する実証分析はいくつか出てきているが,日本ではまだほとんど手が付けられていないのが現状だ.

その中で,乾他(2014)は,国際化の進んだ(ダイバーシティの取り組みを進めている)企業にサンプルを限定すると,取締役会女性比率の上昇が企業のイノベーション活動(研究開発投資集約度)にプラスの影響を与えることを見出している.女性役員比率の上昇がイノベーション活動に影響を与えるためには,ダイバーシティを生かす経営ノウハウの蓄積が必要と指摘している.

女性が経営のトップ層に加わるだけではなく,自ら起業し,経営者になるという起業家としての視点も,女性活躍を進めるためには重要である.しかし,日本のみならず,多くの国で,女性は,開業率が低い一方,廃業率は高く,開業後の成長は低いと言われる.樋口・児玉(2014)は,特に,女性の資金調達のむずかしさに着目し,女性の開業パフォーマンスの低さに影響しているかどうかを分析した.すると,融資を検討した企業サンプルを対象に融資確率を男女で比較すると,女性は男性に比べて11〜14%融資確率が低いが,実際融資を申し込んだ企業サンプルで分析をすると,その差は2〜3%に縮まることが分かった.つまり,女性は金融機関に申し込みをする前の段階で諦めることが多く,融資を申し込んだ段階では男性とほとんど融資確率に差は見られず,女性のみがいたずらに資金調達のハードルが高いわけではないことを示した.

女性活用を進めるための1つの政策アプローチは,働きやすさや女性管理職比率などの非財務情報も企業に積極的に開示させ,取り組みをガラス張りにすることである.児玉・高村(2014)はこうした非財務情報を開示する上場企業

---

5) 特に,アジアの拠点であるシンガポールは,女性のキャリア形成に適したポストとされている.例えば,シンガポール現地法人の社長に抜擢(資生堂),夫の転勤で本社を退職後,現地法人にローカル採用され育児との両立,専門スキルの付加価値倍増に成功(大和証券キャピタル・マーケッツシンガポール),一般職から総合職に転換後専門分野に磨きをかけ海外赴任でローカル社員の管理・育成に取り組む(丸紅).

の特徴として，必ずしも業績の良い企業が開示しているわけではないが，業績指標の変動が小さい傾向がある．また，企業規模等の企業属性をコントロールしても開示企業は外国人が株式所有する比率が高いことを示した．こうした特徴の因果関係は慎重に評価する必要があるものの，非財務情報開示によって機関投資家や海外投資家の所有割合が増えるという効果も期待できよう．

6.3 分析結果の含意と政策提言

以上の一連の分析のインプリケーションと政策対応については，樋口（2014）が以下のように指摘している．まず，重要なのは，女性活用だけでは，パフォーマンスには繋がらないことである．働き方，活用の仕方の変革を伴って初めて効果が表れるというのがいくつかの研究の重要なポイントとなっている．具体的には，働き方のフレキシビリティ（柔軟性）拡大，男女格差縮小（賃金，労働時間，処遇など）が必要であり，上司の意識改革がかなり重要になってくる．非財務情報の開示は所有構造の変化を通じて，経営の規律づけに繋がることが期待できる．

女性活躍推進のための具体的な方策

また，樋口（2014）は，企業における女性登用を加速化させるため，以下のように取り組みの現状や実績について「見える化」を進めるとともに，企業に対してインセンティブを与える仕組みを検討してはどうかと提案している．

まず，有価証券報告書における開示項目への追加である．(1)役員・管理職等の女性割合（現行では，役員の全氏名が開示），(2)今後の女性登用促進に向けた具体的な方針等を検討すべきである．

そうした取り組みを行いつつ，例えば，女性経営者の場合に加え，女性管理職比率の高い（例：30％以上）企業も含めた「女性活躍企業」に対しては，優遇措置を講ずることである．具体的には，(1)補助金等における優先枠設定を推奨，(2)公共調達における優先枠を設定，あるいは加点である．

さらに，経済団体の自主的取り組みとして，(1)経済団体による管理職・役員の女性比率に関する目標設定と毎年の進捗状況の公表，(2)会員企業が候補人材を育成する仕組みを作ること（研修や経営者との交流等）である．

7　今後の課題：高齢者雇用の視点から

　女性活躍と並んで急速な少子高齢化の下での労働力を確保するためには，高齢者雇用の促進も重要な課題である．1986年に制定された高齢者雇用安定法で60歳までの定年延長を基盤として65歳までの継続雇用と高齢者の再就職促進がこれまでも取り組まれてきた．特に，2006年4月から事業主は定年の引き上げ，継続雇用制度の導入，定年の定めの廃止，のいずれかの措置を講じなければならなくなった．また，2013年4月からは定年に達した人を引き続き雇用する「継続雇用制度」の対象者を労使協定で限定できる仕組みが廃止された．つまり，定年を迎えた人が希望すれば全員65歳まで継続雇用しなければならない仕組みとなったのである．

　この場合，雇用は継続されるが，再雇用者とは新たな雇用契約を結び，職務内容は変わり，賃金も大幅に低下する場合が多い．定年を前提とし，40代以上も上がり続ける年功賃金や役職の提供を維持することは困難であるためだ．しかし，働く側からすればそのギャップは大きく，スムーズに新たな職務，待遇へ適応し，納得することが難しい場合も多い．

　本来ならば，年齢差別禁止という視点から，定年制の廃止を検討することも重要だ[6]．しかし，それが「劇薬」ということであれば，定年から継続雇用への移行をスムーズにするために，海老原（2014）が主張するようにキャリアの途中から限定正社員へ移行するなど早い段階から賃金が伸びないシステムに変えていかなければならない．一方，現実の40代，50代は，住宅ローンや子供の教育で負担も最も大きい世代である．賃金が上がらなければ生活することが困難であることも事実だ．

　このように考えてくると，男性が大黒柱となって家族を支え，女性が専業主婦として家庭を守るという戦後日本の典型的な家族モデルがもはや維持できないということがわかる．夫婦が共働きをして，2人合わせてそれなりの年収を得なければならない．そうであるならば，それに応じた仕組みが必要となる．

---

　6)　水町（2013）は，今日世界的に展開されている労働法の新たな政策的方向性（就労促進，差別禁止，労働法・社会保障法・税制の一体化）を整理し，日本の労働法政策のあり方への示唆を明らかにしているが，高齢者雇用を考える上でも重要な視点を提供している．

第 7 章　雇用制度・人材教育改革に向けて

共働きの夫婦が子育てをするには，両者がともに長時間労働というわけにはいかない．ワークライフバランスがあたりまえにならなければならないのだ．

本章では，教育，非正規・正規雇用，ワークライフバランス，メンタルヘルス，女性活躍，高齢者雇用と日本の雇用，人材に関わるさまざまな分野にかかわる分析と政策のあり方を考えてきたが，いずれも，戦後築かれてきた日本的な雇用システムの根幹にかかわっていることが明らかとなった．こうした雇用システムは法律や規制だけでなく，労使が長年築き上げてきた慣行による部分が大きい．日本的雇用システムのどこが変わり，どこが変わっていないのか．また，今後，システムとしての整合性を考慮しながら，どのような雇用システムを目指すのか．包括的な視点からの分析，政策提言が求められよう．

参照文献

Araki, Shota, Takao Kato, Daiji Kawaguchi and Hideo Owan (2013), "Cohort Size Effects on Promotion and Pay: Evidence from Personnel Data," RIETI Discussion Paper Series 13-E-029.

Heckman, James J. and Tim Kautz (2013), "Fostering and Measuring Skills: Improving Cognitive and Non-Cognitive Skills to Promote Lifetime Success," NBER Working Paper 20749.

Ito, Takahiro, Kohei Kubota and Fumio Ohtake (2014), "The Hidden Curriculum and Social Preferences," RIETI Discussion Paper Series 14-E-024.

Kato, Takao, Daiji Kawaguchi and Hideo Owan (2013), "Dynamics of the Gender Gap in the Workplace: An Econometric Case Study of a Large Japanese Firm," RIETI Discussion Paper Series 13-E-038.

Lee, SunYoun and Fumio Ohtake (2014), "The Effects of Personality Traits and Behavioral Characteristics on Schooling, Earnings, and Career Promotion," RIETI Discussion Paper Series 14-E-023.

Oshio, Takashi and Seiichi Inagaki (2014), "Does Initial Job Status Affect Midlife Outcomes and Mental Health? Evidence from a Survey in Japan," RIETI Discussion Paper Series 14-E-025.

浅野博勝・伊藤高弘・川口大司（2011），「非正規労働者はなぜ増えたか」鶴光太郎・樋口美雄・水町勇一郎編『非正規雇用改革：日本の働き方をいかに変えるか』日本評論社，第 3 章．

石塚浩美（2014a），「日本・中国・韓国企業におけるジェンダー・ダイバーシティ経営の実状と課題：男女の人材活用に関する企業調査（中国・韓国）605 企業の結

参照文献

果」RIETI Discussion Paper Series 14-J-010.
石塚浩美（2014b），「中国・韓国企業における女性の活躍と収益・生産性・積極的雇用改善措置制度」RIETI Discussion Paper Series 14-J-029.
乾友彦・中室牧子・枝村一磨・小沢潤子（2014），「企業の取締役会のダイバーシティとイノベーション活動」RIETI Discussion Paper Series 14-J-055.
牛尾奈緒美・金明中（2014），「海外就業とマネジメント経験の蓄積による女性のキャリア開発の可能性」RIETI Discussion Paper Series 14-J-032.
牛尾奈緒美・志村光太郎（2014），「組織の情報化と女性の活躍推進」RIETI Discussion Paper Series 14-J-031.
浦坂純子・西村和雄・平田純一・八木匡（2011），「理系出身者と文系出身者の年収比較：JHPSデータに基づく分析結果」RIETI Discussion Paper Series 11-J-020.
浦坂純子・西村和雄・平田純一・八木匡（2013），「大学入試制度の多様化に関する比較分析：労働市場における評価」RIETI Discussion Paper Series 13-J-019.
海老原嗣生（2014），「日本型雇用の綻びをエグゼンプションで補う試案」RIETI Special Report.
大沢真知子・金明中（2014），「韓国の積極的雇用改善措置制度の導入とその効果および日本へのインプリケーション」RIETI Discussion Paper Series 14-J-030.
大竹文雄・奥平寛子・久米功一・鶴光太郎（2011），「派遣労働者の生活と就業」鶴光太郎・樋口美雄・水町勇一郎編『非正規雇用改革：日本の働き方をいかに変えるか』日本評論社，第2章.
大竹文雄・李嬋娟（2011），「派遣労働者に関する行動経済学的分析」鶴光太郎・樋口美雄・水町勇一郎編『非正規雇用改革：日本の働き方をいかに変えるか』日本評論社，第6章.
大竹文雄・川口大司・鶴光太郎編（2013），『最低賃金改革：日本の働き方をいかに変えるか』日本評論社.
大竹文雄（2013），「最低賃金と貧困対策」大竹文雄・川口大司・鶴光太郎編『最低賃金改革：日本の働き方をいかに変えるか』日本評論社，第7章.
奥平寛子・大竹文雄・久米功一・鶴光太郎（2011），「派遣労働は正規雇用への踏み石か，それとも不安定雇用の入り口か」鶴光太郎・樋口美雄・水町勇一郎編『非正規雇用改革：日本の働き方をいかに変えるか』日本評論社，第7章.
奥平寛子・滝澤美帆・大竹文雄・鶴光太郎（2013），「最低賃金が企業の資源配分の効率性に与える影響」大竹文雄・川口大司・鶴光太郎編『最低賃金改革：日本の働き方をいかに変えるか』日本評論社，第3章.
川口大司・森悠子（2013），「最低賃金と若年雇用：2007年最低賃金法改正の影響」大竹文雄・川口大司・鶴光太郎編『最低賃金改革：日本の働き方をいかに変えるか』日本評論社，第2章.
久米功一・鶴光太郎・戸田淳仁（2015），「多様な正社員のスキルと生活満足度に関する実証分析」RIETI Discussion Paper Series 15-J-020.
黒田祥子・山本勲（2011），「人々はいつ働いているか？」鶴光太郎・樋口美雄・水町

勇一郎編『非正規雇用改革：日本の働き方をいかに変えるか』日本評論社，第5章．

黒田祥子・山本勲（2013），「ワークライフバランスに対する賃金プレミアムの検証」RIETI Discussion Paper Series 13-J-004．

黒田祥子・山本勲（2014a），「従業員のメンタルヘルスと労働時間：従業員パネルデータを用いた検証」RIETI Discussion Paper Series 14-J-020．

黒田祥子・山本勲（2014b），「企業における従業員のメンタルヘルスの状況と企業業績：企業パネルデータを用いた検証」RIETI Discussion Paper Series 14-J-021．

小嶌典明（2011），「規制強化に向けた動きと直視すべき現実」鶴光太郎・樋口美雄・水町勇一郎編『非正規雇用改革：日本の働き方をいかに変えるか』日本評論社，第10章．

児玉直美・髙村静（2014），「非財務情報の開示と外国人投資家による株式保有」RIETI Discussion Paper Series 14-J-054．

島田陽一（2011），「有期労働契約法制の立法課題」鶴光太郎・樋口美雄・水町勇一郎編『非正規雇用改革：日本の働き方をいかに変えるか』日本評論社，第12章．

関沢洋一・吉武尚美・後藤康雄（2013），「JSTARを使った抑うつ度と他の指標との関係の検証」RIETI Discussion Paper Series 13-J-077．

滝澤美帆・鶴光太郎・細野薫（2014），「需要ショックと雇用調整：2008-09年グローバル金融危機の下での輸出企業の従業員構成変化」RIETI Discussion Paper Series 14-J-012．

玉田桂子・森知晴（2013），「最低賃金の決定過程と生活保護基準の検証」大竹文雄・川口大司・鶴光太郎編『最低賃金改革：日本の働き方をいかに変えるか』日本評論社，第6章．

鶴光太郎（2011），「非正規雇用問題解決のための鳥瞰図」鶴光太郎・樋口美雄・水町勇一郎編『非正規雇用改革：日本の働き方をいかに変えるか』日本評論社，第1章．

鶴光太郎（2013），「最低賃金の労働市場・経済への影響：諸外国の研究から得られる鳥瞰図」大竹文雄・川口大司・鶴光太郎編『最低賃金改革：日本の働き方をいかに変えるか』日本評論社，第1章．

鶴光太郎（2014），「人的資本・人材改革：鳥瞰図的視点」RIETI Policy Discussion Paper Series 14-P-005．

鶴光太郎（2015），「正社員改革：総論」RIETI政策シンポジウム「正社員改革と多様な働き方実現を目指して」（2015年7月2日）報告．

鶴光太郎・久米功一・戸田淳仁（2015），「要求金銭補償額の決定要因の実証分析」RIETI Discussion Paper Series 15-J-019．

鶴光太郎・樋口美雄・水町勇一郎編（2010），『労働時間改革：日本の働き方をいかに変えるか』日本評論社．

鶴光太郎・樋口美雄・水町勇一郎編（2011），『非正規雇用改革：日本の働き方をいかに変えるか』日本評論社．

戸田淳仁・鶴光太郎・久米功一（2014），「幼少期の家庭環境，非認知能力が学歴，雇用形態，賃金に与える影響」RIETI Discussion Paper Series 14-J-019．

参照文献

西村和雄・平田純一・八木匡・浦坂純子（2012），「高等学校における理科学習が就業に及ぼす影響：大卒就業者の所得データが示す証左」RIETI Discussion Paper Series 12-J-001.
西村和雄・平田純一・八木匡・浦坂純子（2014），「基本的モラルと社会的成功」RIETI Discussion Paper Series 14-J-011.
樋口美雄（2014），「女性活躍推進の経済効果」経済における女性の活躍に関する共同セミナー内閣府経済社会総合研究所，独立行政法人労働政策研究・研修機構，独立行政法人経済産業研究所（2014年3月5日）報告．
樋口美雄・石井加代子・佐藤一磨（2011），「貧困と就業」鶴光太郎・樋口美雄・水町勇一郎編『非正規雇用改革：日本の働き方をいかに変えるか』日本評論社，第8章．
樋口美雄・児玉直美（2014），「女性は融資を受けられる可能性は低いのか？：新規開業パネル調査による分析」RIETI Discussion Paper Series 14-J-015.
本田由紀（2014），「仕事に関する『強み』自認の規定要因と効果：『30代ワークスタイル調査』の分析より」RIETI Discussion Paper Series 14-J-014.
水町勇一郎（2011），「『同一労働同一賃金』は幻想か？」鶴光太郎・樋口美雄・水町勇一郎編『非正規雇用改革：日本の働き方をいかに変えるか』日本評論社，第11章．
水町勇一郎（2013），「労働法の新たな理論的潮流と政策的アプローチ」RIETI Discussion Paper Series 13-J-031.
森川正之（2013），「最低賃金と地域間格差：実質賃金と企業収益の分析」大竹文雄・川口大司・鶴光太郎編『最低賃金改革：日本の働き方をいかに変えるか』日本評論社，第4章．
守島基博（2011），「『多様な正社員』と非正規雇用」鶴光太郎・樋口美雄・水町勇一郎編『非正規雇用改革：日本の働き方をいかに変えるか』日本評論社，第9章．
山本勲（2011），「非正規労働者の希望と現実」鶴光太郎・樋口美雄・水町勇一郎編『非正規雇用改革：日本の働き方をいかに変えるか』日本評論社，第4章．
山本勲（2014a），「上場企業における女性活用状況と企業業績との関係：企業パネルデータを用いた検証」RIETI Discussion Paper Series 14-J-016.
山本勲（2014b），「企業における職場環境と女性活用の可能性：企業パネルデータを用いた検証」RIETI Discussion Paper Series 14-J-017.

第8章
財政赤字・社会保障制度の維持可能性と金融政策の財政コスト

深尾　光洋

要　旨

　本章では，第2節で日本の財政バランスの動向を国際比較の観点から概観した後，財政赤字の累増がなぜ日本経済にとって問題となるのかを説明し，赤字を削減するための増税方式と増税が生み出す問題点を検討する．また，赤字を放置した場合のリスク要因を考える．次に第3節では，従来見逃されてきた金融政策の財政コストを分析する．日銀は量的緩和の一環として巨額の長期国債を購入しているが，これは日銀が国債価格下落のリスクを負っていることを意味し，将来金利が上昇した場合に，日銀の収益では処理しきれない損失を負う可能性があることを指摘する．第4節では，これまで行われてきた社会保障制度改革を簡単に説明して，今後日本の経済・財政にどのような影響を与えるかについて述べる．公的年金制度については，近年の改革で給付水準を抑制する措置が実施された結果，相当の財政健全化が図られたが，医療・介護分野では，今後さらに支出の拡大が見込まれており，特に医療・介護の人手不足が極めて困難化する可能性を指摘する．最後に分析を総括して，日本の人口減少による潜在成長率低下が，医療・介護制度維持と財政再建の最大の懸念材料となっていることを指摘する．

1　はじめに

　日本の財政バランスを見ると，政府支出は人口高齢化による社会保障費の増大が主因となって，1990年代のGDP（国内総生産）比30％台から2010年代には40％前後にまで増大してきた．これに対して，税・社会保険料が大宗を占める歳入は，GDP比30％程度に留まってきた．この結果，財政赤字は

図8-1　日本の財政赤字（GDP比）

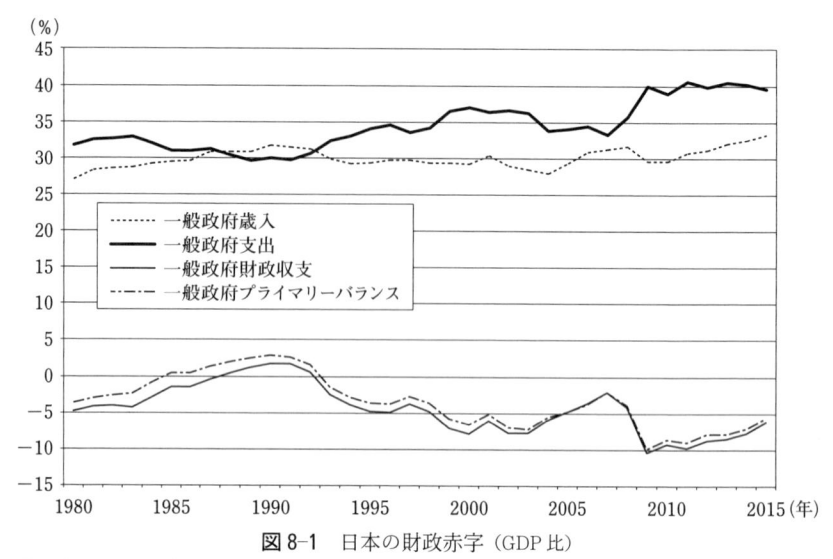

注：図8-1〜8-3は国際的に使われている国民経済計算体系で「一般政府」と呼ばれる部門についての数字である。日本の「一般政府」は、国の一般会計と非企業特別会計（中央政府）、県・市町村からなる地方公共団体の普通会計と事業会計（地方政府）、および政府が運営している厚生年金、国民年金、公務員共済、健康保険組合（社会保障基金）を含む概念である。「一般政府」は、政府が行う教育、治安維持、消防、外交などを含むが、金融活動や事業活動は含まない。このため、日本銀行、日本政策金融公庫、日本政策投資銀行、ゆうちょ銀行、かんぽ生命、日本道路公団、地方公営企業などは含まないことに注意が必要である。
出典：International Monetary Fund, *World Economic Outlook*, April 2015のデータから筆者が作成。

　1980年代後半のバブル期の小幅の黒字から、リーマンショック後の2009年にはGDP比10%を超える大幅な赤字へと悪化してきた（図8-1）。

　こうした厳しい財政事情を背景として、野田政権の下で2012年夏に消費税の二段階引き上げが決定され、第一弾として2014年4月に5%から8%に引き上げられた。さらに2015年9月には消費税を10%に引き上げることが予定されていたが、安倍政権によって2017年4月に1年半先延ばしされている。この2回で合計5%の引き上げが実現すれば、消費税収は12兆円強増加することが見込まれるうえ、2013年以降の景気回復による税収増加もあって、日本の財政赤字は2015年にはGDP比6%程度まで縮小し、2017年以降には3%台にまでの縮小が見込まれている[1]。

---

　1) International Monetary Fund（2015）を参照。

2 財政バランスの現状と課題

2.1 政府債務残高の国際比較

日本の中央・地方の政府が抱える国債などの負債総額は，2014年末で1202兆円と日本の国内総生産（GDP）の2.3倍にも達している[2]．人口で割ることで国民1人当たりに引き直しても946万円となり，政府は非常に大きな負債を抱えている．政府債務のGDP比率を主要国と比較しても，日本の比率は最も高い水準にあり，財政危機に陥っているギリシャと比較しても日本の方が大幅に高くなっている（図8-2）．また日本政府は税や社会保険料からの収入を大幅に上回る支出を行っており，これに伴う財政赤字を国債発行でまかなっているため，政府の債務は非常に速いペースで増加を続けている．1997年に100%を超えた政府債務GDP比率は，2009年に200%を超えている．

日本政府は負債だけでなく，金融資産も保有している．例えば，国の年金基金は国債などの金融資産を持っており，また外貨準備として米ドルなどの外貨建て金融資産も保有している．借金が多くてもそれに見合う金融資産を持っていれば，金融資産を売却すれば債務は返済できる．そこで政府の負債総額から金融資産保有額を差し引いた純債務について国際比較をしたのが，図8-3である．日本政府は，2014年末でGDPの1.2倍もの金融資産を保有しているため，純債務GDP比率は総債務GDP比率から約120ポイント差し引いた水準になる．2014年の政府純債務GDP比率でみると，日本は127%とギリシャの174%を下回っているが，他の主要国を相当上回っていることが見て取れる．このように，日本政府の負債の水準は資産を差し引いた純額で見ても，他の主要国に比べて高くなっているといえる．

2.2 政府債務の負担と世代間移転

財政債務の負担に関しては，次の3つの代表的な考え方が存在する．本項では，まずこの3つの考え方を説明したあと，財政再建のための税目と歳出削減

---

[2] International Monetary Fund (2015).

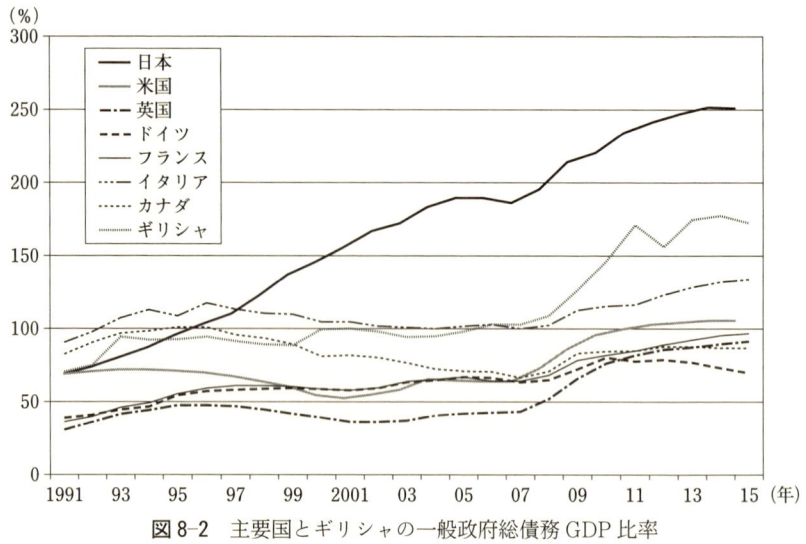

図 8-2 主要国とギリシャの一般政府総債務 GDP 比率
出典：International Monetary Fund, *World Economic Outlook*, April 2014 のデータから筆者が作成．

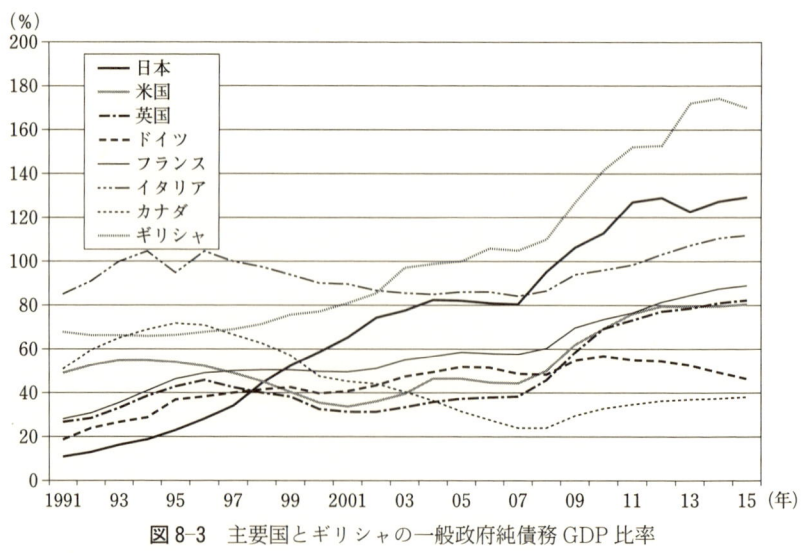

図 8-3 主要国とギリシャの一般政府純債務 GDP 比率
出典：International Monetary Fund, *World Economic Outlook*, April 2015 のデータから筆者が作成．

策について考えてみたい．

（その1）
　政府の債務を，家計の債務と同じものだと見なす考え方．例えば両親の世代が所得以上の消費を行って借金を残した場合，相続放棄が許されない子孫はその借金を返す負担を負うことになる．それと同様に，政府が税収以上の支出を行って積み上げた政府債務は，実質的に国民が負った相続放棄ができない債務であり，よって政府債務は，将来の世代が負担することになるとされる．

（その2）
　政府の債務は，それが対外的な債務でない限り国民が国民自身から借り入れたものであり，国全体で考えれば国民の債務と資産が打ち消しあってしまうとする見方．したがって，この考え方の下では，政府の債務は将来の世代の負担にはならないとされる．しかし海外からの借金は，将来世代の負担となる．

（その3）
　政府の債務は，将来に繰り延べられた課税であるとする考え方．この見方では，政府の財政赤字は，過去から将来に繰り延べられた課税額に対応していると考える．例えば税金が勤労所得に対する税だけだと仮定しよう．1年間だけ課税を停止して翌年に2倍の課税を行えば，1年間課税を繰り延べたことになる．1年くらいの繰り延べであれば，課税停止の恩恵を受ける人と，2倍の税金を払う人は大部分が重なっているので，あまり影響はないだろう．しかし20年間も課税を停止して，その後20年間課税を2倍にすれば，20年分の世代が現役時代の所得課税を免れて退職し，後に続く世代が20年間も重税に苦しむことになる．財政赤字による課税の繰り延べは，将来の世代から現在の勤労世代や高齢者世代への所得の移転を発生させる．このため財政赤字が発生している場合には，各世代が将来の世代に対して，課税の繰り延べと同じ金額だけ遺産を追加して残していかない限り，将来世代に課税負担が発生する．

　それでは，どの見方が正しいと考えられるのか．これら3つの財政赤字に関

する見方のうちで，第1の見方は家計の収支と政府の収支を混同しており，誤りである．第2の見方が指摘しているように，政府の債務が国内の主体により保有されている場合には，政府の債務は国民の債務であると同時に国民の資産でもあることを見落としている．このため第2の見方は，政府の収支と家計の収支の違いを認識しており，その点では正しい．しかし財政赤字により課税を免れる世代と，将来，政府債務を課税の形で負担する世代が異なりうる点を見落としている．このため第3の見方が，財政赤字の本質についての最も深い理解であると言うことができる[3]．

以上述べたように，財政赤字が世代間の移転を発生させるものだと考えれば，世代間の公平性の観点からは，増税や歳出削減にあたっては，過去に課税を免れた世代にある程度負担してもらうのが良いことになる．過去に低い税・社会保険料を享受してきた高齢世代の中で，裕福な者にある程度税を負担してもらうことによって，現役世代の過大な税・社会保険料負担を削減することが考えられる．この観点から見ると，消費税の増税と，所得の多い高齢者に対する社会保障支出の抑制が適当だと考えられる．

まず消費税についてみると，この税は一面で過去に蓄積されてきた金融資産に対する課税である．なぜなら，預金，生命保険，債券，株式などで財産を保有してきた世代が，それを取り崩して消費するときに消費税を負担するからである．消費税が5％引き上げられれば，退職した世代が保有する金融資産のうち死亡するまでに消費する金額に5％課税されることになる．

次に社会保険の仕組みを見ると，所得にかかわらず同一税率で課税される社会保険料を使って，所得の高い高齢者に年金などの形で所得を移転することは，公平とは言えない．「社会保険」は「保険」と呼ばれているものの，その実態は保険とはかけ離れた課税による所得移転であり，その実質的な移転額は，高齢の世代ほど有利に，若い世代ほど不利に設計されていた．この状況を直視すれば，所得の多い高齢者に対する移転を削減することで若い世代の負担を軽減することが適当だと言える（表8-1）．経済企画庁（1985）『経済白書』付注3-1によれば，1985年に60歳に達して厚生年金を受け取る男性の受給者の場合，

---

3) 庄司（2013）は，政府債務の蓄積は，経済成長率に対してもマイナスの影響が発生しうることを示した．

表 8-1　公的年金制度における世代間移転の割合

厚生年金

金利想定	拠出金運用名目金利	将来受給年金割引実質金利	拠出金比率 %	後代負担率 %
1	6.5	0.0	12.2	87.8
2	8.8	0.0	14.2	85.8
3	6.5	2.0	15.1	84.9
4	8.8	2.0	17.6	82.4

注：(1) 1985年4月に60歳に達して新規受給者となる30年間厚生年金に加入した男子サラリーマンをモデルとする．妻は3歳下の専業主婦を想定する．夫は79歳，妻は82歳まで存命と想定するが，これは当時の夫の退職時の余命から推定した．
(2) 年金保険料は本人負担分に加え事業主負担分も，実質的に被保険者の負担とみなした．
(3) 運用利回りは，過去の厚生年金制度の運用実績である 6.5% のケースと利付電電債10年もの運用利回りの 8.8% の2つのケースを想定した．
(4) 将来給付は，当時は5年ごとに賃金上昇率にスライドし，その間の期間は物価にスライドしていたので，長期的に賃金スライドであると考えて推計した．割引金利は，賃金上昇率プラス2% のケース（実質金利2%）と賃金上昇率と同じケース（実質金利0%）の2つを考えた．
(5) モデル受給者の過去の賃金水準は1984年度のボーナスを除く月当たり報酬額を25万円とし，過去にさかのぼって名目賃金指数の上昇率で減額して求めた．このケースの新規裁定時年金額は 1,770,400 円であった．

国民年金

金利想定	拠出金運用名目金利	将来受給年金割引実質金利	拠出金比率 %	後代負担率 %
1	6.5	0.0	5.8	94.2
2	8.8	0.0	6.9	93.1
3	6.5	2.0	6.7	93.3
4	8.8	2.0	8.0	92.0

出典：経済企画庁（1985）の付注 3-1 に筆者が加筆．

本人と事業主が過去に拠出した年金保険料の現在価値は，本人と遺族が受け取る年金の現在価値の僅か 12.2〜17.6% にすぎず，8割以上が若い世代からの所得移転となっていた[4]．

2.3　財政赤字削減の方策と世代間の所得移転効果

長期的な観点から見て，日本経済にとっての最大のリスクが巨額の財政赤字の累増である．国内総生産（GDP）比 130% もの政府純債務が，見通しうる

---

[4] 経済白書（1985）は次のサイトで入手可能である．http://www5.cao.go.jp/keizai3/keizaiwp/wp-je85/wp-je85-000i1.html を参照．

将来増加を続けていく姿は，極めて不健全であり，これを放置すれば早晩日本政府に対する信用が失墜するのは確実だからだ．

　財政再建にはプライマリー・バランス（利払いを除く財政収支）の相当大幅な黒字化が必要だ．2017年4月の消費税2%の追加引き上げと将来の景気回復による税収増加を考慮しても，政府債務を漸減させるための黒字化には少なくともGDP比8%程度の増税が必要となる．消費税1%の増税で，税収はGDP比0.5%程度増加するため，GDP比8%の増税を消費税だけで実現するためには，消費税を現在予定されている10%から16ポイント引き上げ，26%程度にする必要がある．後に見るように，人口高齢化によって特に医療・介護関連の財政負担の増加が予想されるので，歳出の徹底的な抑制を想定しても，歳出面では政府支出のGDP比率を横ばいにするのが精一杯だからだ[5]．

　しかし財政再建を可能とするほどの大規模な増税を行えば，景気を悪化させて，財政再建自体をより困難にする可能性が高い．高い税率は脱税や節税を誘発し，経済成長や雇用情勢を悪化させるだろう．これは現役の世代にとって非常に重い負担になる．

　では，財政再建で守られるのはだれの権益だろうか．国債の元利金支払いのために増税すれば，日本の金融資産の大部分を保有する年配層の財産が保全されることになる．これは，日本の家計が直接保有する国債はさほど多くないが，家計が保有する銀行預金や生命保険契約の大きな部分を支えているのが国債だからだ．

　全国消費実態調査からの推計によれば，家計部門の保有する純金融資産（金融資産マイナス負債）の大部分は50歳以上の年配層が保有しており，50歳前後までの大部分の現役層は，金融資産と負債が拮抗しているため，純金融資産をほとんど保有していない（図8-4参照）．このため，日本の高年層は，全体としてみると巨額の金融資産を保有している．世代別の純金融資産額（金融資産－負債の純額）で見ると，50歳以上の世帯主の家計が約1200兆円のほぼ全額を保有しており，60歳以上の家計が7割程度を保有していると推計されている．これに対して50歳未満の若い世代は，金融資産と住宅ローンなどの負

---

[5] 消費税の段階的な引き上げと法人税減税が経済成長に与える影響については，蓮見（2014）を参照されたい．

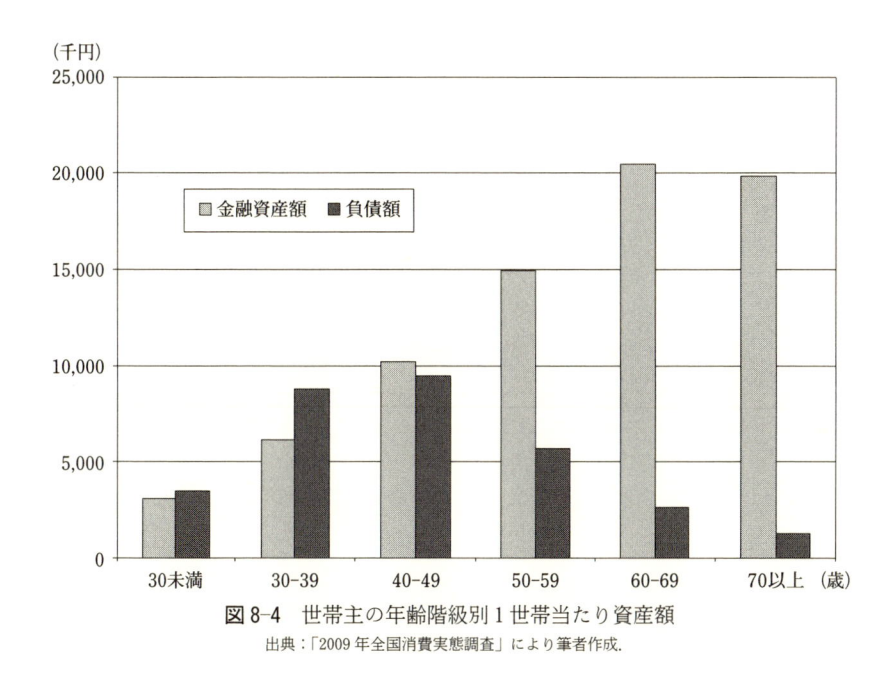

図 8-4　世帯主の年齢階級別 1 世帯当たり資産額
出典：「2009 年全国消費実態調査」により筆者作成．

債が拮抗しており，純金融資産はほとんど保有していない．高齢層は，年金・医療・介護保険の財政に対する信頼が揺らぐ中で，老後の医療費や介護費用に対する不安感から，巨額の貯蓄を保有していると考えられる[6]．

　現在の高齢世代は，これまでの低い税・社会保険料負担の下で財産を形成してきている．いわば低税率で勝ち逃げした世代の利益が，主に現役世代に対する大幅な増税で守られることになる．このため財政再建のための増税が行われていけば，高齢世代と，増税と雇用情勢悪化に直面する現役世代との間に深刻な対立が発生しかねない．財政再建のためには，増税だけでなく，年金支給開始年齢のさらなる引き上げや，社会保障給付に対する全面的な所得テストの導入など，抜本的な支出削減策を実施する必要がある．

---

6)　小池（2005）を参照．

2.4 長期的な人口減少と人材投資不足の原因

　財政再建のための大規模な増税や支出削減は，景気を悪化させる懸念がある．そこで，その原因を少し考察してみよう．

　日本経済は資産価格バブルが崩壊に転じた 1990 年代以降，傾向的な需要不足に苦しんできた．この原因としては，1990 年代後半の不良債権問題の深刻化，同じ時期に定着したデフレ傾向，2008 年前後の世界金融危機による輸出低迷，東日本大震災後の原発停止に伴うエネルギーコストの上昇，などの要因が挙げられることが多い．しかし過去 20 年を超える傾向的な需要不足経済を直視すると，その原因は日本経済の中心構造にあるのではないだろうか．具体的に言えば，中高年世帯の貯蓄保有動機と，企業や若年世帯の投資動機との間に，根本的なミスマッチが発生しているのではないだろうか．

　日本経済は，10 年後，20 年後の医療・介護サービスを提供できる見通しが立っていない．介護・介助ロボットや医療技術について今後相当の進歩を見込んでも，良質なサービスの提供には，多くの人による労働の投入が不可欠となるだろう[7]．そのためには，家計部門が出産と育児，教育に多額の時間と金を投資して次の世代を育てるしかない．しかし，この次世代の人材への投資の成果は，将来の世代が提供する医療・介護サービスの価格上昇として，将来世代に帰着し，子育てを行う世代には戻ってこない．今日では人的資本に対する所有権は認められておらず，将来の人的資本に対するニーズが非常に強くても，現在の世代には子どもを産んで養育するインセンティブが働かない．この結果，老後に備えて貯蓄する中高年世代は，厳しい状況に直面する．労働力不足に対する移民政策の見直しなどの対応を早急に行わない限り，人材不足で医療・介護の相対価格が急速に上昇することで，貯蓄の実質価値は減少し，貯蓄を行った時の予想を大幅に下回る医療・介護しか受けることは出来なくなるだろう．

　ミクロ経済学の基礎となっている一般均衡理論では，こうした貯蓄動機と投資動機の間にミスマッチは発生し得ない．この理論では，将来の財・サービスに対する需要は，現在の時点で将来の供給を購入しておくことで満足させるこ

---

[7] 本章の第 4 節を参照されたい．

とが出来ると仮定されている．理論的には，将来の財・サービスを先物市場で購入しておくことで，将来の供給不足を避けることが出来ると想定されている．

しかし実際には，将来成人して医療・介護サービスを提供する人のサービスを予約しておくことは不可能だ．この結果，将来世代を産み育てる，ヒューマンキャピタルへの投資が不足することになる．

2.5 欧州財政危機との比較

日本の財政危機の可能性を探るために，ギリシャの財政危機と日本を比較してみよう．まず通貨制度をみると，ギリシャは独自の通貨と中央銀行を持っていない．同国政府は，資金調達の最後の手段である中央銀行からの借り入れに頼ることができない．これに対し日本政府が財政危機に直面すれば，最後の手段として日銀法等の改正を行って日銀借り入れで支払いを続けることも可能である．これは，インフレを引き起こすリスクを伴うが，政府がデフォルトを避けるためであれば，実行される可能性はゼロではない．

国際収支の面でも，ギリシャと日本は異なった状況にある．同国は経常収支の赤字が続いてきており，2010年までの10年間の累積経常収支は，GDP比111％（IMF統計，以下同じ）の赤字となっており，対外債務国である．また，その債務は独自の通貨ではなく共通通貨のユーロ建てである．これに対し日本は，同じ期間に28％の黒字を累積している対外債権国である．日本政府債務の大部分は国内で保有される円建て債務である．また日本は債権国であるため，仮に国内投資家が日本政府に対する信用リスクを考えて，保有資産円を売って外貨を買っても，それによる円安で，外貨建て資産を持つ企業・家計や金融機関は利益を得られる立場にある．政府も外貨準備を1兆2441億ドル保有（2015年8月末現在）しているため，円安になれば相当の利益が得られる．

このようにギリシャと日本の状況には大きな違いがあるため，近い将来に日本政府が現在のユーロ圏型の財政危機に陥る可能性は小さい．しかし，別の危機シナリオを考えることは可能である．具体的には，政府が政府債務の累増を放置し続け，国民が政府に対する信頼をなくす場合である．日本の家計部門は財産の相当部分を銀行預金や生命保険などで保有しているが，銀行や保険会社は，その資金を貸出や国債への投資などで運用している．このため，政府に対

する信用が低下すると，銀行預金や貯蓄性の保険に対する信用も低下し，家計は銀行預金から株式，不動産，外国の国債や外国銀行の預金などに資金をシフトし始める．すると銀行は預金の流出を不安に思い，国債の買入に消極的になる．これは長期国債金利を上昇させる．国債金利の上昇は，政府の利払い負担増を招くため，政府に対する信用がさらに低下して，預金の流出がさらに拡大する．また，外貨への資金シフトは円安を招く．小幅の円安であれば，景気の拡大に繋がるため問題はないが，大幅な円安になると，物価の上昇要因になる．物価上昇は固定金利の運用を不利にするので，国債価格を下落させ長期金利を押し上げる．

現在は，日本だけでなく米国やEUも財政赤字に苦しんでいるため，円から外貨への大規模な資金シフトは発生しにくいだろう．しかし米国やEUが財政健全化に成功すると，円から外貨への資金シフトが拡大し，国債金利の上昇要因になり得る．このため，将来着実な赤字削減ができるという見通しを打ち出せなければ，「日本政府」の信用は低下していく．日本政府に対する信頼を維持して長期金利を低位に維持するためには，政府債務の着実な削減のめどを示すことが必須となるだろう[8]．

3 量的緩和の財政コスト

3.1 量的・質的緩和の財政コスト

安倍晋三政権と黒田東彦日銀総裁によるインフレターゲットの設定と金融の量的緩和は円為替相場の下落と株価の上昇を発生させ，景気回復に成功するとともにデフレからの脱却を実現しつつある（図8-5）．これに伴って，実質金利は徐々に低下しており，金融緩和の効果が今後強まっていくと予想される．また金融緩和効果の強まりは，財政支出削減や増税による景気下押し効果を相殺する方向に働き，名目成長率の上昇は将来の税収を拡大するように働く．この金融緩和政策は，一見コストなしに実行できているように見える．しかし少

---

[8] 深尾（2012a; 2012b）を参照．

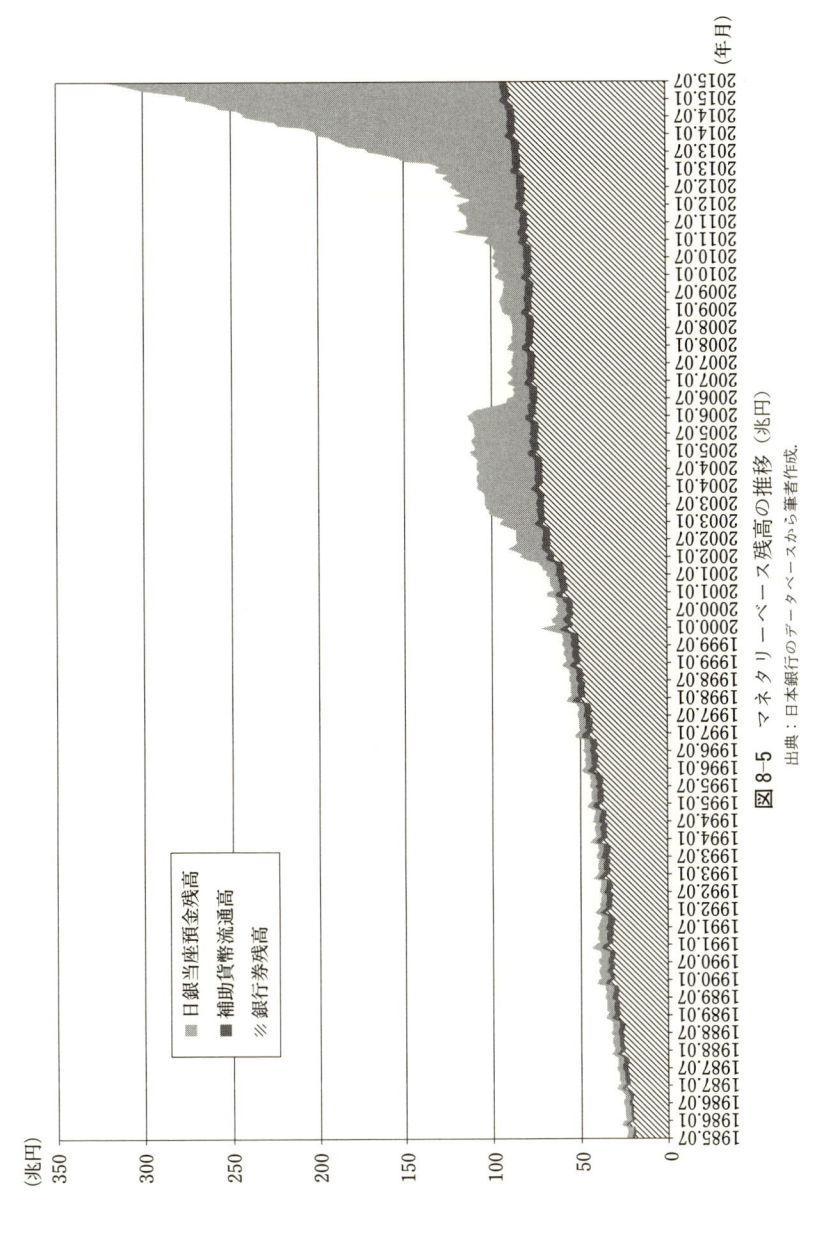

図 8-5 マネタリーベース残高の推移（兆円）
出典：日本銀行のデータベースから著者作成．

し長い目で見ると，金融緩和にも相当の財政コストが必要となる可能性が高い．

具体的には，日銀が非常に巨額の長期国債を保有することになったため，デフレからの脱却に伴って予想される国債価格の下落が日銀に大きな損失を発生させるリスクを生んでいる．日銀の長期国債保有額は2015年8月末で258兆円に達した．異次元緩和導入の2013年4月末の98兆円から160兆円も増加した計算になる．

日銀は消費者物価の前年比上昇率を2％に引き上げることを目標にしており，この目標は消費税増税の効果を除いたものだと説明されている．物価上昇率が継続的に2％前後まで上昇すれば，長期国債の流通金利は少なくとも2％程度は上昇し3％台に乗ると見込まれる．またインフレの加速を避けるためには，日銀はインフレ率を多少上回る水準まで短期市場金利を引き上げていく必要があり，短期金利も2％前後に達することになる[9]．

長期金利が上昇すれば，日銀が保有する国債価格は相当下落し日銀は損失を被る．2014年10月31日に日銀が発表した「量的・質的緩和の拡大」によれば，長期国債保有残高を年間80兆円増加させるほか，国債の平均残存期間も2013年の緩和開始時の3年弱から7～10年程度まで延長すると発表している．仮に，2015年中のペースで国債購入を継続すると，2016年末には，約365兆円に達する．長短金利が2％上昇すれば，平均残存期間8年の日銀保有国債の時価は，約16％低下し，日銀の損失は58兆円程度になる（365兆円×デュレーション8年×2ポイント金利上昇＝約58兆円の損失）．

3.2 日銀の損失負担能力

2015年7月末時点で日銀の引当金，資本金，準備金勘定の合計は7兆円強となっている．またゼロ金利で資金調達できる銀行券の残高も91兆円あり，これも広義の資本に相当する．この水準の銀行券需要が維持されれば，日銀は古いお札を新券と交換するコストだけで，91兆円の資金をゼロ金利で調達でき58兆円の損失を吸収するバッファーとなるからだ．

それでは何が問題になり得るのか．第1に，物価上昇率の目標が達成できず，

---

[9] このほか，金利上昇が金融機関の健全性に与える影響については，鎌田・倉知（2012）を参照されたい．

図 8-6　銀行券需要関数

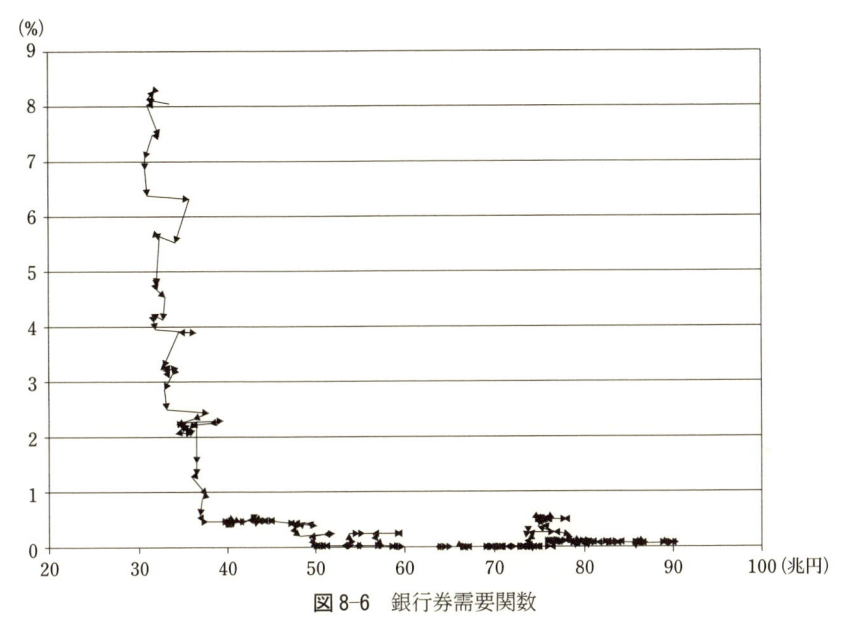

注：1991年1月から2015年7月までについて，縦軸に月平均コール市場金利（％），横軸に銀行券平均残高（兆円）を取ってグラフ化した．
出典：日銀のデータベースと国民経済計算から筆者作成．

日銀が長期国債を買い進めることで，さらに巨額の損失リスクを発生させる場合である．第2に，銀行券需要が減少するリスクである．金利が上昇すれば現金を持つよりも預金や国債での運用が有利になり，銀行券が日銀に環流してくる．国債金利が3％台になれば，銀行券需要は50兆円以下に減少しても不思議ではない．図8-6は，日本の名目GDPが480〜500兆円で横ばいに推移していた1991年から2015年7月までの期間について，縦軸に短期市場金利，横軸に日銀券残高を取ってグラフにしたものである．縦軸は日銀券を保有することに伴う資金運用利益の機会損失，横軸は家計や企業による日銀券の需要額と見ることが出来るので，この図は日銀券の需要関数と見なせる．この図は，金利が低下するに従って日銀券の需要が増大してきたことを示している．逆に金利が上昇しはじめると，日銀券残高は図の矢印の逆方向に動くと考えられるため，銀行券需要は減少に転ずると考えられる．

3.3　日銀赤字の処理方法

日銀が負担した損失は，次のような方法で処理することが考えられる．

（日銀納付金の削減）

日銀は資産の運用益から超過準備額に対する 0.1% の利払いコストや年間約 2000 億円前後の経費を差し引いた金額の大半を国庫に納付している．しかし国債価格の下落に伴う損失が発生すると，この納付金を停止して赤字を処理する必要が生ずる．これは，政府にとっては歳入の減少となり，財政赤字の増加要因となる．しかし日銀納付金を停止することによって損失処理が徐々に出来る場合は，時間がかかるものの長期的には日銀のバランスシートは修復される．

しかし日銀が納付金の支払いを停止しても日銀が赤字を出し続ける可能性がある．これは，日銀の損失が銀行券需要額を上回る場合に発生しうる．この状況には，日銀の量的緩和のやめ方によって2つの場合がある．

(1) 日銀が国債の売りオペでマネタリーベースを回収する場合．

日銀がオペで購入した国債の価格が下落しているため，保有国債を全て売ってもマネタリーベースの残高を十分削減できなくなった場合である．この場合には，日銀は日銀売出手形（日銀の利付きの債務）を売り出して，マネタリーベースを回収する必要が生ずる．日銀の資産が売却によってなくなった状態で，日銀売出手形を発行すると，利払いのための金利収入が存在しないので，日銀は利払いのためにさらに売出手形を発行する必要が生ずる．要は，利払いのためにさらに借金を重ねる必要が生ずる．

(2) 日銀がマネタリーベースを回収せず，日銀当座預金に付ける金利を引き上げることで金融緩和をやめる場合．

国債を満期まで保有すれば，売却損失は発生しない．しかし，売りオペを行わず短期市場金利を 2% 程度まで引き上げるためには，民間金融機関が保有する日銀当座預金に支払っている金利を，現在の 0.1% から 2% まで引き上げる必要がある．これに対して，日銀が保有する長期国債の利回りは，満期まで固

定されており利回りは大部分が 1% 以下となっている．この日銀の資産の運用利回りと，負債に対する利払いの逆ザヤは毎年数兆円を超え，逆ザヤの現在価値は，国債売却損に匹敵することになる．この場合には，利払いによってマネタリーベースが増加を続け，その利払い額も増大を続ける．

このいずれの場合にも，日銀は負債を際限なく増加させながら金融引き締めを行うことになる．

日銀が深刻な債務超過に陥って赤字が収拾できない場合に，日銀が正常なバランスシートに復帰するためには，預金準備率の引き上げによる民間金融機関へのロスの転嫁（民間金融機関に低利での日銀預金を強制）や，インフレにより銀行券需要を増大させることが考えられる．

（準備預金の引き上げ）

日銀は預金準備率を引き上げることで，民間銀行に対してゼロ金利ないし低利の日銀当座預金の保有増大を強制することで，低利の資金を集め，それを国債などで運用することで黒字化を図ることが考えられる．

（物価の引き上げ）

日銀は物価安定のために利上げが必要になっても，低利を維持することで過度に景気刺激的な金融政策運営を行うことが可能である．これによってインフレを加速させ，物価を上昇させることができる．これを行えば，物価上昇に伴って銀行券の取引需要が増大する．このため，マネタリーベースを回収することなく，インフレによる通貨需要の増大を経由して，金融引き締めができるバランスシートに持ち込むことが考えられる．

4 社会保障制度の概観

4.1 社会保障費の将来推計

日本の公的年金制度は，第二次大戦中に強制貯蓄制度の一環として導入され

表 8-2　社会保障費の将来推計（GDP 比）

(%)

年　度	2012	2015	2020	2025
給付費	22.8	23.5	24.1	24.4
年　金	11.2	11.1	10.5	9.9
医　療	7.3	7.8	8.4	8.9
介　護	1.8	2.1	2.7	3.2
子ども・子育て	1.0	1.1	1.0	0.9
その他	1.5	1.5	1.5	1.5

注：厚生労働省「社会保障に係る費用の将来推計の改定について」2012年3月．

たあと，戦後のインフレにより形骸化していたが，1970年代に全面的な賃金スライド制が導入され，給付も大幅な拡充が行われた．しかしその後は，財政再計算と呼ばれる将来シミュレーションが行われる度に，予想以上の長寿化と少子化で将来の財源不足が明らかになり，給付開始年齢の引き上げや給付水準の切り下げ，社会保険料率の引き上げが行われてきた．特に，2004年の「100年安心プラン」では，(1)受給開始後の賃金スライドを取りやめて物価スライドにすること，(2)いわゆるマクロスライドで給付水準を引き下げること，の2つの対策を行うことにより，年金の財源問題をおおむね解消した．実際，表8-2に示したように，年金給付のGDP比率は今後低下していく見通しである．しかしその代償として，年金受給開始後長期間経過した高齢者の年金額が相当低下することとなった．これは，将来，生活保護の給付が年金を上回る高齢者を増加させるという問題を孕んでいる．

　他方，今後の日本の社会保障制度の維持可能性を考えると，高齢者介護と医療制度における財源とマンパワーの問題がもっとも深刻になると予想される．

　実際，厚生労働省の将来推計によれば，人口の高齢化に伴って看護職員，介護職員の必要人員は大幅に上昇する（表8-3）．看護職員は，2011年の141万人が，2025年には200万人程度に，介護職員も同じ期間に140万人から240万人程度に増加し，看護，介護に従事するその他の職員数も，ほぼ倍増する．この結果，医療・介護分野の必要マンパワーは，2011年実績の462万人から，2025年には720万人前後へと，260万人もの増加が必要となる．これに対して，日本の生産年齢人口は大幅に減少すると見込まれている．15〜64歳人口は，

表 8-3　医療・介護分野におけるマンパワー必要量の推計

(万人)

年度	2011	2015	2025
医師	29	30-31	32-34
看護職員	141	155-163	195-205
介護職員	140	165-173	232-244
医療その他職員	85	91-95	120-126
介護その他職員	66	79-83	125-131
合　計	462	520-546	704-739
参　考			
15-64 歳人口	8,130	7,682	7,085

注：厚生労働省「医療・介護にかかる長期推計」2011年6月．
国立社会保障・人口問題研究所「日本の将来人口推計」中位推計，2012年将来人口は，各年の10月1日時点の推計値．

2011年の8130万人から1000万人以上も減少し，7085万人に達する．このため，医療・介護分野の報酬は，他の産業分野に比較して相当大幅に引き上げる必要が生ずるだろう．こうした人手不足による報酬の引き上げは，上記の将来推計には十分反映されていないため，財政負担は，上の推計以上に大きなものになることが懸念される[10]．

この医療・介護コストの上昇と，人手不足に対応するためには，2つの側面から対応する必要がある．

まず医療面では，高齢者の健康水準を高めて，医療需要そのものを減少させると同時に，現在の高齢者に対する医療機関の対応そのものを見直していく必要がある．認知機能が全く失われて回復の見込みのない患者や，本人の主観的な生活に対する満足感を高めない延命措置については，倫理的な面に十分配慮しつつ公的な医療保険・介護保険ではカバーせず，早期に停止していく必要があるだろう．

第2に，人口減少に対する抜本的な対応である．次の節でも述べるように，日本語能力の高い外国人労働力の活用である．日本語能力を日本での就労ビザの主要要件として位置づけ，一定水準を超える外国人の移民を積極的に受け入

---

[10] この点で，現在の介護，看護に関する資格制度が報酬に相当影響していることが注目される．殷他（2014）を参照．

れることである．

　また，高齢者の健康水準を高めるための政策については，研究が決定的に不足している．これに関しては，高齢者の健康水準と生活環境との関係についての基礎的なデータ整備を欠くことはできない．これに関して，「くらしと健康の調査」（JSTAR：Japanese Study of Aging and Retirement）の拡充と，それによる高齢者の健康状態を高めるための政策を，データに即して打ち出していく必要がある[11]．

5　おわりに

　日本の財政を健全化する上で，アベノミクスの弱点は，第三の矢である成長戦略の踏み込みが足りないことである．先延ばしした消費税引き上げを確実に実行し，財政再建を軌道に乗せるためには，日本の成長率を高めることが不可欠である．

　日本の潜在成長率を規定する要因は大きく2つあり，労働力人口の成長率と生産性の伸び率である．労働力人口の大宗を占める生産年齢人口は，今後20年間で年率1％弱減少し，累計で17％減少する見通しである．1人当たり所得が米国水準に近づいた先進国における生産性の伸びは，概ね1.5％程度である．図8-7は1人当たり実質GDPの1870年以降の超長期動向を示しているが，日本，ヨーロッパの1人当たりGDPがアメリカ水準に概ねキャッチアップすると，1人当たり成長率は収れんし，大体1.5％程度に落ち着く傾向がある．

　アメリカの潜在成長率は2.5％弱であると言われているが，アメリカは移民が入っていることと出生率が高いことがあり，生産年齢人口は年率1％伸びている．日本では，今後，年率1％弱で生産年齢人口が減っていくので，女性や高齢者の雇用を促進するとしても，潜在成長率は実質1％程度に引き上げるのがやっとであろう．

　丸めた数字で説明すれば，アメリカの人口成長率が＋1％，日本は－1％，生

---

[11]　JSTARについては，次のウェブサイトを参照されたい．http://www.rieti.go.jp/jp/projects/jstar/

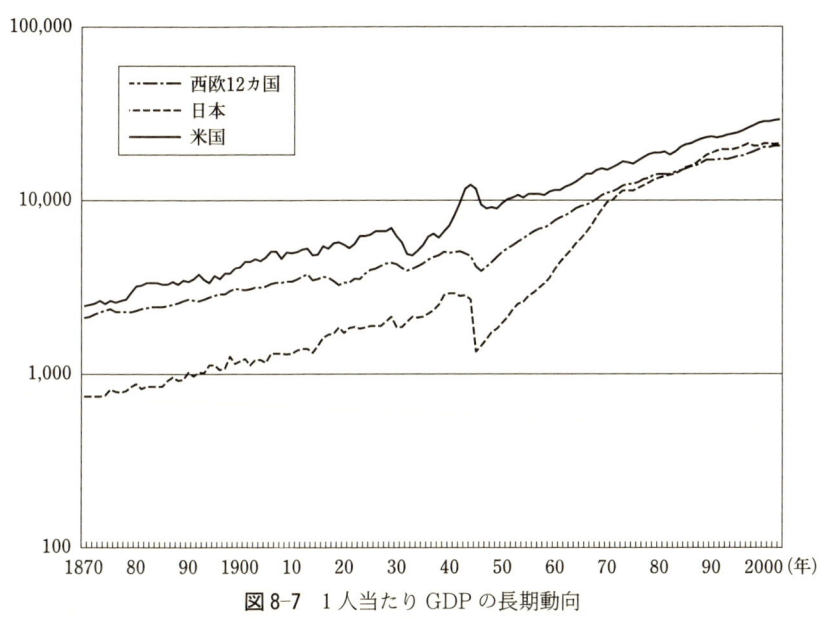

図 8-7　1人当たり GDP の長期動向

出典：Historical Statistics for the World Economy: 1-2003 AD, Angus Maddison.
注：数値は 1990 年価格（International Geary-Khamis dollars）をもとに比較した．

産性の伸びを日米で同じ 1.5% と置いても日本の潜在成長率は 0.5% であり，これをさらに引き上げることは難しい．なお過去 20 年間の 1 人当たり実質 GDP 成長率は，アメリカで 1.55%，日本は 0.78% でアメリカより低いが，これは日本においては失われた 10 年といった不況期があったからである．

　潜在成長率の引き上げには人口減少に対する強力な政策が必要だが，出生率を今すぐ引き上げることができたとしても，成人して労働力になるのは 20 年先であり，即効性はない．今すべき政策のポイントは，人口政策として移民政策を位置づけることである．現在は一時的に労働力を導入しようという政策に止まっているが，むしろ移民として日本に定住してもらえる人材を積極的に受け入れる必要がある．

　日本語能力の高い移民を積極的に受け入れることができれば，日本の経済社会に対するマイナス面を最小限に抑えつつ，日本の潜在成長率を高めることが可能になるだろう．

日本語能力試験の最上級レベルである N1 試験にパスしていれば，日本の大学に入学可能な日本語力を持っていることになる．この試験にパスしたバイリンガルの外国人に対して，5 年程度の就労ビザを発給し，5 年程度平穏に就労した後は永住権を与えるか帰化を認めてはどうか．現在でも大体 7 年前後日本に平穏に住んで働き納税していると，永住を認められることが多い．

日本語能力試験は世界 64 カ国，206 都市で実施し，毎年 60 万人前後が受験している．年間 6 万人程度 N1 レベルの合格者があるが，日本が積極的に移民を受け入れる政策を打ち出せば，合格者はかなり増大するだろう．このため，年間 5 万人程度の良質な移民を受け入れられる可能性が高い．

移民受け入れのプラス面としては，日本全体として労働力不足を解消することで，人手を要する介護・医療の人材を確保できることがある．仮に移民労働者の大部分が医療・介護分野を就職先に選ばない場合でも，彼らが日本国内で勤労所得を得て納税する限り，その税金を使って日本人を雇用することが可能になる．また良質なアジア系の人材を確保できれば，日本はアジアのビジネス・金融センターとしてさらに発展できるようになるだろう．人材供給の見通しが明るくなれば，国内設備投資にもプラスになり，外国企業の日本進出の増加も見込めるようになるだろう．良質な移民は納税者として自立するので，財政の健全化にも寄与する．移民の第 1 世代の出生率は高めになる傾向があるので，少子化対策にもなる．また，世帯数の減少が弱まれば，不動産価格もプラスになるし，アジア諸国との相互理解を深めることで国際紛争の防止にも寄与するだろう．

移民受け入れのマイナス面としては，地域社会への順応ができない人が発生したり，教育，社会福祉システムへの負担を増加させたりする可能性がある．移民の子弟の増加が学校教育の負担を増加させる可能性があることは否めない．しかし日本語能力の高い親があれば，子供の日本の学校への順応も相当容易になると考えられる．筆者自身も OECD 勤務のためにパリに住んでいたときに，子供 2 人を現地のアメリカンスクールの小学校に通学させていたが，毎晩英語の本の読み聞かせを行うなどにより，1 年間で英語の補習クラスを卒業し，完全に普通クラスに移行することが可能であった．

日本の外国人労働者受け入れでは，一時的な専門労働者を受け入れるとの観

点から，専門能力と所得水準に非常に高いポイントを置いている半面，日本語能力はさほど重視されていない．これに対して移民を積極的に受け入れているカナダ，オーストラリアでは，受け入れに当たって英語の能力を重視しており，日本もこれに学ぶべきであろう．

日本において移民受け入れにより活性化したセクターとして，日本相撲協会を挙げることが出来る．1つのビジネスとして日本相撲協会を見ると，積極的な外国人力士の導入が，競技の質を高めることでファンを維持していると言えるだろう．日本語を習得した外国人力士が，日本の伝統を引き継いでくれていることは，非常に良いことだと考える．

逆に，移民を早期に導入して医療，介護のマンパワーを十分確保しないと，将来の高齢者に対する良質の介護・看護の供給は絶望的に困難になるだろう．先日，朝日新聞に，拘束された高齢者に関する悲惨な記事があったが，人手不足が深刻化すると，認知症の老人を拘束することでしか対応できなくなる可能性もあるだろう．高齢者の多くが高額の貯蓄を維持している理由は，老後のケアに対する不安があるからであり，今後マンパワーが不足して医療・介護コストが高騰すれば，貯蓄の価値も大きく毀損されることになるだろう．

参照文献

International Monetary Fund (2015), *World Economic Outlook.*
岩田一政・猿山純夫 (2013), 「成長に友好的な税・年金改革：マクロモデルによる効果試算」RIETI Discussion Paper Series 13-J-001.
殷婷・川田恵介・許召元 (2014), 「介護労働者の賃金関数の推定：学歴プレミアムと資格プレミアム」RIETI Discussion Paper Series 14-J-033.
鎌田康一郎・倉知善行 (2012)「国債金利の変動が金融・経済に及ぼす影響：金融マクロ計量モデルによる分析」RIETI Discussion Paper Series 12-J-021.
経済企画庁 (1985), 『経済白書』.
小池拓自 (2005), 「家計金融資産1,400兆円の分析：金融資産の質，量及び分布の状況」国立国会図書館 ISSUE BRIEF NUMBER 491.
厚生労働省 (2011), 「医療・介護にかかる長期推計」.
厚生労働省 (2012), 「社会保障に係る費用の将来推計の改定について」.
庄司啓史 (2013), 「公的債務の蓄積が実体経済に与える影響に関するサーベイおよび Vector Error Correction モデルによる財政赤字の波及効果分析」RIETI Discussion Paper Series 13-J-040.
日本銀行 (2014), 「量的・質的緩和の拡大」2014年10月31日.

第 8 章　財政赤字・社会保障制度の維持可能性と金融政策の財政コスト

蓮見亮（2014），「法人税減税の政策効果：小国開放経済型 DSGE モデルによるシミュレーション分析」RIETI Discussion Paper Series 14-J-040.

深尾光洋（2012a），『財政破綻は回避できるか』日本経済新聞出版社.

深尾光洋（2012b），「日本の財政赤字の維持可能性」RIETI Discussion Paper Series 12-J-018.

索　引

あ 行

R&D 戦略　19
REER（Real Effective Exchange Rate）
　63
RCEP（東アジア地域包括的経済連携）　27
IMF（International Monetary Fund）　63,
　193
IoT（Internet of Things）　234
ICT　173, 181, 205
　——革命　173, 176, 178, 197
　——リテラシー　181-182
アウトソーシング　15, 182
アウトソース　235
アジア太平洋自由貿易圏（FTAAP）　27
アジア通貨危機　59
後回し行動　249
アベノミクス　68
EU KLEMS　175
域外関税率　28
異次元緩和　286
移出産業　102
一般的例外規定　46
移転価格　16
イノベーション　5, 19, 43, 154
　オープン・——　19, 151
　プロセス・——　218
　プロダクト・——　6, 150, 201, 217
イノベーション崇拝　217
イノベーションの過程　117
移民　294
インセンティブ効果　139
インセンティブ設計　136, 167
インターネットによる公開　163
Industry 4.0　234
intrinsic motivation　136
インフラ輸出　208

インフレ　289
インボイス通貨選択　58
宇宙航空研究開発機構（JAXA）　133
AMU（アジア通貨単位）　58, 60
　——乖離指標　58, 60
営業秘密　22
衛生委員会　260
AI（人工知能）　234
SBS 米　227
エネルギーミックス　224
M&A，特許権自体の譲渡取引　169
MFN 原則　30
円キャリートレード　61
援助政策　23
縁の下の力持ち　129
欧州財政危機　283
応用一般均衡世界貿易モデル　26
オーナー発明者　137

か 行

外延　18, 23
外向性　246
外国居住　158
外国人労働力　291
外国籍発明者　158
介護職員　290
開示加слова仮説　162
外資規制　25
外資系企業　41
外資導入　42
階層構造　100
外部の技術源　150
科学技術文献　120, 125-126, 131
価格ショック　80
価格設定行動　58, 71
加工組立型産業　34
学会報告　129

297

索　引

GATS（サービスの貿易に関する一般協定）　25
課程博士　130
過当競争　206
為替差益　73
為替リスク管理　58
為替レート・ショック　81
看護職員　290
関税同盟　21
関税率　28
官民ファンド　208
期間比例原則　250
機器　125
起業　147
　──意識　149
起業家　149
企業活動基本調査　14, 180
企業収益　81
企業取引データ　35
企業の国際化　13-14, 41
企業の新陳代謝　108
技術移転要求　45
技術革新力　117
技術市場　145, 168
技術スタートアップ　168
技術標準　153
技術ライセンシング　23
規制緩和　205
基礎素材型産業　34
技能集約的な業務　18
規模の経済性　205-206
客観的合理性　250
救済機能　33
給付付き税額控除　253
競合企業　120
競争制限効果　214-215
競争中立性規律　50
協調性　246
協調の失敗　223
共同研究　127, 134
共同出願特許　134
ギリシャ　283

緊急保障制度　232-233
銀行券需要　287
　──関数　287
金銭解決制度　256
金銭的報酬　136, 139
勤勉性　246
勤務先変更　146
金融円滑化法　232-233
金融政策の財政コスト　273
空間経済学　94
空洞化　17
クールジャパン　208
クラウドアウト　206
くらしと健康の調査　292
クラスター・アプローチ　48
グレース・ピリオド　162, 169
グローバル・ヴァリュー・チェーン　178, 191
経験の開放性　246
経済協力開発機構（OECD）　201
経済特区　42-43
経済連携協定（EPA）　27, 46
継続雇用制度　267
契約通貨建て　73
研究開発　167
研究開発投資　44
　──集約度　265
研究機器・試料　125-126
原産地規則　28
現状維持　141
原子力賠償制度　225
減反政策　227
現地通貨建て　78
限定正社員　254
原油供給ショック　81
交易条件　5
公共財　129
公共投資　190
構造改革　205-206
構造形推定　216
構造ショック　81
構造VARモデル　81

索　引

公的研究機関　120, 133
公的助成　216, 230
公的年金制度　279
購買力平価　60
小売価格　75
合理化カルテル　206
効率性向上効果　214-215
高齢化　93, 176, 187
　　──率　187
高齢者介護　290
高齢者雇用安定法　267
コースの推論　217
顧客　120
国際課税制度　16
国際共同研究　169
国際産業連関表　71, 192
国際出願　158
国際調査報告（ISR）　166
国際投資協定　44
国際投資仲裁　46
国際博覧会　162
国際物流ハブ　103
国籍　157
国内アブソープション　193-194
国内特許出願促進仮説　162
国内の外国籍の発明者　169
国有企業　41, 49-50
国立研究機関　131
子育ての機会費用　98
国境　157
国境を越えた共同発明　169
国公立研究機関　133
固定価格買い取り制度（FIT）　208, 225
固定効果　132
コモディティ化　235

さ　行

サーベイランス　59
サイエンス　123
サイエンス活用能力　167
サイエンス・リンケージ　160
財政赤字　274

再生可能エネルギー　103, 208, 224
　　──利用割合基準（RSP）　225
財政再建　280
最低賃金　251
最低賃金審議会
　　地方──　253
　　中央──　253
最適な組織　142
先発明　22
サプライチェーン　34, 38
　　──・ネットワーク　35
サプライヤー　120
産学連携　125, 128, 212
産業インターネット　234
産業技術総合研究所（AIST）　133
産業再編　205
産業集積　40, 42
産業政策　203
産業別実質実効為替相場　58
三公社五現業　206
残余請求者　137
GDP
　　実質──　3
　　名目──　3
JA（農業協同組合）　228
Jカーブ効果　58, 72
JSTAR（くらしと健康の調査）　292
ジェネラリスト　149
ジェネラリティ　134
時間割引率　249
事業継続計画　107
σ 収斂アプローチ　61
自国籍発明者　158
市場の失敗　206, 209
自然人　29
持続可能性　102
実質実効為替レート　63
時変パラメーターVAR　69
資本移転　186
資本財　23
資本集約的産業　43
資本使用的　37

299

索　引

資本蓄積主導　191
資本流出　186
資本・労働比率　183, 198
社会厚生　220
社会的一体性　247
社会的相当性　250
社会保障制度　289
社会保障費　189
集積　96
　　――の経済性　252
自由貿易　21
自由貿易協定（FTA）　23, 27
需給政策　211
需要の不確実性　17
少子化　93, 98
昇進・昇格　138
情緒不安定性　246
消費者物価指数　65
消費需要主導　191
消費税　274
情報技術協定（ITA）　30
情報処理実態調査　180
情報通信技術　→ICT
情報の専有可能性　209
情報の非対称性　209, 232
情報のローカリティー　165
将来世代の負担　277
職務発明者　137
所得移転　189-190
所得補償　31
ジョブ型正社員　255
自立性　102
新規性喪失の例外規定　162
人口減少　7, 94, 282
人材投資不足　282
審査官　165
人的資本　210, 282
進歩性の判断　163
新有効成分医薬品プロジェクト　126
信用保証協会　232
数量ショック　80
スタチン　117

ストロー効果　102
スピルオーバー　20, 144, 209, 211, 217
スモールワールド（小さな世界）　105
生活保護　290
生産コスト構造　70
生産者物価指数　65
生産性　17, 292
　　――格差　176
　　――の差異　14
生産調整政策　227
政治経済学のトリレンマ　235
正社員の無限定性　254
成長戦略　58
政府債務残高　275
政府債務GDP比率　275
世界公知　165, 170
世界的需要ショック　81-82
世界投入産出データベース（WIOD）　176, 178, 191, 195
世界の知識　157
世界貿易分析プロジェクト（GTAP）　26
世代間移転　275, 279
世代別の純金融資産額　280
先行技術文献　166
先行公知文献　124
全国イノベーション調査　210
潜在成長率　292
　　――低下　273
全要素生産性（TFP）　3, 18, 173-174, 178, 187-188, 198
相互主義・互恵主義（reiprocity）　32
相殺関税　51
相当の対価　136, 139
組織改革　212
組織設計　141
組織内の不一致　145

た　行

ターゲッティング　143
　　――政策　205
タースク動機　136
大学　120, 131

索　引

大学及び国公立研究機関との連携　167
代替効果　139
対内直接投資　21
第4次産業革命　205, 234
他国籍企業　16
Task motivation　137
WTO　21, 26, 47
　　——議定書　42
　　——協定　47
多様性　112
単独出願特許　134
地域間格差　111
地域間所得格差　188
地域資源　102
地域貿易協定　28
チーム　158
知識　117
知識源　130
知識源泉　118
知識のスピルオーバー　97
知識フロー　162
知的財産権（IPRs）　19, 21, 213
知的財産保護水準　20
中国企業　41
中国産業生産性データベース（CIP）　175
中国独禁法　49
中国の経済発展　190
中国発展改革委員会　49
中小企業　229
　　——基本法　229
中小企業等グループ施設等復旧整備補助事業　107
中心市街地　95
長期継続的取引関係　38
長期停滞　1
直接投資転換効果　28
地理的距離　166
賃金　10
　　——プレミアム　258
つながり力　104
TLO（技術移転機関）　163
TPP（環太平洋経済連携協定）　11–12, 27, 50, 188, 208
DVD 標準　155
taste for science　136
デフレーション　1
転作補助金　228
電力供給制約　37
電力システム改革　221, 226
電力自由化　221
東京一極集中　93
東京商工リサーチ　36
投資協定　45
投資仲裁　45
　　——手続（ISDS）　44
投資保護　27
　　——ルール　48
登録型派遣　249
都市化　96
都市規模分布　100
都市における知識の新陳代謝　109
特許　21, 213
特許協力条約　→PCT
特許権侵害訴訟　22
特許出願公開　129
特許出願遅延仮説　162
特許制度　19, 21
特許プール　154
特許文献　120
特許法35条　139
都道府県別産業生産性データベース（R-JIP）　175
TRIPS 協定　21

な　行

内延　18
内外価格差　222
内需主導成長　178
内生的成長理論　210
内発的な動機　136, 140
二国間投資協定（BIT）　27, 47
日銀売出手形　288
日銀当座預金　288
日銀納付金　288

301

索　引

日銀の損失負担能力　286
日米構造協議　205
日本型自由化モデル　222
日本産業生産性データベース（JIP）　175
日本相撲協会　295
日本政策金融公庫　231
日本の発明者　120, 126
日本発送電　221
認知能力　243
ネットワーク　35, 39, 104
ネットワーク外部性　152
ノンプラクティシング・エンティティ
　（NPE）　22

は　行

バイオベンチャー　230
波及効果　168, 216
パススルー　58
　──率　68
発明者　165
　──サーベイ　119, 152
発明者前方引用　134
発明者の移動理由　146
発明の科学的源泉　123, 125
発明報奨制度　140
パテント・プール　155, 169
パネルデータ　132
幅広い経験　150
ハブ　105
Balassa-Samuelson 効果　60
パワープール　223
阪神・淡路大震災　37
PR 禁止条項　45
BIS（Bank for Internatrional Settlements）
　63
　──の実質実効為替レート（BIS-REER）
　65
PCT　158, 166
　──の制度改革　164
PTM 行動　73, 75
比較優位　36
東日本大震災　34, 36, 94, 202

光ディスク　155
被災した企業の復旧　106
非財務情報開示　266
ビジネス・プロセス・アウトソーシング
　（BPO）　173, 181, 197
非正規雇用　248
非正規雇用者　16
ビッグファイブ　246
非特許文献　124
人手不足　95
非認知能力　243
氷塊型貿易コスト　24
標準　152
標準化活動　153
標準化機関　153
標準合意　157
標準自体の革新　169
標準に依拠した発明　154, 169
標準必須特許　213
Beyond Industrial Policy　204
貧困対策　252
ファミリー・サイズ　134
VAR モデル分析　62
複合経営　228
福島第 1 原子力発電所事故　208
負の外部性　208
部品の共通化　38
不本意型　248
「踏み石」効果　249
プライマリー・バランス　280
フラグメンテーション　15
ブラックボックス化　213
プラットフォーム　223, 235
FRAND 宣言　214
Brain Drain　186
プロジェクト選択　139
文化多様性条約　47, 49
文理融合　244
並行輸入　25
米国の発明者　120
β 収斂アプローチ　61
変革　141

302

索　引

変化を好む人材　149
ベンチャーキャピタル　231
ベンチャー投資額　203
貿易
　　——コスト　24
　　サービス——　195
　　財——　195
貿易権規制　42
貿易自由化度指数（ホクマン指数）　28
貿易調整支援（TAA）　33
貿易転換効果　28
補完財供給　211
補償制度　26
ポツダム政令　221
保有効果　31
本社分散化　112

ま　行

マクロスライド　290
マッチングファンド　231
まち・ひと・しごと創生基本方針2015　93
ミスアライアメント　59
ミニマムアクセス　227
民営化　206
民営企業　41
無形資産投資　181
メガファーマ　230
免疫チェックポイント　145
メンタルヘルス　257, 259
モジュール化　→部品の共通化
モデルチェンジ　73

や　行

優遇税率　28
ユーザー　120
輸出価格　73, 75
　　——競争力　64
輸出競争力　58
輸出制限要求　45

輸送費の低下　96
輸入中間財　39
ユネスコ　49
幼稚産業保護　205
預金準備率　289
抑うつ度　261
予想インフレ率　70

ら・わ行

ライセンス　214
リーマン・ショック　202, 231
理化学研究所（RIKEN）　133
リスク愛好度　147
リスク回避的　139
リスク回避度　145, 147
リスク資金　144
流通マージン　78
流動性　145
量的緩和　273
　　——の財政コスト　284
量的金融緩和政策　61
量的・質的緩和　286
類似発明　22
レベル会計　182
ロイヤルティ　214
労働契約法　250
労働市場の二極化　247
労働集約的産業　43
労働条項　29
労働生産性　182-183, 186-188, 190, 198
　　——格差　173, 176, 184, 197
労働節約的　37
ローカルコンテント使用要求　45
ローカルな情報　170
ロックイン効果　98
ロボットセンサー技術　205
論文博士　130
ワークライフバランス　93, 257

303

執筆者紹介（執筆順，*は編者）

中島厚志（なかじま・あつし）
　経済産業研究所理事長

*藤田昌久（ふじた・まさひさ）
　経済産業研究所所長，甲南大学特別客員教授，京都大学経済研究所特任教授

吉川　洋（よしかわ・ひろし）
　東京大学大学院経済学研究科教授，経済産業研究所シニアリサーチアドバイザー

若杉隆平（わかすぎ・りゅうへい）
　新潟県立大学大学院教授，京都大学名誉教授，経済産業研究所シニアリサーチアドバイザー・プログラムディレクター

伊藤隆敏（いとう・たかとし）
　コロンビア大学教授，政策研究大学院大学教授，経済産業研究所プログラムディレクター

清水順子（しみず・じゅんこ）
　学習院大学経済学部教授，経済産業研究所プログラムディレクター補佐

浜口伸明（はまぐち・のぶあき）
　神戸大学経済経営研究所教授，経済産業研究所プログラムディレクター

長岡貞男（ながおか・さだお）
　東京経済大学経済学部教授，経済産業研究所プログラムディレクター，特許庁知的財産経済アドバイザー

深尾京司（ふかお・きょうじ）
　一橋大学経済研究所教授，経済産業研究所プログラムディレクター

大橋　弘（おおはし・ひろし）
　東京大学大学院経済学研究科教授，経済産業研究所プログラムディレクター

鶴　光太郎（つる・こうたろう）
　慶應義塾大学大学院商学研究科教授，経済産業研究所プログラムディレクター

深尾光洋（ふかお・みつひろ）
　慶應義塾大学商学部教授，経済産業研究所プログラムディレクター

編者略歴

1966 年　京都大学工学部卒業
1972 年　ペンシルバニア大学大学院博士課程修了
　　　　ペンシルバニア大学地域科学部教授，京都大学経済研究所教授を経て，
現　在　経済産業研究所所長・CRO，甲南大学特別客員教授，京都大学経済研究所特任教授．博士（地域科学）

主要著書

『空間経済学』（共著，東洋経済新報社，2000 年）
『日本の産業クラスター戦略』（共著，有斐閣，2003 年）
Urban Economic Theory, Cambridge University Press, 1989.
Regional Integration in East Asia, editor, Macmillan, 2007.
Economics of Agglomeration, 2nd edition, with J.-F. Thisse, Cambridge University Press, 2013.
ほか多数

日本経済の持続的成長
エビデンスに基づく政策提言

2016 年 3 月 30 日　初　版

［検印廃止］

編　者　　藤田昌久（ふじた まさひさ）

発行所　　一般財団法人　東京大学出版会
代表者　　古田元夫
　　　　　153-0041 東京都目黒区駒場 4-5-29
　　　　　http://www.utp.or.jp/
　　　　　電話　03-6407-1069　Fax 03-6407-1991
　　　　　振替　00160-6-59964

印刷所　　株式会社理想社
製本所　　牧製本印刷株式会社

Ⓒ 2016 Masahisa Fujita *et al.*
ISBN 978-4-13-040273-6　Printed in Japan

JCOPY 〈(社)出版者著作権管理機構　委託出版物〉
本書の無断複写は著作権法上での例外を除き禁じられています．複写される場合は，そのつど事前に，(社)出版者著作権管理機構（電話 03-3513-6969，FAX 03-3513-6979, e-mail: info@jcopy.or.jp）の許諾を得てください．

堀内昭義・花崎正晴・中村純一 編
日本経済　変革期の金融と企業行動　　　　　　　　　　　A5・6800円

間宮陽介・堀内行蔵・内山勝久 編
日本経済　社会的共通資本と持続的発展　　　　　　　　　A5・7000円

吉川　洋
マクロ経済学研究　　　　　　　　　　　　　　　　　　A5・4600円

大橋　弘 編
プロダクト・イノベーションの経済分析　　　　　　　　　A5・3200円

川濵　昇・大橋　弘・玉田康成 編
モバイル産業論　その発展と競争政策　　　　　　　　　　A5・3800円

櫻井宏二郎
市場の力と日本の労働経済　技術進歩，グローバル化と格差　A5・4800円

松原　宏 編
日本のクラスター政策と地域イノベーション　　　　　　　A5・6800円

ここに表示された価格は本体価格です．御購入の
際には消費税が加算されますので御了承ください．